빠작 초등 국어 비문학 독해 무료 스마트러닝

KB132580

첫째 QR코드 스캔하여 1초 만에 바로 강의 시청

둘째 최적화된 강의 커리큘럼으로 학습 효과 UP!

지문 분석 강의
- 비문학 영역별 지문 분석을 통한 바른 독해법 강의 제공
- 설명문, 논설문 등 문종별 지문 분석과 배경지식 제공

무료
스마트
러닝

빠작 초등 국어 **비문학 독해 1단계** 강의 목록

빠작 초등 국어 비문학 독해 1단계 학습 계획표

학습 계획표를 따라 차근차근 독해 공부를 시작해 보세요.
빠작과 함께라면 비문학 독해, 어렵지 않습니다.

지문명	학습한 날		교재 쪽수	지문명	학습한 날		교재 쪽수
세계의 인사말	1일차	월 일	012 ~ 015쪽	저금이 무엇일까요?	21일차	월 일	094 ~ 097쪽
높임을 나타내는 말	2일차	월 일	016 ~ 019쪽	우리나라의 사계절	22일차	월 일	098 ~ 101쪽
흉내 내는 말을 써 봐요	3일차	월 일	020 ~ 023쪽	물질의 세 가지 상태	23일차	월 일	102 ~ 105쪽
고운 말을 써요	4일차	월 일	024 ~ 027쪽	초식 동물과 육식 동물	24일차	월 일	106 ~ 109쪽
왜 띄어쓰기를 해야 할까요?	5일차	월 일	028 ~ 031쪽	별자리는 무엇일까요?	25일차	월 일	110 ~ 113쪽
우리 가족을 소개합니다	6일차	월 일	032 ~ 035쪽	다양한 로봇	26일차	월 일	114 ~ 117쪽
친구와 사이좋게 지내요	7일차	월 일	036 ~ 039쪽	전화기의 발전	27일차	월 일	118 ~ 121쪽
거짓말을 하지 말자	8일차	월 일	040 ~ 043쪽	여러 가지 악기	28일차	월 일	124 ~ 127쪽
자연을 소중히 대하자	9일차	월 일	044 ~ 047쪽	그림의 종류	29일차	월 일	128 ~ 131쪽
자기 일은 스스로 하자	10일차	월 일	048 ~ 051쪽	연극을 알아보아요	30일차	월 일	132 ~ 135쪽
강화도로 떠난 가족 여행	11일차	월 일	052 ~ 055쪽	축구가 궁금해요	31일차	월 일	136 ~ 139쪽
학교에서 지켜야 할 규칙	12일차	월 일	056 ~ 059쪽	여러 가지 색 이야기	32일차	월 일	140 ~ 143쪽
다양해지는 직업	13일차	월 일	060 ~ 063쪽	백성을 사랑한 세종 대왕	33일차	월 일	144 ~ 147쪽
웃어른께 지켜야 할 예절	14일차	월 일	064 ~ 067쪽	동화의 아버지 안데르센	34일차	월 일	148 ~ 151쪽
우리나라의 옷 한복	15일차	월 일	068 ~ 071쪽	어린이를 위한 삶을 산 방정환	35일차	월 일	152 ~ 155쪽
우리나라의 대표 명절, 설과 추석	16일차	월 일	072 ~ 075쪽	노력하는 천재 모차르트	36일차	월 일	156 ~ 159쪽
전통 놀이 줄다리기	17일차	월 일	076 ~ 079쪽	나라를 위해 목숨을 바친 유관순	37일차	월 일	160 ~ 163쪽
궁궐은 어떤 곳일까요?	18일차	월 일	080 ~ 083쪽	올바른 손 씻기	38일차	월 일	164 ~ 167쪽
돈을 깨끗이 써요	19일차	월 일	086 ~ 089쪽	자전거를 안전하게 타요	39일차	월 일	168 ~ 171쪽
물건을 사요	20일차	월 일	090 ~ 093쪽	불이 나면 이렇게 해요	40일차	월 일	172 ~ 175쪽

초등 국어

비문학 독해

1 단계

1·2학년

바른 독해의 빠른 시작,
〈빠작 초등 국어 독해〉를 추천합니다

독해 교재의 홍수 속에서 보석을 하나 찾은 느낌입니다. 『빠작 초등 국어 독해』는 문학과 비문학을 나누어 초등학생 눈높이에 맞게 만든 독해 전문 교재라는 생각이 드네요. 특히 지문의 핵심 내용을 이해하는 것은 물론 깊이 있는 배경지식까지 쌓을 수 있도록 섬세하게 구성한 점이 굉장히 마음에 듭니다. 『빠작 초등 국어 문학 독해』와 『빠작 초등 국어 비문학 독해』로 문학과 비문학의 독해 방법을 바르게 배워 보세요.

김소희 원장 | 한올국어학원

최근 수능에서 국어 영역이 가장 까다롭기로 유명합니다. 이런 국어를 잘하려면 무엇보다도 독해력을 길러야 합니다. 특히 문학은 작가가 전하는 주제를 파악하는 것이 중요합니다. 『빠작 초등 국어 문학 독해』는 다양한 갈래의 작품을 읽고, 작품의 구성 요소를 파악해 중심 내용을 스스로 정리해 보는 지문 분석 훈련을 할 수 있어 좋습니다. 『빠작 초등 국어 문학 독해』로 까다로워진 수능 국어 영역을 지금부터 대비하시기 바랍니다.

하승희 원장 | 리딩아이국어논술학원

독해 능력은 글 읽기를 두려워하지 않는 데에서 출발합니다. 그리고 좋은 제재의 글을 읽으며 호기심과 즐거움을 느낄 때 독해는 완성되지요. 『빠작 초등 국어 비문학 독해』는 영역별 다양한 제재의 지문과 사실적·추론적 사고력을 묻는 문제, 지문의 핵심 내용을 파악하는 지문 분석 훈련으로 글을 정확하게 읽게 합니다. 또한 비문학 독해 비법을 충실히 담고 있어 낯설고 어려운 지문도 재미있게 읽을 수 있도록 이끌어 줄 것입니다.

김종덕 원장 | 갓국어학원

『빠작 초등 국어 독해』는 지문 독해, 지문 분석, 어휘 공부까지 탄탄한 구성이 눈길을 끄는 교재입니다. 특히 비문학에서 영역을 세분화하여 지문을 수록한 것과 문학에서 온 작품을 다룬 것은 깊이 있는 독해를 가능하게 할 것입니다. 다양한 글을 읽고 내용을 바르게 파악해야 하는 비문학과 작품을 읽고 제대로 감상해야 하는 문학의 독해력은 단기간에 높일 수 없습니다. 지금부터 『빠작 초등 국어 독해』와 함께 독해 연습을 부지런히 하길 추천합니다.

강행림 원장 | 수풀림학원

이 책을 검토하신 선생님						
강명자	창원지역방과후교사	배성현	아카데미창논술국어학원	이지은	이지은의이지국어논술학원
강유정	참좋은보습학원	설호준	청암국어학원	이지해	이지국어학원
강행림	수풀림학원	송설아	한우리독서토론논술	이창미	박원국어논술학원
구민경	혜윰국어논술	심억식	전지인학원	이현주	도론하는아이들
권애경	해냄국어논술	안수현	안샘학원	이화정	창신보습학원
김나나	국어와나	염현경	박쌤과국어논술학원	전민희	토론하는아이들
김미숙	글과문장독서논술	오연	글오름국어언어논술학원	전지영	두드림에듀학원
김민경	리드인	오영미	천호하나보습학원	조원식	이석호국어학원
김소희	한올국어논술학원	윤인숙	윤쌤국어논술	조현미	국어날개달기학원
김수진	브레인논술교습소	이대일	멘사수학과연세국어학원	하승희	리딩아이국어논술학원
김종덕	갓국어학원	이동수	국동국어고샘수학학원	한민수	숙명창의인재교육
문주희	다독과정독논술학원	이선이	수논술교습소	한수진	리드앤리드논술학원
박윤희	장복논술	이시은	이시은논술	허성완	st클래스입시학원
박창현	탑학원	이용순	한우리공부방	홍미애	이엠영수전문학원
박현순	뿌리깊은독서논술국어교습소	이정선	토론하는아이들		
방은경	열정학원	이지영	해랑		

바른 독해의 빠른 시작,

〈빠작 초등 국어 독해〉를 소개합니다

❶ 비문학과 문학을 분리하여 각각의 특성에 맞게 독해를 훈련하는 초등 국어 독해 기본서입니다.

❷ 설명문, 논설문 등 비문학 글의 종류별 지문 분석 훈련으로 바른 독해 학습이 가능합니다.

❸ 소설, 시, 수필 등 문학 작품의 갈래별 지문 감상 훈련으로 바른 독해 학습이 가능합니다.

빠작
비문학 독해

빠작
문학 독해

단계	대상	영역
1단계	1~2학년	언어, 실용/생활, 사회, 문화, 경제, 자연/과학, 기술, 예술, 인물, 안전/위생
2단계		
3단계	3~4학년	언어, 역사, 사회, 문화, 경제, 과학, 기술, 예술, 인물, 환경
4단계		
5단계	5~6학년	언어, 인문, 사회, 문화, 경제, 과학, 기술, 예술, 인물, 환경
6단계		

단계	대상	갈래
1단계	1~2학년	창작·전래·외국 동화, 동시, 동요, 수필, 희곡
2단계		
3단계	3~4학년	창작·전래·외국 동화, 시, 현대·고전·외국 수필, 희곡
4단계		
5단계	5~6학년	현대·고전·외국 소설, 현대시, 고전 시조, 현대·고전 수필, 시나리오
6단계		

주요
키워드
— **1~2단계** 가족 (1단계 실용/생활), 낮과 밤 (2단계 자연/과학), 이 닦기 (2단계 안전/위생)
3~4단계 문명 (3단계 역사), 물물 교환 (3단계 경제), 조선 건국 (4단계 역사)
5~6단계 커피 (5단계 인문), 백신 (5단계 과학), 심리학 (6단계 인문)

주요
작품
— **1~2단계** 아기의 대답 (1단계 시), 꺼벙이 억수 (2단계 창작 동화), 만복이네 떡집 (2단계 창작 동화)
3~4단계 바위나리와 아기별 (3단계 창작 동화), 잘못 뽑은 반장 (4단계 창작 동화), 물새알 산새알 (4단계 시)
5~6단계 이상한 선생님 (5단계 현대 소설), 고무신 (6단계 현대 소설), 풀잎에도 상처가 있다 (6단계 현대시)

비문학과 문학,
바른 독해 방법이 다릅니다

비문학의 바른 독해 방법

비문학은 핵심 주제를 파악하고 글쓴이의 관점을 이해하는 것이 중요합니다.

비문학은 지식이나 정보 또는 자신의 의견을 전달하는 글의 특성이 있기 때문에, 전체 글의 핵심 주제, 문단별 핵심 내용, 글쓴이의 관점 등을 이해하며 읽는 훈련을 해야 합니다. 따라서 비문학을 바르게 읽고 이해하려면 글의 전체 구조를 그려볼 수 있어야 하고, 글 전체의 중심 내용과 문단별 중심 내용 그리고 핵심 주제를 찾아보는 연습이 필요합니다.

설명문의 일반 구조

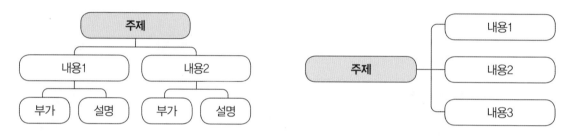

논설문의 일반 구조

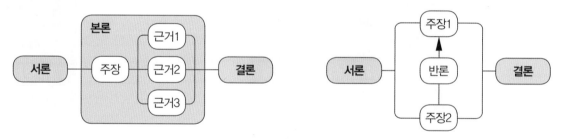

비문학은 정보 전달의 목적이 있기 때문에 다양한 지식과 정보를 쌓아야 합니다.

비문학은 어린이 신문이나 잡지 등을 통해 지식과 정보를 쌓는 것이 독해에 도움을 줍니다. 또한 독해 교재를 학습하면서 비문학 지문의 내용을 깊이 있게 이해하는 것도 중요합니다.

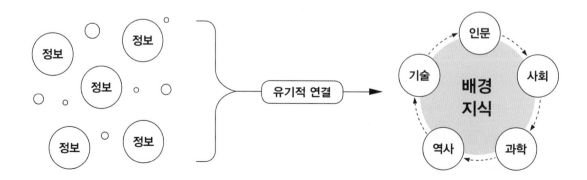

문학의 바른 독해 방법

문학은 갈래별 구성 요소를 이해하고 작품을 감상하는 것이 중요합니다.

문학은 소설, 시, 수필, 희곡 등 갈래에 따라 작품을 구성하는 요소가 다르기 때문에 갈래별 특징을 이해하고 작품을 감상하는 것이 중요합니다. 따라서 문학 작품을 읽고, 갈래에 따른 구성 요소를 중심으로 작품의 중요 내용을 정리하는 훈련이 필요합니다. 이때 온작품을 읽으면 작품 내용을 더욱 깊이 있게 이해할 수 있습니다.

갈래별 구성 요소

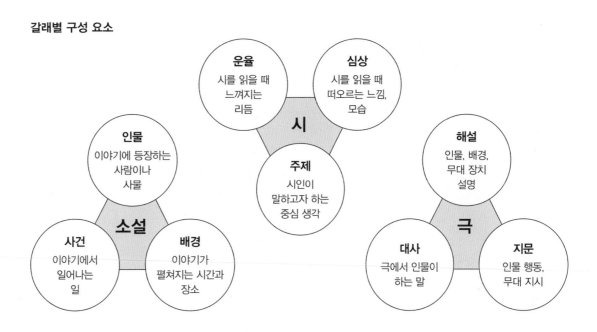

문학 작품을 감상하기 위해서 시대적 배경을 이해하고, 내용 흐름을 파악해야 합니다.

문학 작품을 읽을 때 작품이 쓰인 시대적 배경이나 작가의 삶과 관련지어 감상하면 작가가 전하고 싶은 주제를 파악하는 데 도움이 됩니다. 또 글의 내용 흐름을 제대로 파악하는 것도 중요합니다.

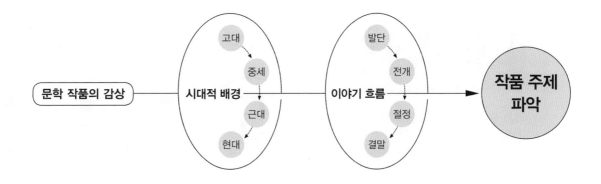

구성과 특징

빠작 초등 국어 비문학 독해 1단계는 초등 1~2학년 학생들이 비문학 지문을 읽고 내용을 정확하게 이해하는 훈련 중심으로 구성하였습니다. 특히 1~2학년부터 설명문, 논설문 등 정보 글의 구조 분석 훈련을 통해 바른 독해 학습이 가능하도록 구성하였습니다.

1 차별화된 비문학 독해 지문 구성

언어
실용/생활
안전/위생
사회
인물
1~2학년 필수 영역 10개 선정
문화
예술
경제
기술
자연/과학

2 구조화된 지문 독해 문제 구성

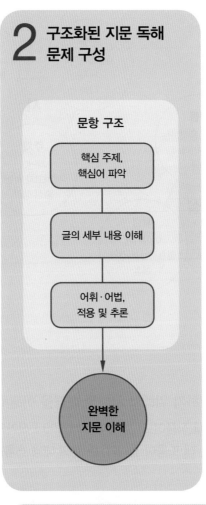

문항 구조

핵심 주제, 핵심어 파악

글의 세부 내용 이해

어휘·어법, 적용 및 추론

완벽한 지문 이해

3 지문 구조 분석을 통한 바른 독해 훈련

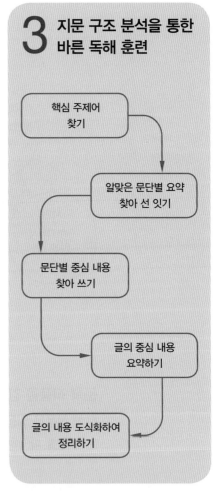

핵심 주제어 찾기

알맞은 문단별 요약 찾아 선 잇기

문단별 중심 내용 찾아 쓰기

글의 중심 내용 요약하기

글의 내용 도식화하여 정리하기

4 다양한 배경지식 습득

• 세밀화를 통해 지문의 내용과 관련된 지식을 풍부하게 알 수 있도록 구성
• 1~2학년 눈높이에 맞춰 쉽게 이해할 수 있도록 구성

5 지문별 5개 필수 어휘 학습

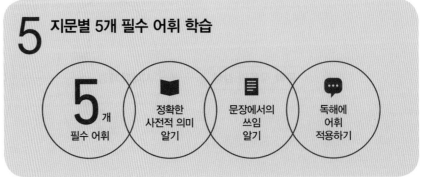

5개 필수 어휘

정확한 사전적 의미 알기

문장에서의 쓰임 알기

독해에 어휘 적용하기

⊙ 차별화된 독해 지문

⊙ 구조화된 독해 문제

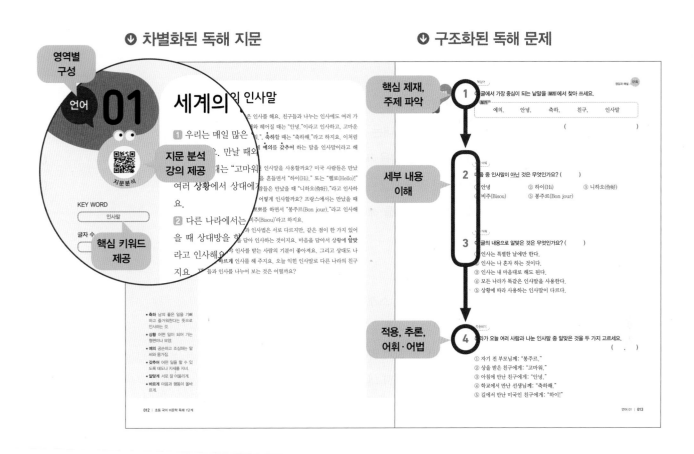

영역별 구성

언어 01

지문분석

지문 분석 강의 제공

KEY WORD
인사말

핵심 키워드 제공

글자 수

세계의 □ 인사말

1 우리는 매일 많은 □□□ 인사를 해요. 친구들과 나누는 인사에도 여러 가

□□□ 와 헤어질 때는 "안녕."이라고 인사하고, 고마운 □□, 축하할 때는 "축하해."라고 하지요. 이처럼 □□. 만날 때와 □□□ 예의를 갖추어 하는 말을 인사말이라고 해

□□는 "고마워" 인사말을 사용할까요? 미국 사람들은 만났 □□□□□ 흔들면서 "하이(Hi)." 또는 "헬로(Hello)!" 여러 상황에서 상대에게 □□은 만났을 때 "니하오(你好)"라고 인사하 □□□□ 어떻게 인사할까요? 프랑스에서는 만났을 때

2 다른 나라에서는 □□□뽀를 하면서 "봉주르(Bon jour),"라고 인사해 □□□ □□ 비주(Bisou)'라고 하지요.

을 때 상대방을 □□ 담아 인사하는 것이지요. 마음을 담아서 상황에 알맞

라고 인사해야 □□ 인사를 받는 사람의 기분이 좋아져요. 그리고 상대도 나 □□□□ 바르게 인사를 해 주지요. 오늘 익힌 인사말로 다른 나라의 친구 지요. □□□들과 인사를 나누어 보는 것은 어떨까요?

- **축하** 남의 좋은 일을 기뻐하고 즐거워한다는 뜻으로 인사하는 것.
- **상황** 어떤 일이 되어 가는 형편이나 모양.
- **예의** 공손하고 조심하는 말씨와 몸가짐.
- **갖추어** 어떤 일을 할 수 있도록 태도나 자세를 지녀.
- **알맞게** 서로 잘 어울리게.
- **바르게** 마음과 행동이 올바르게.

012 │ 초등 국어 비문학 독해 1단계

핵심 제재, 주제 파악

정답과 해설 ○○쪽

1 이 글에서 가장 중심이 되는 낱말을 **보기**에서 찾아 쓰세요.

보기
예의, 안녕, 축하, 친구, 인사말

( )

세부 내용 이해

2 다음 중 인사말이 아닌 것은 무엇인가요? ( )

① 안녕 ② 하이(Hi) ③ 니하오(你好)
④ 비주(Bisou) ⑤ 봉주르(Bon jour)

3 이 글의 내용으로 알맞은 것은 무엇인가요? ( )

① 인사는 특별한 날에 한다.
② 인사는 나 혼자 하는 것이다.
③ 인사는 내 마음대로 해도 된다.
④ 모든 나라가 똑같은 인사말을 사용한다.
⑤ 상황에 따라 사용하는 인사말이 다르다.

적용, 추론, 어휘·어법

4 우리가 오늘 여러 사람과 나눈 인사말 중 알맞은 것을 두 가지 고르세요. (,)

① 자기 전 부모님께: "봉주르,"
② 상을 받은 친구에게: "고마워,"
③ 아침에 만난 친구에게: "안녕,"
④ 학교에서 만난 선생님께: "축하해,"
⑤ 길에서 만난 미국인 친구에게: "하이!"

언어 01 │ 013

⊙ 지문 구조 분석 & 배경지식

⊙ 오늘의 어휘

지문 분석

글의 중심 내용 찾기

1 문단 요약

다음은 이 글에 나타난 각 문단의 중심 내용입니다. 알맞은 것에 ○표, 틀린 것에 ×표를 하세요.

1문단	인사말은 여러 상황에서 상대에게 예의를 갖추어 하는 말입니다.	( )
2문단	다른 나라에도 우리의 인사말을 알려야 합니다.	( )
3문단	인사는 마음을 담아서 해야 합니다.	( )

글의 구조 파악하기

2 글의 구조

다음 표의 빈칸을 채워 이 글의 내용을 정리해 보세요.

세계의 ●□□

미국: 하이, 헬로 │ ●□□: 니하오 │ 프랑스: 봉주르

●□□을 담아 인사하는 것이 중요함.

●( ) ●( ) ●( )

세밀화로 배경지식 이해하기

배경지식

여러 나라의 다양한 인사법

오늘의 어휘

정답과 해설 ○○쪽

다음 낱말의 알맞은 뜻을 찾아 선으로 이으세요.

축하	•	• 서로 잘 어울리게.
상황	•	• 마음과 행동이 올바르게.
예의	•	• 공손하고 조심하는 말씨와 몸가짐.
알맞게	•	• 어떤 일이 되어 가는 형편이나 모양.
바르게	•	• 남의 좋은 일을 기뻐하고 즐거워한다는 뜻으로 인사하는 것.

어휘의 사전적 의미 알기

어휘의 쓰임 알기

1 다음 문장의 빈칸에 들어갈 알맞은 말을 **오늘의 어휘**에서 찾아 쓰세요.

• 허리를 숙여 예의 □□□ 인사했다.
• 미안한 □□에서는 사과를 해야 한다.
• 내 키에 □□□ 의자 높이를 조절했다.
• 선생님께서 민지의 생일을 □□해 주셨다.
• □□가 바른 사람은 상대방을 기분 좋게 한다.

독해에 어휘 적용하기

2 다음 밑줄 친 말과 뜻이 비슷한 말을 ( )에서 찾아 ○표 하세요.

사람들은 날씨에 따라 다양한 옷을 입습니다. 더운 여름에는 얇은 옷을 입어 더위를 피합니다. 반대로 추운 겨울에는 두꺼운 옷을 입어 몸을 따뜻하게 합니다. 날씨에 어울리게 옷을 입어야 건강을 지킬 수 있기 때문입니다.

(알맞게, 똑같게)

014 │ 초등 국어 비문학 독해 1단계

언어 01 │ 015

차례

언어 01

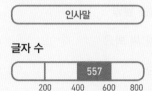

지문분석

KEY WORD

인사말

글자 수

557
200 400 600 800

세계의 인사말

1 우리는 매일 많은 인사를 해요. 친구들과 나누는 인사에도 여러 가지가 있지요. 만날 때와 헤어질 때는 "안녕."이라고 인사하고, 고마운 일이 있을 때는 "고마워.", **축하**할 때는 "축하해."라고 하지요. 이처럼 여러 **상황**에서 상대에게 **예의**를 **갖추어** 하는 말을 인사말이라고 해요.

2 다른 나라에서는 어떤 인사말을 사용할까요? 미국 사람들은 만났을 때 상대방을 향해 손을 흔들면서 "하이(Hi)." 또는 "헬로(Hello)!"라고 인사해요. 중국 사람들은 만났을 때 "니하오(你好)."라고 인사하지요. 프랑스 사람들은 어떻게 인사할까요? 프랑스에서는 만났을 때 서로의 뺨에 가볍게 뽀뽀를 하면서 "봉주르(Bon jour)."라고 인사해요. 이런 인사법을 '비주(Bisou)'라고 하지요.

3 세계의 인사말과 인사법은 서로 다르지만, 같은 점이 한 가지 있어요. 바로 마음을 담아 인사하는 것이지요. 마음을 담아서 상황에 **알맞게** 인사해야 인사를 받는 사람의 기분이 좋아져요. 그리고 상대도 나에게 **바르게** 인사를 해 주지요. 오늘 익힌 인사말로 다른 나라의 친구들과 인사를 나누어 보는 것은 어떨까요?

5

10

15

●**축하** 남의 좋은 일을 기뻐하고 즐거워한다는 뜻으로 인사하는 것.

●**상황** 어떤 일이 되어 가는 형편이나 모양.

●**예의** 공손하고 조심하는 말씨와 몸가짐.

●**갖추어** 어떤 일을 할 수 있도록 태도나 자세를 지녀.

●**알맞게** 서로 잘 어울리게.

●**바르게** 마음과 행동이 올바르게.

지문 독해

1 이 글에서 가장 중심이 되는 낱말을 보기 에서 찾아 쓰세요.

> 보기
>
> 예의,   안녕,   축하,   친구,   인사말

(   )

내용 이해

2 다음 중 인사말이 <u>아닌</u> 것은 무엇인가요? (   )

① 안녕   ② 하이(Hi)   ③ 니하오(你好)

④ 비주(Bisou)   ⑤ 봉주르(Bon jour)

내용 이해

3 이 글의 내용으로 알맞은 것은 무엇인가요? (   )

① 인사는 특별한 날에만 한다.

② 인사는 나 혼자 하는 것이다.

③ 인사는 내 마음대로 해도 된다.

④ 모든 나라가 똑같은 인사말을 사용한다.

⑤ 상황에 따라 사용하는 인사말이 다르다.

적용하기

4 유라가 오늘 여러 사람과 나눈 인사말 중 알맞은 것을 두 가지 고르세요.

(,   )

① 자기 전 부모님께: "봉주르."

② 상을 받은 친구에게: "고마워."

③ 아침에 만난 친구에게: "안녕."

④ 학교에서 만난 선생님께: "축하해."

⑤ 길에서 만난 미국인 친구에게: "하이!"

지문 분석

1 문단 요약 다음은 이 글에 나타난 각 문단의 중심 내용입니다. 알맞은 것에 ○표, 틀린 것에 ×표를 하세요.

1문단	인사말은 여러 상황에서 상대에게 예의를 갖추어 하는 말입니다.	( )
2문단	다른 나라에도 우리의 인사말을 알려야 합니다.	( )
3문단	인사는 마음을 담아서 해야 합니다.	( )

2 글의 구조 다음 표의 빈칸을 채워 이 글의 내용을 정리해 보세요.

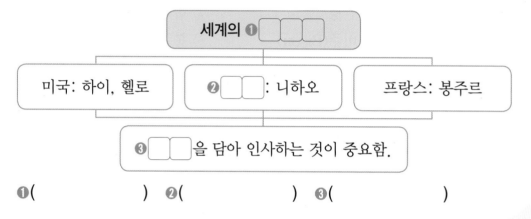

세계의 ❶□□□

미국: 하이, 헬로 ❷□□: 니하오 프랑스: 봉주르

❸□□을 담아 인사하는 것이 중요함.

❶( ) ❷( ) ❸( )

배경지식 세계 여러 나라의 다양한 인사법

유럽에서는 뺨에 가볍게 뽀뽀를 해요.

에스키모들은 코를 미주 대고 인사해요.

우리나라, 중국, 일본에서는 몸을 숙여 인사해요.

이스라엘에서는 서로 어깨를 두드려요.

남미에서는 뺨을 마주 대거나 가볍게 뽀뽀해요.

오늘의 어휘

다음 낱말의 알맞은 뜻을 찾아 선으로 이으세요.

축하 •	• 서로 잘 어울리게.
상황 •	• 마음과 행동이 올바르게.
예의 •	• 공손하고 조심하는 말씨와 몸가짐.
알맞게 •	• 어떤 일이 되어 가는 형편이나 모양.
바르게 •	• 남의 좋은 일을 기뻐하고 즐거워한다는 뜻으로 인사하는 것.

1 다음 문장의 빈칸에 들어갈 알맞은 말을 오늘의 어휘 에서 찾아 쓰세요.

- 허리를 숙여 예의 ☐☐☐ 인사했다.
- 미안한 ☐☐ 에서는 사과를 해야 한다.
- 내 키에 ☐☐☐ 의자 높이를 조절했다.
- 선생님께서 민지의 생일을 ☐☐ 해 주셨다.
- ☐☐ 가 바른 사람은 상대방을 기분 좋게 한다.

2 다음 밑줄 친 말과 뜻이 비슷한 말을 ( )에서 찾아 ○표 하세요.

사람들은 날씨에 따라 다양한 옷을 입습니다. 더운 여름에는 얇은 옷을 입어 더위를 피합니다. 반대로 추운 겨울에는 두꺼운 옷을 입어 몸을 따뜻하게 합니다. 날씨에 <u>어울리게</u> 옷을 입어야 건강을 지킬 수 있기 때문입니다.

(알맞게, 똑같게)

KEY WORD

높임말

글자 수

480

200　400　600　800

⒜ 을 나타내는 말

1 "동생이 밥을 먹는다."는 맞는 **표현**이지만 "할아버지가 밥을 먹는다."는 잘못된 표현이에요. 왜 그럴까요? 그 까닭은 **올바른** '높임말'을 쓰지 않았기 때문이에요.

2 '밥'과 '먹다'는 '예사말'이에요. 예사말이란 같은 **또래**나 **아랫사람**에게 하는 말이에요. 이와 달리 높임말은 주로 **웃어른께 공경하는** 마음을 담아 사용하는 말이에요. 그러니까 웃어른인 할아버지께는 '밥을 먹는다.' **대신** 높임말 '진지'와 '드시다'를 써서 '진지를 드신다.'라고 해야 맞겠지요. 이처럼 같은 뜻이라도 웃어른께 말할 때는 사용하는 낱말이나 표현이 달라져요. 따라서 높임을 나타내는 낱말을 잘 알아 두는 것이 좋아요.

3 친구에게 궁금한 것을 물을 때는 '묻다'라고 하지만 선생님께는 '여쭈다'라고 해요. 친구는 나에게 '말'하지만 선생님께서는 '말씀'하시지요. 할아버지께서 병이 나시면 '아프다' 대신 '편찮다'를 쓰고, 할머니께는 선물을 '주다' 대신 '드리다'라고 해야 해요.

5

10

- **표현** 생각이나 느낌 등을 언어나 몸짓 등으로 드러내어 나타냄.
- **올바른** 옳고 바른.
- **또래** 나이가 서로 비슷한 무리에 속한 사람. 또는 서로 비슷한 나이.
- **아랫사람** 나이, 지위, 신분 등이 자기보다 낮은 사람.
- **웃어른** 나이, 지위, 신분 등이 자기보다 높아서 모셔야 하는 어른.
- **공경하는** 공손하게 받들어 모시는.
- **대신** 다른 것으로 그 자리를 채워서.

지문 독해

1 ㉠에 알맞은 낱말을 넣어 이 글의 제목을 완성하세요.

제목

• ☐☐을 나타내는 말

내용 이해

2 다음 중 높임을 나타내는 낱말이 <u>아닌</u> 것은 무엇인가요? (　　　)

① 진지　　　　　② 말씀　　　　　③ 묻다
④ 편찮다　　　　⑤ 드리다

내용 이해

3 이 글을 읽고 알 수 있는 내용이 <u>아닌</u> 것은 무엇인가요? (　　　)

① 예사말을 쓰면 안 된다.
② 웃어른께는 높임말을 쓴다.
③ 예사말은 또래에게 쓰는 말이다.
④ 높임을 나타내는 낱말을 알아 두어야 한다.
⑤ 같은 뜻이라도 상대에 따라 다른 표현을 사용한다.

적용하기

4 다음 중 바르게 말한 친구는 누구인가요? (　　　)

① 원희가 할머니께: "할머니, 밥 드세요."
② 민준이가 선생님께: "빨리 말해 주세요."
③ 건희가 할아버지께: "할아버지, 많이 아파요?"
④ 민기가 친구에게: "나 너한테 여쭤볼 게 있어."
⑤ 태민이가 동생에게: "우리 함께 할머니께 선물을 드리자."

지문 분석

1 문단 요약 이 글에 나타난 각 문단의 중심 내용으로 알맞은 것을 찾아 선으로 이으세요.

1문단 •

2문단 •

3문단 •

• 예사말과 높임말의 뜻

• 높임을 표현하는 다양한 낱말의 예

• 올바른 높임말을 쓰지 않아 잘못된 표현

2 글의 구조 다음 표의 빈칸을 채워 이 글의 내용을 정리해 보세요.

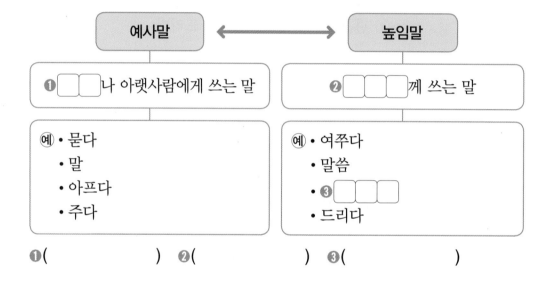

예사말	↔	높임말

❶ □□ 나 아랫사람에게 쓰는 말

예 • 묻다
 • 말
 • 아프다
 • 주다

❷ □□□ 께 쓰는 말

예 • 여쭈다
 • 말씀
 • ❸ □□□
 • 드리다

❶(   )   ❷(   )   ❸(   )

배경지식 높임말을 더 알아보아요

어른의 생일은 '생신'이라고 해요.

어른을 데리고 갈 때는 '모시고' 간다고 해요.

오늘의 어휘

다음 낱말의 알맞은 뜻을 찾아 선으로 이으세요.

올바른 •　　　　　　• 옳고 바른.

또래 •　　　　　　• 공손하게 받들어 모시는.

웃어른 •　　　　　　• 다른 것으로 그 자리를 채워서.

공경하는 •　　　　　　• 나이, 지위, 신분 등이 자기보다 높아서 모셔야 하는 어른.

대신 •　　　　　　• 나이가 서로 비슷한 무리에 속한 사람. 또는 서로 비슷한 나이.

1 다음 문장의 빈칸에 들어갈 알맞은 말을 오늘의 어휘 에서 찾아 쓰세요.

- 밥 ☐☐ 라면을 먹었다.

- ☐☐ 친구들과 사이좋게 지낸다.

- ☐☐☐ 을 만났을 때는 인사를 해야 한다.

- 의자에 등을 붙이고 ☐☐☐ 자세로 앉아라.

- 부모님을 ☐☐☐☐ 마음을 편지로 써서 드렸다.

2 다음 밑줄 친 말과 뜻이 비슷한 말을 (　　　)에서 찾아 ○표 하세요.

　　어느 마을에 병든 어머니와 함께 사는 청년이 있었습니다. 그는 비록 가난했지만 마음을 다해 어머니를 모시며 열심히 일했답니다. 어느 날 마을의 부자가 나타나 청년에게 말했습니다.
　　"어머니를 <u>받드는</u> 너의 마음이 참으로 기특하다. 너에게 내 재산을 주마."
　　자식 없이 홀로 살던 부자는 효심 깊은 청년이 행복하기를 바랐답니다.

(치료하는, 공경하는)

지문분석

KEY WORD

흉내 내는 말

글자 수

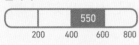

550
200 400 600 800

흉내 내는 말을 써 봐요

1 **흉내** 내는 말은 사람이나 **사물**의 소리나 모양을 나타내는 말이에 요. 무엇을 나타내느냐에 따라 소리를 흉내 내는 말과 모양을 흉내 내는 말로 나눌 수 있지요. 병아리가 우는 소리를 나타내는 '삐악삐악', 닭 우는 소리를 나타내는 '꼬끼오', 파도 소리를 나타내는 '철썩철썩' 은 소리를 흉내 내는 말이에요. '의성어'라고도 해요. 오리가 걷는 모 양을 나타내는 '뒤뚱뒤뚱', 토끼가 뛰는 모양을 나타내는 '깡충깡충', 별이 빛나는 모양을 나타내는 '반짝반짝'은 모양을 흉내 내는 말이에 요. '의태어'라고도 하지요.

2 흉내 내는 말을 쓰면 어떤 점이 좋을까요? '바둑이가 달려왔다.'라 는 문장을 '바둑이가 멍멍 짖으며 **폴짝폴짝** 달려왔다.'라고 바꾸어 볼 까요? '멍멍'이라는 말로 바둑이가 강아지라는 것을 **짐작할** 수 있어 요. '폴짝폴짝'이라는 말로 바둑이가 어떻게 뛰어나오는지 **상상할** 수 도 있지요. 이렇게 '멍멍'이나 '폴짝폴짝' 같은 흉내 내는 말을 사용하 면 내용을 자세하게 설명할 수 있고, 느낌을 **생생하게** 표현할 수도 있 어요. 같은 내용도 더 재미있고 **실감** 나게 표현할 수 있는 것이지요.

5

10

15

- **흉내** 남이 하는 말이나 행 동을 그대로 따라서 하는 짓.
- **사물** 세상의 온갖 것.
- **폴짝폴짝** 작은 것이 자꾸 세차고 가볍게 뛰어오르는 모양.
- **짐작할** 사정이나 형편 등을 대강 알아차릴.
- **상상할** 실제로는 없거나 보 이지 않는 것을 생각 속에 꾸밀.
- **생생(生 날 생, 生 날 생)하 게** 눈에 보이는 듯 또렷하 게.
- **실감** 실제인 것처럼 느끼는 것.

지문 독해

글의 특징

1 이 글에 대한 설명으로 알맞지 <u>않은</u> 것은 무엇인가요? (　　　)

① 흉내 내는 말의 뜻을 알려 주고 있다.

② 흉내 내는 말을 쓰면 좋은 점을 알려 주고 있다.

③ 흉내 내는 말에는 어떤 것이 있는지 알려 주고 있다.

④ 흉내 내는 말을 쓸 때 주의해야 할 점을 알려 주고 있다.

⑤ 흉내 내는 말을 쓸 때와 쓰지 않을 때의 다른 점을 알려 주고 있다.

내용 이해

2 다음 중 모양을 흉내 내는 말은 무엇인가요? (　　　)

① 멍멍　　　　　　② 꼬끼오　　　　　　③ 삐악삐악

④ 폴짝폴짝　　　　⑤ 철썩철썩

내용 이해

3 이 글에서 알 수 있는 흉내 내는 말의 좋은 점에 ○표 하세요.

⑴ 내용을 짧게 설명할 수 있다.　　　　　　　　　　　(　　　)

⑵ 느낌을 생생하게 표현할 수 있다.　　　　　　　　　(　　　)

⑶ 모르는 동물의 울음소리도 표현할 수 있다.　　　　(　　　)

적용하기

4 각 문장에 쓰인 흉내 내는 말에 대한 설명으로 알맞은 것은 무엇인가요? (　　　)

① '살랑살랑 봄바람'은 소리를 흉내 내는 말을 쓴 표현이다.

② '큰북을 울려라, 둥둥둥'은 모양을 흉내 내는 말을 쓴 표현이다.

③ '강물이 꽁꽁 얼어붙었다.'는 소리를 흉내 내는 말을 쓴 표현이다.

④ '아이가 방긋방긋 웃는다.'는 소리를 흉내 내는 말을 쓴 표현이다.

⑤ '새싹이 쏙쏙 피어나 쑥쑥 자란다.'는 모양을 흉내 내는 말을 쓴 표현이다.

지문 분석

1 문단 요약

다음은 이 글에 나타난 각 문단의 중심 내용입니다. 알맞은 것에 ○표, 틀린 것에 ×표를 하세요.

1 문단	흉내 내는 말은 사람이나 사물의 소리나 모양을 나타내는 말입니다.	( )
2 문단	흉내 내는 말을 쓰는 것과 쓰지 않은 것은 다른 점이 없습니다.	( )

2 글의 구조

다음 표의 빈칸을 채워 이 글의 내용을 정리해 보세요.

```
            ❶ [   ][   ] 내는 말
        ┌──────────────┴──────────────┐
      의성어                        의태어
• 사람이나 사물의 ❷[   ][ ]를 흉      • 사람이나 사물의 ❸[   ][ ]을 흉
  내 내는 말                          내 내는 말
• 예 삐악삐악, 꼬끼오, 철썩철썩         • 예 뒤뚱뒤뚱, 깡충깡충, 반짝반짝
```

	• 자세하게 설명할 수 있음.
쓰면 좋은 점	• 느낌을 생생하게 표현할 수 있음.
	• 더 재미있고 실감 남.

❶( ) ❷( ) ❸( )

배경지식 다른 나라의 흉내 내는 말

오늘의 어휘

다음 낱말의 알맞은 뜻을 찾아 선으로 이으세요.

흉내 •
· 눈에 보이는 듯 또렷하게.

짐작할 •
· 실제인 것처럼 느끼는 것.

상상할 •
· 사정이나 형편 등을 대강 알아차릴.

생생하게 •
· 남이 하는 말이나 행동을 그대로 따라서 하는 짓.

실감 •
· 실제로는 없거나 보이지 않는 것을 생각 속에 꾸밀.

1 다음 문장의 빈칸에 들어갈 알맞은 말을 오늘의 어휘 에서 찾아 쓰세요.

• 현호는 원숭이 ☐☐ 를 잘 낸다.

• 학교에 오니 방학이 끝났다는 것이 ☐☐ 난다.

• 꿈속에서는 무엇이든 마음대로 ☐☐☐ 수 있다.

• 지난여름 가족 여행이 아직도 ☐☐☐☐ 기억난다.

• 공책을 보니 혜령이가 숙제를 얼마나 열심히 했는지 ☐☐☐ 수 있었다.

2 다음 밑줄 친 말과 뜻이 비슷한 말을 ( )에서 찾아 ○표 하세요.

학교에서 민속촌으로 체험 활동을 갔습니다. 옛날 사람들이 살았던 마을을 그대로 만들어 놓았는데 지금 우리가 생활하는 모습과 달라 신기했습니다. 특히 옛날 사람들이 쓰던 물건을 직접 보며 어떻게 쓰는 것인지 <u>추측할</u> 수 있어서 재미있었습니다.

(고민할, 짐작할)

고운 말을 써요

1 복도에서 뛰는 친구에게 "야, 뛰지 마!"라고 **짜증** 내듯이 말한다면 어떨까요? 그 말을 듣는 친구는 깜짝 놀라고 **창피한** 마음이 들지도 몰라요. 기분도 좋지 않겠지요. 반대로, "다칠까 봐 걱정돼. 천천히 걸어 다녀."라고 말한다면 말을 듣는 친구는 걱정해 주는 마음을 느끼고 고마워할 거예요. 이처럼 말에는 다른 사람의 마음을 기쁘게도 하고 아프게도 하는 힘이 있어요. **상대**의 마음을 기쁘게 하는 말이 바로 **고운** 말이지요.

2 고운 말은 상대를 **배려하면서** 솔직하게 마음을 표현하는 말이에요. 어떤 일을 해 달라고 할 때 쓰는 '**부탁**해.', 고마운 마음을 전하는 '고마워.', 잘못을 인정하고 사과하는 '미안해.'와 같은 말은 아주 쉬운 고운 말이에요. 상대의 좋은 점을 칭찬하는 말이나 먼저 건네는 인사 말도 상대의 기분을 좋게 하는 고운 말이지요.

3 고운 말을 주고받으면 상대와 기분 좋게 대화할 수 있고, 서로 사이가 더 좋아질 수 있어요. 친구가 모르는 **줄임 말**이나 **유행어** 같은 말을 잘못 사용하면 오히려 친구의 마음을 상하게 할 수 있어요. 그러므로 줄임 말이나 유행어 같은 말 대신 고운 말을 쓰는 **습관**을 길러야 해요. 우리 모두 평소 고운 말을 즐겨 쓰는 어린이가 되기로 해요.

5

10

15

KEY WORD

고운 말

글자 수

600

200 400 600 800

• **짜증** 마음에 들지 않거나 귀찮아하는 싫은 표시. 또는 그러한 성미.

• **창피한** 몹시 부끄러운.

• **상대** 마주 대하는 사람.

• **고운** 순하고 부드러운.

• **배려하면서** 도와주거나 보살펴 주려고 마음을 쓰면서.

• **부탁** 어떤 일을 해 달라고 청하고 맡기는 것.

• **줄임 말** 낱말의 일부분이 줄어든 말. 또는 여러 낱말을 한 낱말로 줄여 만든 말.

• **유행어** 짧은 시기에 걸쳐 여러 사람의 입에 오르내리는 말.

• **습관** 어떤 행동을 오랫동안 되풀이해서 몸에 밴 행동 방식.

지문 독해

1 글쓴이가 이 글을 쓴 까닭으로 알맞은 것에 ○표 하세요.

목적

(1) 다양한 말의 역할을 알려 주기 위해 ( )

(2) 고운 말을 써야 한다고 주장하기 위해 ( )

(3) 줄임 말과 유행어의 좋은 점을 알려 주기 위해 ( )

내용 이해

2 다음 중 고운 말이 <u>아닌</u> 것은 무엇인가요? ( )

① 미안해.　　　　② 고마워.　　　　③ 걱정돼.
④ 부탁해.　　　　⑤ 뛰지 마!

내용 이해

3 이 글을 통해 알 수 있는 내용으로 알맞은 것을 모두 고르세요. (, ,)

① 고운 말의 뜻
② 유행어의 특징과 종류
③ 고운 말을 쓰면 좋은 점
④ 고운 말을 쓰는 사람들의 특징
⑤ 복도에서 뛰는 친구에게 쓸 수 있는 고운 말

적용하기

4 다음 각 상황에서 고운 말을 알맞게 사용한 것은 무엇인가요? ( )

① 친구에게 색연필을 빌릴 때: 색연필 좀 줘 봐.
② 간식을 나누어 준 친구에게: 됐어. 너나 먹어.
③ 달리기를 하다 넘어진 친구에게: 조심 좀 하지.
④ 친구의 지우개를 잃어버렸을 때: 나중에 사 줄게.
⑤ 미술 시간에 그림을 잘 그린 친구에게: 그림을 참 잘 그리는구나.

지문 분석

1 문단 요약

이 글에 나타난 각 문단의 중심 내용으로 알맞은 것을 찾아 선으로 이으세요.

1 문단 •   • 고운 말의 예

2 문단 •   • 말의 힘과 고운 말의 뜻

3 문단 •   • 고운 말의 좋은 점과 주장

2 글의 구조

다음 표의 빈칸을 채워 이 글의 내용을 정리해 보세요.

주장	고운 말을 쓰자

말의 힘과 고운 말의 ❶☐	고운 말의 다양한 예	고운 말의 좋은 점
• 말에는 상대의 마음을 아프게도 하고 기쁘게도 하는 힘이 있음. • 상대의 마음을 기쁘게 하는 말이 고운 말임.	• 부탁할 때: '부탁해.' • 고마운 마음을 전할 때: '고마워.' • 잘못을 사과할 때: '❷☐☐☐.'	• 상대와 기분 좋게 ❸☐☐할 수 있음. • 서로 사이가 더 좋아짐.

❶(   ) ❷(   ) ❸(   )

배경지식 '말'의 중요성을 알려 주는 속담

'가는 말이 고와야 오는 말이 곱다'는 자기가 남에게 말이나 행동을 좋게 하여야 남도 자기에게 좋게 한다는 말입니다.

'말 한마디에 천 냥 빚도 갚는다'는 말만 잘하면 어려운 일이나 불가능해 보이는 일도 해결할 수 있다는 말입니다.

오늘의 어휘

다음 낱말의 알맞은 뜻을 찾아 선으로 이으세요.

짜증 •　　　　　• 몹시 부끄러운.

창피한 •　　　　　• 순하고 부드러운.

고운 •　　　　　• 어떤 일을 해 달라고 청하고 맡기는 것.

부탁 •　　　　　• 어떤 행동을 오랫동안 되풀이해서 몸에 밴 행동 방식.

습관 •　　　　　• 마음에 들지 않거나 귀찮아하는 싫은 표시, 또는 그러한 성미.

1 다음 문장의 빈칸에 들어갈 알맞은 말을 오늘의 어휘 에서 찾아 쓰세요.

- 그림을 그리는데 동생이 방해해서 ☐☐이 났다.

- 형에게 어려운 문제를 가르쳐 달라고 ☐☐했다.

- 철민이는 웃을 때 얼굴을 찡그리는 ☐☐이 있다.

- 그 문제를 나 혼자 틀려서 ☐☐☐ 마음이 들었다.

- 그는 무섭게 생겼지만 알고 보면 마음이 ☐☐ 사람이다.

2 다음 밑줄 친 말과 뜻이 비슷한 말을 (　　　)에서 찾아 ○표 하세요.

　　아침에 늦잠을 자는 바람에 서둘러 학교에 왔습니다. 뒷자리에 앉은 친구가 불러서 뒤를 돌아보니 친구가 조용히 속삭였습니다.
　　"웅식아, 너 옷 뒤집어 입은 거 같아."
　　놀라서 살펴보니 정말 셔츠가 뒤집혀 있었습니다. 부끄러운 마음에 얼굴을 들 수 없었습니다.

(속상한, 창피한)

KEY WORD

띄어쓰기

글자 수

524

200 400 600 800

왜 ⓐⓖ 를 해야 할까요?

1️⃣ "우리 오늘 밤 나무 심자."와 "우리 오늘 밤나무 심자."는 어떻게 다를까요? 앞 문장은 '오늘 깜깜한 밤에 나무를 심자.'라는 뜻이고, 뒷 문장은 '오늘, 밤이 열리는 나무를 심자.'라는 뜻이에요. 똑같은 글자로 이루어진 문장인데 왜 뜻이 다를까요? 띄어쓰기가 다르기 때문이에요. 따라서 뜻을 **분명하게** 전달하려면 알맞게 띄어쓰기를 해야 해요. 띄어쓰기를 바르게 해야 읽는 사람이 뜻을 잘 이해할 수 있어요. 5

2️⃣ 꼭 지켜야 할 중요한 띄어쓰기 **규칙** 몇 가지를 알아볼까요? 다음 문장을 살펴볼게요.

　　나는∨공책∨한∨**권**,∨연필∨두∨**자루**를 샀다.

　　먼저, '공책'이나 '연필' 같은 낱말과 낱말 사이는 띄어 써요. 그러나 10 '나는', '자루를'처럼 '은, 는, 이, 가, 을, 를, 의'와 같은 말은 앞말에 붙여 쓰지요. '공책 한 권,' 뒤에 한 칸을 띄어 쓴 것처럼, 문장이 이어질 때 마침표(.)나 쉼표(,) 뒤에 오는 말은 띄어 써야 해요. 또한 '한 권', '두 자루'처럼 수를 나타내는 말과 **단위**를 나타내는 말 사이도 띄어 써야 하지요. 15

- **분명하게** 흐릿하지 않고 확실하세.
- **규칙** 여러 사람이 다 같이 지키기로 정한 법칙.
- **권** 책이나 공책을 세는 말.
- **자루** 모양이 긴 필기도구나 연장, 무기 등의 수량을 세는 말.
- **단위** 수, 양, 무게 등을 비교하거나 계산하는 데 기초가 되는 일정한 기준.

지문 독해

1 ㉠에 알맞은 말을 넣어 이 글의 제목을 완성하세요.

> • 왜 ☐☐☐☐를 해야 할까요?

내용 이해

2 띄어쓰기를 해야 하는 까닭으로 알맞은 것을 두 가지 골라 ○표 하세요.

(1) 글씨를 예쁘게 쓰기 위해   (   )

(2) 읽을 때 발음하기 좋게 하기 위해   (   )

(3) 읽는 사람이 뜻을 잘 알 수 있게 하기 위해   (   )

(4) 전하고자 하는 뜻을 분명하게 전달하기 위해   (   )

내용 이해

3 이 글의 내용으로 알맞지 <u>않은</u> 것은 무엇인가요? (   )

① 낱말과 낱말 사이는 띄어 써야 한다.
② '은, 는, 이, 가' 같은 말은 앞말에 붙여 써야 한다.
③ 마침표(.)나 쉼표(,) 뒤에 오는 말은 띄어 써야 한다.
④ 똑같은 글자로 이루어진 문장은 항상 똑같은 뜻을 가진다.
⑤ 수를 나타내는 말과 단위를 나타내는 말은 띄어 써야 한다.

적용하기

4 다음 중 띄어쓰기를 바르게 한 것은 무엇인가요? (   )

① 사탕∨한개
② 안녕,반가워.
③ 반짝반짝작은∨별
④ 나∨는∨학생입니다.
⑤ 학교∨운동장이∨넓습니다.

지문 분석

1 문단 요약 | 다음은 이 글에 나타난 각 문단의 중심 내용입니다. 알맞은 것에 ○표, 틀린 것에 ×표를 하세요.

1문단 | 띄어쓰기를 바르게 해야 뜻을 분명하게 전달할 수 있습니다. | ( )

2문단 | 띄어쓰기 규칙은 상황에 따라 편한대로 골라서 지키면 됩니다. | ( )

2 글의 구조 | 다음 표의 빈칸을 채워 이 글의 내용을 정리해 보세요.

띄어쓰기를 하는 까닭	띄어쓰기 규칙
• 같은 글자라도 띄어쓰기를 다르게 하면 뜻이 달라질 수 있음. • **2**□을 분명하게 전달할 수 있음. • 읽는 사람이 뜻을 잘 이해할 수 있음.	• **3**□□과 낱말 사이는 띄어 씀. • '은, 는, 이, 가, 을, 를, 의' 같은 말은 앞말에 붙여 씀. • 마침표, 쉼표 뒤에 오는 말은 띄어 씀. • 수와 단위를 나타내는 말 사이는 띄어 씀.

❶( ) **❷**( ) **❸**( )

배경지식

띄어쓰기를 바르게 해야 해요

띄어쓰기를 바르게 하지 않으면 뜻을 제대로 전달할 수 없어요.

오늘의 어휘

다음 낱말의 알맞은 뜻을 찾아 선으로 이으세요.

분명하게 •　•책이나 공책을 세는 말.

규칙 •　•흐릿하지 않고 확실하게.

권 •　•여러 사람이 다 같이 지키기로 정한 법칙.

자루 •　•모양이 긴 필기도구나 연장, 무기 등의 수량을 세는 말.

단위 •　•수, 양, 무게 등을 비교하거나 계산하는 데 기초가 되는 일정한 기준.

1 다음 문장의 빈칸에 들어갈 알맞은 말을 **오늘의 어휘** 에서 찾아 쓰세요.

• 도서관에서 책을 다섯 ☐ 빌려 왔다.

• 교통 ☐☐ 은 반드시 지켜야 한다.

• '그램(g)'은 무게를 나타내는 ☐☐ 이다.

• 그림 속 이순신 장군은 긴 칼 한 ☐☐ 를 들고 있었다.

• 사전을 찾아보니 단어의 뜻을 ☐☐☐☐ 알 수 있었다.

2 다음 밑줄 친 말과 뜻이 비슷한 말을 (　　　)에서 찾아 ○표 하세요.

　수연이와 은해는 가장 친한 친구입니다. 둘은 다투기도 하지만 다투면 꼭 화해합니다. 잘못을 솔직하게 말하고 확실하게 사과하면 다시 사이좋게 지낼 수 있습니다.

(분명하게, 차분하게)

실용
생활 **01**

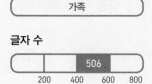

지문분석

KEY WORD

가족

글자 수

506

200 400 600 800

우리 가족을 소개합니다

1 안녕하세요? 저는 이준겸입니다. 여러분과 같은 1학년 1반이 되어 기쁩니다. 지금부터 사랑하는 우리 가족을 **소개**하겠습니다. 우리 가족은 아빠, 엄마, 형과 여동생, 그리고 저까지 다섯 명입니다.

2 저희 아빠는 경찰관입니다. 도둑을 잡고 사람들의 **안전**을 **지키십니다**. 저도 아빠처럼 다른 사람들을 돕는 경찰관이 되고 싶습니다.

3 저희 엄마는 옷을 잘 만드십니다. 엄마는 옷을 만드는 디자이너입니다. 쉬는 날에는 **재봉틀**을 사용해서 식구들의 옷을 직접 만들어 주기도 하십니다. 우리 가족은 엄마가 만든 옷을 입는 것을 정말 좋아합니다.

4 형은 저보다 두 살이 많습니다. 축구를 좋아해서 축구 선수가 **꿈**이랍니다. 하지만 가끔 숙제는 안 하고 축구만 해서 엄마께 혼날 때도 있습니다.

5 여동생은 일곱 살인데 키가 저보다 큽니다. 저와 **달리 편식**을 하지 않아서 그런 것 같습니다. 동생은 텔레비전을 보면서 춤추고 노래 부르는 것을 좋아하는데, 특히 노래를 정말 잘합니다. 저는 동생이 커서 가수가 될 것 같다고 생각합니다.

5

10

15

- **소개** 남이 잘 모르는 내용을 알게 해 주는 것.
- **안전(**安 편안할 안, 全 온전할 전**)** 아무 탈이 없고 위험이 없는 것.
- **지키십니다** 도둑맞거나 잃어버리지 않게 조심하며 보호하십니다.
- **재봉틀** 천이나 가죽 등을 바느질하는 기계.
- **꿈** 희망이나 소원.
- **달리** 다르게.
- **편식** 자기가 좋아하는 몇 가지 음식만 골라 먹는 것.

핵심어

1 이 글에서 가장 중심이 되는 낱말을 보기 에서 찾아 쓰세요.

보기
| 축구, | 아빠, | 가족, | 엄마, | 여동생 |

(   )

내용 이해

2 이 글을 읽고 빈칸에 들어갈 알맞은 말을 쓰세요.

- 말하는 사람: 이준겸
- 듣는 사람: ☐☐☐☐☐ 친구들
- 말하는 목적: 준겸이의 가족 소개

(   )

내용 이해

3 이 글을 통해 알 수 있는 내용이 <u>아닌</u> 것은 무엇인가요? (   )

① 준겸이의 꿈
② 준겸이 형의 꿈
③ 준겸이 여동생의 꿈
④ 준겸이 어머니의 직업
⑤ 준겸이 아버지의 직업

추론하기

4 이 글을 읽고 짐작한 내용으로 알맞은 것은 무엇일까요? (   )

① 준겸이는 막내구나.
② 준겸이는 편식을 하는구나.
③ 준겸이의 형은 2학년이구나.
④ 준겸이 동생은 준겸이보다 세 살 어리구나.
⑤ 준겸이의 가족은 엄마가 만든 옷을 좋아하지 않는구나.

지문 분석

1 문단 요약 이 글에 나타난 각 문단의 중심 내용으로 알맞은 것을 찾아 선으로 이으세요.

1 문단 •	• 준겸이의 형 소개
2 문단 •	• 준겸이의 가족 소개
3 문단 •	• 준겸이의 아빠 소개
4 문단 •	• 준겸이의 엄마 소개
5 문단 •	• 준겸이의 여동생 소개

2 글의 구조 다음 표의 빈칸을 채워 이 글의 내용을 정리해 보세요.

```
                    준겸이의 가족
        ┌──────────┬──────────┬──────────┐
      아빠         엄마         ❸ □        여동생
  • ❶ □□□    • 디자이너   • 두 살 많음.   • 일곱 살
  • 도둑을 잡고  • 가족의 ❷ □  • 축구를 좋아   • 편식을 안 함.
    안전을 지키심.   을 만드심.     함.          • 노래를 잘함.
```

❶(   )   ❷(   )   ❸(   )

배경지식 가족을 부르는 말

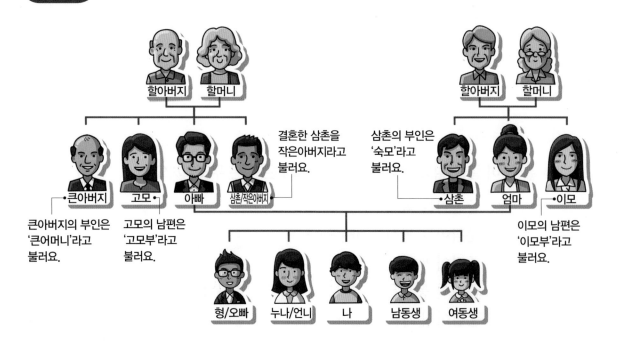

결혼한 삼촌을 작은아버지라고 불러요.

삼촌의 부인은 '숙모'라고 불러요.

할아버지   할머니   할아버지   할머니

큰아버지   고모   아빠   삼촌/작은아버지   삼촌   엄마   이모

큰아버지의 부인은 '큰어머니'라고 불러요.

고모의 남편은 '고모부'라고 불러요.

이모의 남편은 '이모부'라고 불러요.

형/오빠   누나/언니   나   남동생   여동생

오늘의 어휘

다음 낱말의 알맞은 뜻을 찾아 선으로 이으세요.

소개 •	• 다르게.
지키십니다 •	• 희망이나 소원.
꿈 •	• 남이 잘 모르는 내용을 알게 해 주는 것.
달리 •	• 자기가 좋아하는 몇 가지 음식만 골라 먹는 것.
편식 •	• 도둑맞거나 잃어버리지 않게 조심하며 보호하십니다.

1 다음 문장의 빈칸에 들어갈 알맞은 말을 오늘의 어휘 에서 찾아 쓰세요.

• ☐☐은 건강에 좋지 않다.

• 오늘의 주인공을 ☐☐하겠습니다.

• 소라의 ☐은 우주 비행사가 되는 것이다.

• 경찰관은 도둑으로부터 우리를 ☐☐☐☐☐.

• 사과를 좋아하는 형과 ☐☐ 나는 사과를 좋아하지 않는다.

2 다음 밑줄 친 말과 뜻이 비슷한 말을 ( )에서 찾아 ○표 하세요.

저의 장래 희망은 동화 작가입니다. 저는 책 읽는 것을 무척 좋아합니다. 책을 읽고 다른 사람에게 소개하는 것도 좋아합니다. 사람들이 이야기를 재미있게 들어 주면 기분이 좋습니다. 그래서 내가 직접 이야기를 만드는 사람이 된다면 정말 좋겠다고 생각했습니다.

(꿈, 취미)

KEY WORD

친구

글자 수

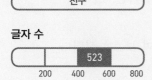

523

200 400 600 800

친구와 사이좋게 지내요

1 사이좋게 지내는 친구가 있나요? 사이좋은 친구란, 서로 정답고 친한 친구를 말해요. 좋은 일이 있으면 축하해 주고, 슬플 때는 **위로**해 주고, 힘이 들 때는 도와주기도 하지요.

2 친구와 사이좋게 지내기 위해서는 평소에 친구를 **배려**해야 해요. 친구가 싫어하는 일은 하지 않아야 하지요. 친구가 싫어하는 별명을 부르거나 친구를 놀리면 안 돼요. 말할 때는 친구의 기분을 생각하며 다정하게 말하는 것이 좋아요. 내 말만 하지 말고 상대의 말을 잘 들어 주는 것도 중요하지요.

3 그러나 아무리 친한 친구 사이라도 상대에게 화를 내거나 서로 다투는 때가 생길 수 있어요. 친구와 다투고 나면 기분이 좋지 않지요. 시간이 더 흐르기 전에 **화해**를 하는 것이 좋아요. 다툰 채로 시간이 흐르면 점점 더 화해하기가 어려워지고, 친구 사이도 멀어지기 때문이에요. 화해를 하려면 먼저 사과하고 다가가는 용기가 필요해요. 사과는 잘못한 것을 **솔직하게** 이야기하고 **용서**를 구하는 것이에요. 사과할 때는 **진심**을 담아 이야기하고 친구를 탓하는 말은 하지 않아야 해요.

- **위로** 좋은 말과 행동으로 따뜻하게 대하는 것.
- **배려** 관심을 가지고 보살펴 주는 것.
- **화해** 서로 다투던 사람들이 서로를 이해하여 다시 사이좋게 되는 것.
- **솔직하게** 거짓이나 꾸밈이 없이 바르게.
- **용서** 잘못이나 죄를 꾸짖거나 벌하지 않고 너그럽게 보아주는 것.
- **진심**(眞 참 진, 心 마음 심) 진실한 마음.

지문 독해

1 글쓴이가 이 글을 쓴 까닭으로 알맞은 것을 두 가지 골라 ○표 하세요.

목적

(1) 친구와 다투는 까닭을 알려 주기 위해 ( )

(2) 친구와 다투면 화해해야 한다고 알려 주기 위해 ( )

(3) 친구와 사이좋게 지내기 위한 태도를 알려 주기 위해 ( )

내용 이해

2 다음 중 사이좋은 친구 사이에 필요하지 <u>않은</u> 것은 무엇인가요? ( )

① 위로 ② 축하 ③ 다툼 ④ 화해 ⑤ 배려

내용 이해

3 이 글의 내용으로 알맞지 <u>않은</u> 것은 무엇인가요? ( )

① 친구에게 좋은 일이 있으면 축하해 주어야 한다.

② 친구에게 슬픈 일이 있으면 위로해 주어야 한다.

③ 친구와 싸웠을 때는 먼저 다가가 화해해야 한다.

④ 사과할 때 친구가 잘못한 점도 솔직하게 말해야 한다.

⑤ 친구와 사이좋게 지내려면 평소에 친구를 배려해야 한다.

적용하기

4 다음 중 친구를 배려하는 사람은 누구인가요? ( )

① 친구가 싫어하는 별명을 부르며 놀리는 유리

② 친구들과 있을 때 혼자서만 계속 말하는 윤재

③ 쉬는 시간마다 친구의 머리카락을 잡아당기는 동화

④ 힘이 없어 보이는 친구에게 재미없다고 짜증을 내는 주호

⑤ 화가 난 친구에게 "괜찮아?"라고 묻고 이야기를 들어 주는 세미

지문 분석

1 문단 요약

다음은 이 글에 나타난 각 문단의 중심 내용입니다. 알맞은 것에 ○표, 틀린 것에 ×표를 하세요.

1문단	사이좋은 친구는 서로 정답고 친한 친구입니다.	( )
2문단	친구와 사이좋게 지내려면 평소에 친구를 배려해야 합니다.	( )
3문단	친구와 다투면 친구가 사과할 때까지 기다립니다.	( )

2 글의 구조

다음 표의 빈칸을 채워 이 글의 내용을 정리해 보세요.

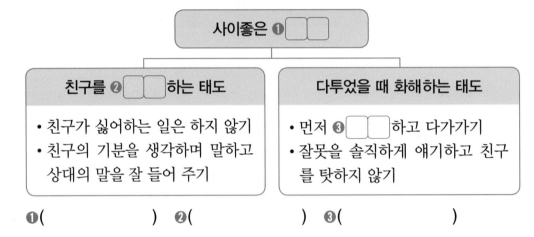

사이좋은 ❶[ ][ ]

친구를 ❷[ ][ ]하는 태도	다투었을 때 화해하는 태도
• 친구가 싫어하는 일은 하지 않기 • 친구의 기분을 생각하며 말하고 상대의 말을 잘 들어 주기	• 먼저 ❸[ ][ ]하고 다가가기 • 잘못을 솔직하게 얘기하고 친구를 탓하지 않기

❶(   ) ❷(   ) ❸(   )

배경지식 화해할 때 왜 악수를 할까?

"화해의 뜻으로 서로 악수하세요."라는 말을 들어 본 적이 있나요? 상대방의 손을 맞잡는 몸짓인 '악수'는 옛날에 서로 손에 무기를 가지고 있지 않다는 것을 보여 주기 위해 맨손을 마주 잡은 행동에서 시작되었다고 해요.

오늘의 어휘

다음 낱말의 알맞은 뜻을 찾아 선으로 이으세요.

위로 •   • 진실한 마음.

배려 •   • 관심을 가지고 보살펴 주는 것.

화해 •   • 좋은 말과 행동으로 따뜻하게 대하는 것.

용서 •   • 잘못이나 죄를 꾸짖거나 벌하지 않고 너그럽게 보아주는 것.

진심 •   • 서로 다투던 사람들이 서로를 이해하여 다시 사이좋게 되는 것.

1 다음 문장의 빈칸에 들어갈 알맞은 말을 오늘의 어휘 에서 찾아 쓰세요.

- 생일을 ☐☐으로 축하해.

- 울고 있는 친구에게 따뜻한 ☐☐의 말을 했다.

- 노약자석은 몸이 불편한 사람을 ☐☐하는 자리이다.

- 우리는 다투고 ☐☐한 뒤에 더욱 친한 친구가 되었다.

- 선생님께서는 장난을 치다가 화분을 깬 나를 ☐☐해 주셨다.

2 다음 밑줄 친 말과 뜻이 비슷한 말을 ( )에서 찾아 ○표 하세요.

> 나와 여진이와 승준이는 친한 친구 사이입니다. 오늘 함께 집에 오는데 여진이와 승준이가 말다툼을 했습니다. 승준이가 화를 내고 먼저 집에 가 버렸습니다. 놀란 여진이는 울음을 터뜨렸습니다. 나는 울고 있는 여진이를 <u>달래</u> 주었습니다. 두 친구가 빨리 화해했으면 좋겠습니다.

(용서해, 위로해)

지문분석

KEY WORD

거짓말

글자 수

529

200 400 600 800

거짓말을 하지 말자

1️⃣ 오늘 엄마께 무척 크게 혼이 났어요. 거짓말을 했기 때문이에요. 나는 숙제를 마쳐야 게임을 할 수 있어요. 엄마와 한 **약속**이지요. 하지만 오늘은 약속을 **어기고** 게임을 먼저 해 버렸어요. 게임에 푹 빠져 있다 보니 시간이 늦어 숙제도 못 했지요. 그런데 혼이 날까 봐 겁이 나서 숙제를 다 했다고 거짓말을 한 것이 **들킨** 거예요. 5

2️⃣ 엄마께서 말씀하셨어요.

"㉠잘못한 일이 있으면 솔직히 말하는 것이 좋아. **당장** 혼이 나지 않기 위해 거짓말을 하면, 거짓말을 들킬까 봐 마음이 **불편**해지지. 한 번 거짓말을 시작하면 그 거짓말을 감추기 위해 또 다른 거짓말을 할 수도 있지. 하지만 거짓말은 결국엔 들키고 말아. 그러면 다 10 음부터 사람들은 너를 믿을 수 없다고 생각할 거야. 네가 사실을 말한다 해도, 이미 거짓말을 한 적이 있기 때문이야. 이런 일이 계속되면 네 옆에는 좋은 사람들이 남지 않을 거야."

3️⃣ 엄마의 말씀을 듣고 너무 부끄러웠어요. 거짓말은 정말 무서운 것이라는 생각이 들었고 내가 한 일을 **반성**했어요. 그리고 거짓말을 하 15 지 않겠다고 **다짐**했어요.

- **약속** 다른 사람과 앞으로의 일을 어떻게 할 것인가를 미리 정하여 둔 것.
- **어기고** 지키지 않고.
- **들킨** 남이 알게 되거나 알아챔.
- **당장** 무슨 일이 생긴 바로 그 자리. 또는 그 직후.
- **불편** 편하지 않은 것.
- **반성** 자신의 말이나 행동에 잘못이 없는가를 곰곰이 생각하는 것.
- **다짐** 마음이나 뜻을 굳게 가다듬어 정함.

지문 독해

1 이 글에서 가장 중심이 되는 낱말을 보기 에서 찾아 쓰세요.

보기

약속,   숙제,   반성,   거짓말

(   )

2 이 글에 나타난 글쓴이의 마음으로 알맞지 <u>않은</u> 것은 무엇인가요? (   )

① 무서운 마음   ② 즐거운 마음   ③ 반성하는 마음
④ 겁이 나는 마음   ⑤ 부끄러운 마음

3 이 글에서 일이 일어난 순서대로 기호를 쓰세요.

> ㉠ 엄마께 거짓말을 들킴.
> ㉡ 엄마의 말씀을 듣고 반성함.
> ㉢ 숙제를 하지 않고 게임을 함.
> ㉣ 숙제를 다 했다고 엄마께 거짓말을 함.
> ㉤ 숙제를 마치고 게임을 하기로 엄마와 약속함.

(   ) → (   ) → (   ) → (   ) → (   )

4 엄마께서 말씀하신 ㉠의 뜻으로 알맞은 것은 무엇인가요? (   )

① 거짓말을 하지 않는 것이 좋아.
② 말만 잘하면 잘못이 없어질 수도 있어.
③ 마음속에 있는 생각을 말하는 것이 좋아.
④ 잘못한 일이 없으면 솔직하지 않아도 돼.
⑤ 일이 잘못되었을 때는 잘못된 점이 무엇인지 살펴봐야 해.

지문 분석

1 문단 요약

다음은 이 글에 나타난 각 문단의 중심 내용입니다. 알맞은 것에 ○표, 틀린 것에 ✕표를 하세요.

1문단	'내'가 한 일 – 거짓말을 해서 혼이 남.	( )
2문단	엄마께서 하신 말씀 – 거짓말을 하면 안 됨.	( )
3문단	엄마의 말씀을 듣고 느낀 점 – 약속을 잘 지키자.	( )

2 글의 구조

다음 표의 빈칸을 채워 이 글의 내용을 정리해 보세요.

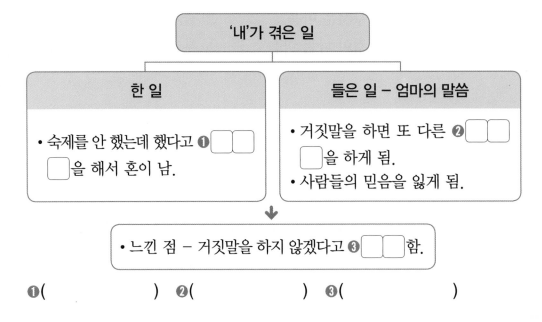

'내'가 겪은 일

한 일	들은 일 – 엄마의 말씀
• 숙제를 안 했는데 했다고 ❶☐☐☐을 해서 혼이 남.	• 거짓말을 하면 또 다른 ❷☐☐☐을 하게 됨. • 사람들의 믿음을 잃게 됨.

• 느낀 점 – 거짓말을 하지 않겠다고 ❸☐☐함.

❶( ) ❷( ) ❸( )

배경지식

거짓말을 알아내는 기계가 있다고?

사람은 거짓말을 하면 들킬지도 모른다는 불안감 때문에 심장이 빨리 뛰고 얼굴색이 바뀌거나 땀을 흘린다고 해요. 이런 원리를 이용해 거짓말을 알아내는 기계가 바로 거짓말 탐지기예요.

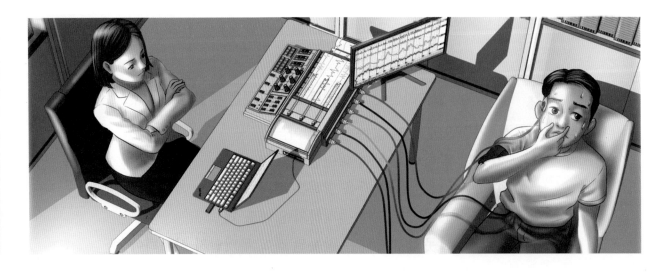

오늘의 어휘

다음 낱말의 알맞은 뜻을 찾아 선으로 이으세요.

어기고 •	• 지키지 않고.
들킨 •	• 편하지 않은 것.
당장 •	• 남이 알게 되거나 알아챈.
불편 •	• 무슨 일이 생긴 바로 그 자리, 또는 그 직후.
반성 •	• 자신의 말이나 행동에 잘못이 없는가를 곰곰이 생각하는 것.

1 다음 문장의 빈칸에 들어갈 알맞은 말을 오늘의 어휘 에서 찾아 쓰세요.

- 의자가 작아서 [ ][ ]하다.

- 친구와 싸우고 내가 했던 말을 [ ][ ]했다.

- 고양이를 괴롭히는 일을 [ ][ ] 그만두어라.

- 숨어 있는 곳을 [ ][ ] 사람은 술래가 된다.

- 규칙을 [ ][ ][ ] 마음대로 행동하면 안 된다.

2 다음 밑줄 친 말과 뜻이 비슷한 말을 ( )에서 찾아 ○표 하세요.

거실에서 형과 씨름을 하는데 형이 나를 세게 밀치는 바람에 큰 소리를 내며 넘어졌습니다. 화가 나서 나도 형을 넘어뜨리려 했는데 형이 도망치기 시작했습니다. 형을 잡기 위해 거실을 마구 뛰어다녔습니다. 우리가 뛰자 <u>바로</u> 경비 아저씨께 전화가 왔습니다. 우리가 너무 시끄러웠기 때문입니다. 우리는 엄마께 꾸중을 들었습니다.

(당장, 이따가)

자연을 소중히 대하자

1 주말에 가족과 함께 **저수지**로 낚시를 갔어요. 아파트와 도로, 자동차가 가득한 도시에서 멀어질수록 푸른 산과 **넓은 들판**이 펼쳐졌어요. 아름다운 풍경이었지요. 저수지 근처 숲에 내려서 저수지로 걸어가기로 했어요. 나무와 꽃이 가득해 공기도 좋고 **편안했거든요**. 새소리가 크게 들려서 신기하기도 했지요.

2 그런데 저수지에 다가갈수록 이곳에 **머무른** 사람들이 놓고 간 쓰레기가 여기저기 보였어요. 쓰레기가 쌓인 곳에는 벌레도 많아서 보기에 더럽고 냄새도 많이 났어요. 저수지도 다르지 않았지요. 저수지 물에 음료수 병 같은 것들이 많이 빠져 있었어요. 저수지에 사는 물고기들이 쓰레기로 인해 다칠 것 같아 걱정이 되었어요. 사람들이 쓰레기를 아무 데나 버려 예쁜 자연을 다치게 한 것 같아 속도 상했지요.

3 그래서 우리 가족은 낚시를 하는 대신 저수지 **근처**를 돌며 쓰레기를 줍기로 했어요. 물고기를 낚지는 못했지만 조금이나마 저수지 근처를 깨끗하게 만들어서 기분이 좋았어요. 사람들이 자연을 더 **소중하게** 대해 주었으면 좋겠다는 생각을 했어요. **나들이**를 한 뒤 자기가 만든 쓰레기는 스스로 챙겨 오는 습관을 가지는 것은 어떨까요?

5

10

15

KEY WORD

자연 보호

글자 수

569

200 400 600 800

- **저수지** 농사나 생활에 이용하기 위해 둑을 쌓아 흐르는 물을 모아 두는 큰 못.
- **넓은** 면적이 큰.
- **들판** 농작물과 풀이 자라고 있는 넓은 들.
- **편안했거든요** 편하고 걱정 없이 좋았거든요.
- **머무른** 일정한 장소에서 떠나지 않고 있는.
- **근처** 가까운 곳.
- **소중하게** 매우 귀하고 중요하게.
- **나들이** 집을 떠나 다른 곳에 잠깐 갔다 오는 일.

지문 독해

핵심어

1 이 글에서 가장 중심이 되는 낱말을 보기 에서 찾아 쓰세요.

> 보기
>
> | 자연, | 낚시, | 물고기, | 저수지, | 쓰레기 |
> |---|---|---|---|---|

(   )

내용 이해

2 이 글을 읽고 알 수 있는 것을 두 가지 골라 ○표 하세요.

(1) 자연에 대한 글쓴이의 생각   (   )

(2) 더러워진 자연을 보고 글쓴이가 느낀 점   (   )

(3) 저수지에서 본 다양한 물고기에 대한 글쓴이의 감상   (   )

내용 이해

3 이 글의 내용으로 알맞지 <u>않은</u> 것은 무엇인가요? (   )

① 저수지 물속에도 쓰레기가 빠져 있었다.

② 가족과 숲에 내려서 저수지로 걸어갔다.

③ 도착한 숲에는 꽃과 나무, 새들이 있었다.

④ 숲에 버려진 쓰레기 때문에 벌레가 많았다.

⑤ 가족과 함께 낚시를 간 곳은 도시에서 가까운 곳이다.

적용하기

4 숲으로 소풍을 왔습니다. 자연을 소중하게 대한 친구는 누구일까요? (   )

① 먹다 남은 음료수를 호수에 버린 윤지

② 다 먹은 과자 봉지를 가방에 넣어 온 서영

③ 제일 큰 나무 뒤에 쓰레기를 몰래 버린 진혁

④ 음료수 병을 앉아 있던 자리에 두고 온 준식

⑤ 신기하게 생긴 새를 잡으려고 물통을 던진 소민

지문 분석

1 문단 요약 이 글에 나타난 각 문단의 중심 내용으로 알맞은 것을 찾아 선으로 이으세요.

1 문단 •   • 자연을 소중하게 대한 일

2 문단 •   • 아름다운 자연에 대한 감상

3 문단 •   • 쓰레기로 오염된 자연에 대한 생각

2 글의 구조 다음 표의 빈칸을 채워 이 글의 내용을 정리해 보세요.

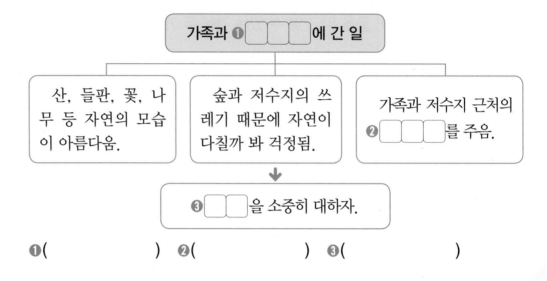

가족과 ❶ ☐☐☐ 에 간 일

| 산, 들판, 꽃, 나무 등 자연의 모습이 아름다움. | 숲과 저수지의 쓰레기 때문에 자연이 다칠까 봐 걱정됨. | 가족과 저수지 근처의 ❷ ☐☐☐ 를 주음. |

❸ ☐☐ 을 소중히 대하자.

❶ (   ) ❷ (   ) ❸ (   )

배경지식 **운동도 하고 자연도 보호하고!**

천천히 뛰면서 쓰레기를 줍는 활동을 '쓰담달리기(플로깅)'라고 합니다. 건강을 위해 운동을 하면서 자연도 보호할 수 있어서 인기가 많아지고 있답니다.

오늘의 어휘

다음 낱말의 알맞은 뜻을 찾아 선으로 이으세요.

넓은 •   • 가까운 곳.

들판 •   • 면적이 큰.

머무른 •   • 매우 귀하고 중요하게.

근처 •   • 일정한 장소에서 떠나지 않고 있는.

소중하게 •   • 농작물과 풀이 자라고 있는 넓은 들.

1 다음 문장의 빈칸에 들어갈 알맞은 말을 오늘의 어휘 에서 찾아 쓰세요.

- ☐☐에 곡식이 누렇게 익었다.

- 우리 집 ☐☐에는 가게가 많다.

- 친구를 ☐☐☐☐ 대해야 한다.

- 방학 때 할머니 댁에 ☐☐☐ 시간이 길었다.

- 학교에 축구를 할 수 있는 ☐☐ 잔디밭이 있다.

2 다음 밑줄 친 말과 뜻이 비슷한 말을 (   )에서 찾아 ○표 하세요.

우리 집 거실 책장에는 가족 앨범이 있습니다. 가족의 모습을 찍은 사진들이 가득 들어 있어요. 우리 가족은 종종 모여 앉아 사진을 보며 지난 일들을 이야기합니다. 즐거웠던 기억을 떠올리면서 행복해하지요. 가족 앨범은 우리 가족이 <u>귀중하게</u> 생각하는 보물입니다.

(귀찮게, 소중하게)

지문분석

KEY WORD

스스로 하기

글자 수

557

200 400 600 800

자기 일은 스스로 하자

1 안녕하세요? '나의 **다짐**'을 발표할 정채하입니다. 제가 다짐한 것은 '자기 일은 스스로 하자'입니다. 먼저, 아침에 **스스로** 일찍 일어나겠습니다. 저는 매일 아침 엄마가 깨우실 때까지 늦잠을 자고는 합니다. 밤늦은 시간에 잠자리에 들기 때문이에요. 이제 초등학생이 되었으니 학교에 **지각**하지 않기 위해서라도 스스로 일찍 일어나야겠다고 다짐했습니다.

2 두 번째, **준비물**을 스스로 챙기겠습니다. 학교에서 선생님 말씀을 잘 듣지 않아서 준비물을 알지 못하거나, 잊어버리고 제대로 챙기지 않아 **꾸중**을 들은 적이 있어요. 준비물을 챙기지 않으면 수업에 제대로 **참여**할 수 없지요. 그래서 준비물이 무엇인지 잘 확인하고 스스로 챙기는 습관을 들이려고 합니다.

3 마지막으로, 스스로 **정리**하겠습니다. **평소**의 저는 물건을 사용하고 그대로 두거나 어지른 방을 치우지 않는 때가 많아요. 그래서 다음에 물건이 필요할 때 어디에 있는지 찾지 못하고 물건을 잃어버리기도 합니다. 앞으로는 물건을 쓰면 바로 제자리에 되돌려 놓고 어지른 자리는 스스로 치우려 해요. 오늘 제가 다짐한 일들을 잘 지키는지 앞으로 지켜보아 주세요.

5

10

15

- **다짐** 마음이나 뜻을 굳게 가다듬어 정함.
- **스스로** 남이 돕거나 시켜서 하는 것이 아니고 자기의 결심에 따라서 자기의 힘으로.
- **지각** 정해진 시간보다 늦게 도착하는 것.
- **준비물** 앞으로 해야 할 일에 필요하여 갖추는 물건.
- **꾸중** 아랫사람의 잘못을 꾸짖는 말.
- **참여** 여러 사람이 같이하는 어떤 일에 끼어서 함께 일하는 것.
- **정리** 흐트러진 것이나 어지러운 것을 가지런하고 바르게 하는 것.
- **평소** 일상생활을 하는 보통 때.

목적

1 글쓴이가 이 글을 쓴 까닭으로 알맞은 것에 ○표 하세요.

(1) 정리를 잘하자고 주장하기 위해서 ( )

(2) 스스로 다짐한 일에 대해 발표하기 위해서 ( )

(3) 준비물을 챙겨야 하는 까닭을 알려 주기 위해서 ( )

내용 이해

2 글쓴이가 다짐한 일을 모두 고르세요. (, ,)

① 동생 잘 돌보기

② 스스로 정리하기

③ 준비물 스스로 챙기기

④ 집안일을 잘 도와드리기

⑤ 아침에 스스로 일찍 일어나기

내용 이해

3 글쓴이의 평소 모습이 아닌 것은 무엇인가요? ( )

① 밤늦은 시간에 잠자리에 든다.

② 물건을 사용하고 그대로 둔다.

③ 매일 아침 엄마가 깨워 주신다.

④ 어지른 자리를 스스로 잘 치운다.

⑤ 준비물이 무엇인지 알지 못해서 꾸중을 듣는다.

추론하기

4 이 발표를 들은 친구들의 반응으로 알맞지 않은 것은 무엇인가요? ( )

① 준비물이 없어도 수업을 열심히 들으면 돼.

② 채하는 평소에 일찍 잠자리에 들지 않나 보네.

③ 채하는 선생님 말씀을 귀 기울여 듣지 않는 때가 있었겠구나.

④ 사용한 물건을 제자리에 되돌려 놓지 않으면 다음에 불편하구나.

⑤ 채하가 다짐하는 것들은 지금까지 스스로 하지 않았던 것들이겠구나.

1 문단 요약 다음은 이 글에 나타난 각 문단의 중심 내용입니다. 알맞은 것에 ○표, 틀린 것에 ×표를 하세요.

1 문단	'나'의 다짐 ①: 아침에 스스로 일찍 일어나기	( )
2 문단	'나'의 다짐 ②: 준비물 스스로 챙기기	( )
3 문단	'나'의 다짐 ③: 스스로 집 안 청소하기	( )

2 글의 구조 다음 표의 빈칸을 채워 이 글의 내용을 정리해 보세요.

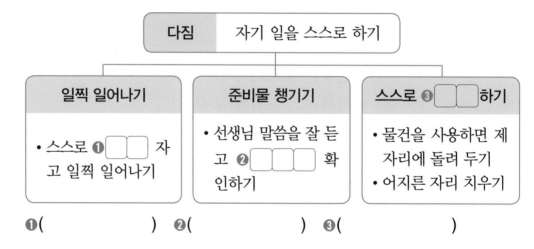

다짐	자기 일을 스스로 하기

일찍 일어나기	준비물 챙기기	스스로 ❸□□하기
• 스스로 ❶□□ 자고 일찍 일어나기	• 선생님 말씀을 잘 듣고 ❷□□□ 확인하기	• 물건을 사용하면 제자리에 돌려 두기 • 어지른 자리 치우기

❶( ) ❷( ) ❸( )

배경지식 **스스로 신발끈을 묶어 보아요**

① 두 끈을 한 번 묶습니다.

② 토끼 귀 모양으로 잡습니다.

③ 왼쪽을 오른쪽 아래로 넣어 줍니다.

완성!

④ 오른쪽도 왼쪽 아래로 넣어 줍니다.

⑤ 위를 덮으면서 아래로 넣어 줍니다.

⑥ 당겨 줍니다.

오늘의 어휘

다음 낱말의 알맞은 뜻을 찾아 선으로 이으세요.

스스로 •　　• 일상생활을 하는 보통 때.

지각 •　　• 정해진 시간보다 늦게 도착하는 것.

준비물 •　　• 앞으로 해야 할 일에 필요하여 갖추는 물건.

정리 •　　• 흐트러진 것이나 어지러운 것을 가지런하고 바르게 하는 것.

평소 •　　• 남이 돕거나 시켜서 하는 것이 아니고 자기의 결심에 따라서 자기의 힘으로.

1 다음 문장의 빈칸에 들어갈 알맞은 말을 오늘의 어휘 에서 찾아 쓰세요.

- 나는 친구와의 약속 시간에 □□을 했다.
- 동생이 어지른 책상을 □□하느라 힘이 들었다.
- □□□ 할 수 있는 일을 남에게 미루지 마라.
- 오늘 아침에는 우리 반이 □□와 다르게 시끄러웠다.
- 내일 학교에 가져갈 미술 □□□을 가방에 넣었다.

2 다음 밑줄 친 말과 뜻이 비슷한 말을 (　　　)에서 찾아 ○표 하세요.

선호는 오늘로 정들었던 친구들과 헤어져야 합니다. 다른 동네로 이사를 가게 되었기 때문입니다. 친구들은 앞으로 자주 만나지 못하게 되어서 슬퍼했습니다. 선호는 친구들에게 다시 만나러 오겠다고 <u>약속했습니다.</u>

(다짐, 거짓말)

KEY WORD

여행

글자 수

577

200 400 600 800

강화도로 떠난 가족 여행

1 방학을 맞아 가족과 함께 강화도에 갔어요. 먼저 강화도의 **역사**를 살펴볼 수 있는 강화 역사 박물관에 갔어요. 조상들이 남긴 **유물**과 조상들의 생활을 나타낸 **모형**을 구경하면서 먼 옛날부터 오늘날까지 강화도에서 있었던 일들을 알게 되었지요. 특히 **고인돌**을 세우는 **과정**을 만들어 놓은 모형이 가장 흥미로웠어요. 기계가 없던 옛날에 커다란 돌을 어떻게 옮기고 세웠는지, 평소 궁금했던 점을 알 수 있게 되어서 기뻤지요.

2 박물관을 나와 **건너편**에 있는 고인돌 공원에도 갔어요. 박물관에서 고인돌 세우는 과정을 알게 된 뒤라서 얼른 고인돌을 보고 싶었어요. 실제로 본 고인돌은 매우 크고 신기했어요.

3 저녁 식사를 하기 전에 해가 지는 모습을 보기 위해서 바닷가에 들렀어요. 천천히 바닷속으로 사라지는 해와 붉게 물든 하늘이 정말 아름다웠어요. **노을**을 **배경**으로 오늘을 **기념**하는 가족사진도 여러 장 찍었지요.

4 그리고 바닷가 근처 식당에서 조개구이를 먹었어요. 다 익은 뜨거운 조개를 우리에게 까 주시느라 아빠께서 고생하시기는 했지만 조개가 정말 맛있었어요. 하루를 알차게 보내서인지 집으로 돌아오는 길에 자꾸 잠이 왔어요. 정말 즐거운 하루였어요.

5

10

15

● **역사** 나라나 민족이 과거에 겪은 변화나 발전을 적은 기록. 또는 그에 대한 학문.

● **유물** 과거의 조상들이 후세에 남긴 물건.

● **모형** 어떤 물건의 모양을 본떠서 만들어 놓은 것.

● **고인돌** 큰 돌을 몇 개 둘러 세우고 그 위에 넓적한 돌을 덮어 놓은 선사 시대 무덤.

● **과정** 어떤 일이 벌어지거나 변하여 가는 차례나 형편.

● **건너편** 마주 대하고 있는 저편.

● **노을** 해가 뜨거나 질 때 하늘의 빛깔이 붉어지는 것.

● **배경** 뒤에 있는 경치나 환경.

● **기념** 중요하거나 특별한 일을 기억에 간직하여 잊히지 않게 하는 것.

지문 독해

1 글쓴이가 이 글을 쓴 까닭으로 알맞은 것에 ○표 하세요.

목적

(1) 고인돌이 어떻게 세워졌는지 알려 주기 위해 ( )

(2) 강화도의 역사와 멋진 장소를 소개하기 위해 ( )

(3) 강화도를 다녀온 경험과 느낀 점을 남기기 위해 ( )

내용 이해

2 이 글을 통해 알 수 있는 내용을 두 가지 골라 ○표 하세요.

(1) 여행지에 간 방법 ( )

(2) 여행지에서 방문한 곳 ( )

(3) 여행지에서 머무른 시간 ( )

(4) 여행지에서 보고 느낀 것 ( )

내용 이해

3 가족 여행 중 글쓴이가 느낀 점이 아닌 것은 무엇인가요? ( )

① 기뻤다. ② 신기했다. ③ 아름다웠다.

④ 흥미로웠다. ⑤ 고생스러웠다.

적용하기

4 이 글의 내용을 바탕으로 강화도 여행을 가려고 합니다. 알맞게 말하지 않은 친구의 이름을 쓰세요.

선아: 바닷가에서 놀 수 있는 준비도 해 가면 좋을 것 같아.

지훈: 강화 역사 박물관에서 강화도의 역사를 알아보아야겠어.

지혜: 고인돌 공원은 강화 역사 박물관에서 먼 곳에 있으니 따로 찾아가는 것이 좋겠어.

( )

지문 분석

1 문단 요약 이 글에 나타난 각 문단의 중심 내용으로 알맞은 것을 찾아 선으로 이으세요.

1 문단 •	• 고인돌 공원에 감.
2 문단 •	• 바닷가에서 노을을 봄.
3 문단 •	• 강화 역사 박물관에 감.
4 문단 •	• 저녁으로 조개구이를 먹고 돌아옴.

2 글의 구조 다음 표의 빈칸을 채워 이 글의 내용을 정리해 보세요.

간 곳	강화 역사 박물관	❶ ☐☐☐ 공원	바닷가	바닷가 근처 식당
한 일	강화도의 역사를 알게 됨.	고인돌을 봄.	❷ ☐☐을 보고 사진을 찍음.	❸ ☐☐ ☐☐를 먹음.
느낀 점	흥미로움.	신기함.	아름다움.	맛있음.

❶(   ) ❷(   ) ❸(   )

배경지식 **그 옛날 고인돌을 어떻게 세웠을까요?**

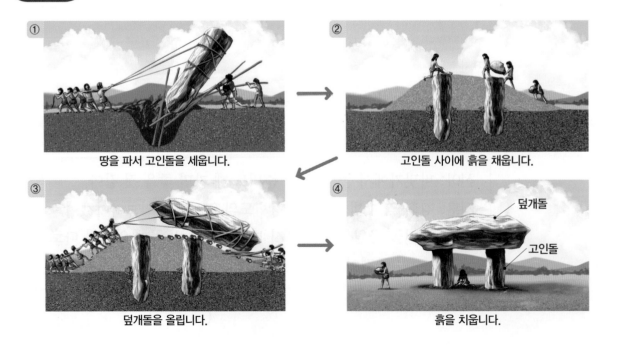

① 땅을 파서 고인돌을 세웁니다.

② 고인돌 사이에 흙을 채웁니다.

③ 덮개돌을 올립니다.

④ 흙을 치웁니다.

덮개돌

고인돌

다음 낱말의 알맞은 뜻을 찾아 선으로 이으세요.

역사 •   • 마주 대하고 있는 저편.

과정 •   • 뒤에 있는 경치나 환경.

건너편 •   • 어떤 일이 벌어지거나 변하여 가는 차례나 형편.

배경 •   • 중요하거나 특별한 일을 기억에 간직하여 잊히지 않게 하는 것.

기념 •   • 나라나 민족이 과거에 겪은 변화나 발전을 적은 기록, 또는 그에 대한 학문.

1 다음 빈칸에 들어갈 알맞은 말을 오늘의 어휘 에서 찾아 쓰세요.

• 문방구는 학교 □□□ 에 있다.

• 할아버지 생신 □□ 으로 가족 여행을 갔다.

• 세종 대왕은 □□ 에 길이 남을 일을 많이 하셨다.

• 꽃밭을 □□ 으로 사진을 찍으니 얼굴이 환해 보인다.

• 이 책에는 종이접기를 하는 □□ 이 자세히 나와 있다.

2 다음 밑줄 친 말과 뜻이 비슷한 말을 (   )에서 찾아 ○표 하세요.

우리 학교에는 등굣길 안전을 도와주시는 감사한 분들이 계십니다. 녹색 조끼를 입고 녹색 깃발을 들고 횡단보도 앞에 서 계시지요. 학생들이 횡단보도를 건너서 맞은편으로 가려고 할 때, 차가 오는지 살피고 건널 수 있도록 해 주십니다. 그 덕분에 우리는 안전하게 학교에 갈 수 있어요.

(뒤편, 건너편)

KEY WORD

규칙

글자 수

571

200 400 600 800

학교에서 지켜야 할 규칙

1 여러 사람이 함께 생활하다 보면 다른 사람과 생각이 다를 때가 생길 수 있어요. 이때 만약 모두가 자기 마음대로 행동한다면 다툼이 일어날 수도 있지요. 이러한 다툼을 막고 여러 사람이 편하게 생활하기 위해서 다 같이 지키기로 정한 약속을 '규칙'이라고 해요.

2 학교에서 지켜야 할 규칙에는 어떤 것이 있을까요? 첫 번째, **수업** 시간을 잘 지켜야 해요. 다 같이 수업을 듣는 시간이 정해져 있으므로 **지각**을 하면 안 되지요. 수업 시간에는 선생님께서 하시는 말씀에 귀를 기울여야 해요. 친구들과 떠들거나 딴짓을 하면 안 되지요.

3 두 번째, **질서**를 잘 지켜야 해요. 화장실은 다 함께 **이용하는** 곳이므로 온 **차례**대로 사용하지요. 복도나 계단을 다닐 때는 오른쪽으로 다녀요. 계단은 한 칸씩 오르내리고, 복도나 계단에서 뛰거나 **위험한** 장난을 치면 안 돼요. 크게 다칠 수 있기 때문이지요.

4 세 번째, 학교의 물건을 소중히 다루어야 해요. 여럿이 함께 쓰는 물건이기 때문이에요. 학교의 물건을 쓸 때에는 내 것처럼 아껴 쓰고, 다 쓴 후에는 꼭 **제자리**에 두어야 하지요. 이런 규칙들을 잘 지키면 학교생활을 더 즐겁게 할 수 있어요.

5

10

15

- **수업** 가르침을 받는 일.
- **지각** 정해진 시간보다 늦게 도착하는 것.
- **질서** 사물이나 사회가 혼란스럽지 않도록 유지하게 하는 것.
- **이용하는** 필요에 따라 이롭게 쓰는.
- **차례** 어떤 원칙에 따라 여럿을 하나씩 이어지게 벌여 놓은 것. 또는 그렇게 벌여 놓은 것에서 그중의 하나가 차지한 위치나 자리.
- **위험한** 다치거나 목숨을 위태롭게 할 만큼 안전하지 못한.
- **제자리** 무엇이 본래 있던 자리. 자기 자리.

지문 독해

핵심어

1 이 글에서 가장 중심이 되는 낱말을 보기에서 찾아 쓰세요.

보기

| 다툼, | 질서, | 차례, | 규칙, | 수업 |

(   )

내용 이해

2 이 글을 읽고 알 수 있는 내용을 두 가지 골라 ○표 하세요.

(1) 규칙이 필요한 까닭   (   )

(2) 규칙이 처음 생긴 때   (   )

(3) 학교에서 지켜야 할 규칙   (   )

(4) 규칙을 지키지 않으면 받는 벌   (   )

내용 이해

3 이 글의 내용으로 알맞은 것은 무엇인가요? (   )

① 사람들의 생각은 모두 같다.

② 언제나 자기 마음대로 행동하면 된다.

③ 수업 시간도 약속이므로 지켜야 한다.

④ 다치지 않으면 복도나 계단에서 뛰어도 괜찮다.

⑤ 학교에서 지켜야 할 규칙들 가운데 원하는 것만 지키면 된다.

적용하기

4 다음 중 학교에서 지켜야 할 규칙을 가장 잘 지킨 친구는 누구인가요? (   )

① 지애: 늦잠을 자서 학교에 한 시간 늦게 갔어.

② 지현: 수업에 늦을까 봐 계단을 마구 뛰어 내려갔어.

③ 화연: 화장실이 급해서 앞 친구를 밀치고 먼저 들어갔어.

④ 연미: 교실 책상이 낡았지만 낙서하지 않고 깨끗이 사용했어.

⑤ 규태: 수업 시간에 친구에게 꼭 하고 싶은 말이 있어서 소곤소곤 조용하게 말했어.

지문 분석

정답과 해설 12쪽

1 문단 요약   이 글에 나타난 각 문단의 중심 내용으로 알맞은 것을 찾아 선으로 이으세요.

1문단 •

2문단 •

3문단 •

4문단 •

• 규칙의 뜻

• 질서 지키기

• 수업 시간 지키기

• 학교 물건 소중히 다루기

2 글의 구조   다음 표의 빈칸을 채워 이 글의 내용을 정리해 보세요.

학교에서 지켜야 할 규칙

❶ □□ 시간 지키기
• 지각을 하면 안 됨.
• 친구들과 떠들거나 딴짓을 하면 안 됨.

❷ □□ 지키기
• 화장실은 차례대로 사용함.
• 복도나 계단에서 뛰거나 장난치면 안 됨.

학교 물건 소중히 다루기
• 학교의 물건을 아껴 써야 함.
• 다 쓰면 ❸ □□□ 에 두어야 함.

❶(   ) ❷(   ) ❸(   )

배경지식   **학교 밖에서도 규칙을 지켜요**

오늘의 어휘

다음 낱말의 알맞은 뜻을 찾아 선으로 이으세요.

수업 •

질서 •

차례 •

위험한 •

제자리 •

• 가르침을 받는 일.

• 무엇이 본래 있던 자리. 자기 자리.

• 다치거나 목숨을 위태롭게 할 만큼 안전하지 못한.

• 사물이나 사회가 혼란스럽지 않도록 유지하게 하는 것.

• 어떤 원칙에 따라 여럿을 하나씩 이어지게 벌여 놓은 것.

1 다음 빈칸에 들어갈 알맞은 말을 오늘의어휘 에서 찾아 쓰세요.

• 늦잠을 자서 ☐☐ 시간에 지각했다.

• 복도에서 뛰지 말고 ☐☐ 를 지키자.

• 계단에서 뛰는 것은 ☐☐☐ 행동이다.

• 놀이공원에서 놀이 기구를 타기 위해 ☐☐ 를 기다렸다.

• 책을 보고 난 후 ☐☐☐ 에 두지 않으면 나중에 찾기 힘들다.

2 다음 밑줄 친 말과 뜻이 비슷한 말을 ( )에서 찾아 ○표 하세요.

내 방 책장에는 책이 제목 <u>순서</u>대로 정리되어 있습니다. 제목 순서대로 정리해 놓으면 보고 싶은 책을 찾기도 쉽고 보기에도 좋기 때문입니다. 그래서 형이 내 방에 와서 책을 본 후 아무렇게나 꽂아 놓고 가면 기분이 좋지 않습니다.

(길이, 차례, 기호)

지문분석

KEY WORD

직업

글자 수

540

200 400 600 800

다양해지는 직업

1 직업이란 살아가기 위해 **일정한** 기간 동안 계속하는 일을 말해요. 사람들은 잘하거나 좋아하는 일을 직업으로 삼아 열심히 일을 하고 돈을 벌어요. 일을 하면 **보람**과 행복도 느낄 수 있지요.

2 옛날 사람들은 **선택**할 수 있는 직업이 많지 않았어요. 대부분 자신이 사는 곳의 **환경**에 따른 직업을 가졌지요. 넓은 들이 있는 곳에는 농부가 많고, 바다가 있는 곳에는 어부가 많았어요.

3 기계가 **등장**하고 물건을 많이 만들 수 있는 공장이 세워지자 사람들은 공장에서도 일하기 시작했어요. 그리고 사회가 **발전**하면서 다른 사람을 도와주거나 즐겁게 하는 직업이 많아졌어요. 영화를 만드는 직업이 생겨나고, 비행기를 **조종**하는 직업도 생겼지요. 오늘날에는 과학 기술이 발달하면서 로봇을 만드는 로봇 발명가, 영상을 만들고 인터넷에 올려 사람들에게 보여 주는 영상 크리에이터와 같은 새로운 직업도 생겼어요.

4 이렇게 사회가 발전하면서 직업의 종류도 **다양해졌어요**. 여러 직업을 잘 알아보고 어떤 일을 하고 싶은지, 어떤 일을 해야 잘할 수 있을지 생각하면서 자신이 하고 싶은 직업을 선택해 보세요.

5

10

15

- **일정한** 크기, 모양, 시간 등이 한 가지로 정해져 있는.
- **보람** 정성을 들인 일에 대한 좋은 결과나 느낌.
- **선택** 여럿 가운데 마음에 들거나 필요한 것을 골라서 정하는 것.
- **환경** 사람과 생물에게 두루 영향을 끼치는 자연이나 사회의 소건이나 상태.
- **등장** 중요한 일에 관련된 새로운 인물이나 사물이 세상에 나타나는 것.
- **발전** 더 좋은 상태로 변하는 것.
- **조종** 비행기, 배 등을 다루고 부리는 것.
- **다양해졌어요** 여러 가지로 많아졌어요.

지문 독해

핵심어

1 다음 빈칸에 알맞은 말을 넣어 이 글의 중심 내용을 완성하세요.

• 사회가 발전하면서 다양해지는 ☐☐

내용 이해

2 이 글을 읽고 알 수 있는 것을 두 가지 골라 ○표 하세요.

(1) 직업으로 얻을 수 있는 것 ( )
(2) 우리나라에 있는 직업의 수 ( )
(3) 직업을 선택할 때 생각해야 할 것 ( )
(4) 초등학생에게 인기 있는 직업의 종류 ( )

내용 이해

3 다음 중 직업이 <u>아닌</u> 것은 무엇인가요? ( )

① 공장 ② 어부 ③ 로봇 발명가
④ 비행기 조종사 ⑤ 영상 크리에이터

적용하기

4 이 글을 읽고 직업에 대한 생각을 알맞게 말한 친구는 누구인가요? ( )

① 직업은 돈을 벌기 위해서만 가지는 거야.
② 옛날 사람들은 직업을 선택할 수 없었을 거야.
③ 다른 사람을 도와주는 것은 직업이라고 할 수 없어.
④ 오늘 엄마를 도와 청소를 했으니까 내 직업은 청소부야.
⑤ 미래에 과학이 발전하면 새로운 직업이 더 생길 수도 있겠어.

지문 분석

1 문단 요약   다음은 이 글에 나타난 각 문단의 중심 내용입니다. 알맞은 것에 ○표, 틀린 것에 ×표를 하세요.

1 문단	맨 처음 생긴 직업	( )
2 문단	직업이 다양하지 않았던 옛날	( )
3 문단	사회가 발전하며 다양해진 직업	( )
4 문단	미래 사회에 생길 직업	( )

2 글의 구조   다음 표의 빈칸을 채워 이 글의 내용을 정리해 보세요.

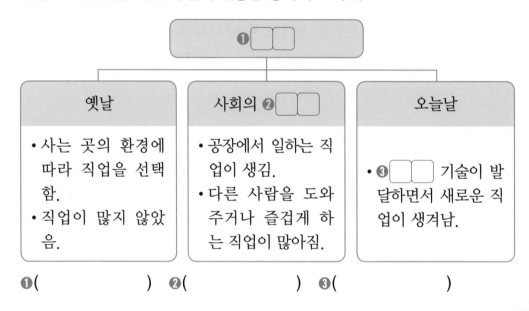

❶ ☐☐

옛날	사회의 ❷ ☐☐	오늘날
• 사는 곳의 환경에 따라 직업을 선택함. • 직업이 많지 않았음.	• 공장에서 일하는 직업이 생김. • 다른 사람을 도와주거나 즐겁게 하는 직업이 많아짐.	• ❸ ☐☐ 기술이 발달하면서 새로운 직업이 생겨남.

❶( ) ❷( ) ❸( )

배경지식 ## 지금은 없어진 옛날 직업

오늘의 어휘

다음 낱말의 알맞은 뜻을 찾아 선으로 이으세요.

일정한 •

보람 •

환경 •

등장 •

발전 •

• 더 좋은 상태로 변하는 것.

• 정성을 들인 일에 대한 좋은 결과나 느낌.

• 크기, 모양, 시간 등이 한 가지로 정해져 있는.

• 중요한 일에 관련된 새로운 인물이나 사물이 세상에 나타나는 것.

• 사람과 생물에게 두루 영향을 끼치는 자연이나 사회의 조건이나 상태.

1 다음 문장의 빈칸에 들어갈 알맞은 말을 **오늘의 어휘** 에서 찾아 쓰세요.

• 노력하지 않으면 [ ][ ]할 수 없다.

• 색종이를 [ ][ ][ ] 크기로 잘라 붙였다.

• 우리 강아지는 주변 [ ][ ]이 변하면 불안해한다.

• 청소하느라 힘들었지만 깨끗해진 교실을 보니 [ ][ ]이 있다.

• 친구의 이야기를 하고 있었는데 마침 친구가 저쪽에서 [ ][ ]했다.

2 다음 밑줄 친 말과 뜻이 비슷한 말을 ( )에서 찾아 ○표 하세요.

　　소방관은 불이 났을 때 불을 끄고 위험으로부터 사람들을 안전하게 보호하는 일을 하는 직업입니다. 불과 맞서 싸워야 하므로 매우 위험하고 힘들지만, 다른 사람을 돕고 생명을 살리는 일에 만족을 느낄 수 있는 직업이기도 합니다.

(보람, 아쉬움)

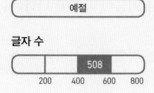

지문분석

KEY WORD

예절

글자 수

508

200   400   600   800

웃어른께 지켜야 할 예절

1 예절은 다른 사람과의 사이에서 지켜야 하는 바르고 **공손한** 말씨와 **몸가짐**을 말해요. 사람들이 서로 바르고 공손하게 대하면 다투지 않고 사이좋게 지낼 수 있어요. 그래서 예절은 사람들이 함께 살아가는 데 필요한 약속이기도 하지요. 예절은 상황에 따라, **대상**에 따라 다양해요. 가족 간에, 이웃 간에, 친구 사이에서도 지켜야 할 예절들이 있지요.

2 우리가 지켜야 할 다양한 예절 중에서 **웃어른**께 지켜야 할 예절을 알아보아요. 어른들께 말을 할 때는 **높임말**을 사용해야 해요. 웃어른을 만나면 먼저 인사를 하는 것이 좋지요. 집에 오신 어른이 가실 때는 같이 일어나서 **배웅**해 드려요. 인사를 할 때는 공손한 마음과 태도로 해야 하지요. 웃어른과 전화를 할 때에는 내가 누구인지 말씀드리고, 어른이 전화를 끊으시면 그 후에 전화를 끊는 것이 좋아요. 또한 어른과 **식사**를 할 때는 어른이 먼저 **수저**를 드신 후 식사를 시작해요. 밥을 다 먹었더라도 되도록 어른이 일어나신 후에 자리에서 일어나는 것이 예절 바른 행동이에요.

- **공손한** 예의가 바르고 겸손한.
- **몸가짐** 몸의 움직임. 또는 몸을 거두는 일.
- **대상** 어떤 일의 상대 또는 목표나 목적이 되는 것.
- **웃어른** 나이, 지위, 신분 등이 자기보다 높아서 모셔야 하는 어른.
- **높임말** 상대를 높일 때 쓰는 말.
- **배웅** 떠나는 사람을 따라 나가서 인사하여 보내는 일.
- **식사** 밥을 먹는 것.
- **수저** 숟가락과 젓가락을 함께 이르는 말.

지문 독해

1 이 글에서 가장 중심이 되는 낱말을 보기 에서 찾아 쓰세요.

핵심어

보기

| 예절, | 인사, | 공손, | 배웅, | 약속, | 높임말 |

(   )

내용 이해

2 이 글을 읽고 알 수 있는 것을 두 가지 골라 ○표 하세요.

(1) 웃어른께 지켜야 할 전화 예절   (   )
(2) 친구 사이에 지켜야 할 식사 예절   (   )
(3) 예절의 뜻과 예절을 지켜야 하는 까닭   (   )

내용 이해

3 이 글의 내용으로 알맞지 <u>않은</u> 것은 무엇인가요? (   )

① 웃어른께는 높임말을 써야 한다.
② 이웃 간에도 지켜야 할 예절이 있다.
③ 예절을 잘 지키면 다투지 않고 사이좋게 지낼 수 있다.
④ 어른과 식사할 때 식사를 마치면 먼저 자리에서 일어난다.
⑤ 어른과 통화할 때는 어른이 먼저 전화를 끊으실 때까지 기다린다.

적용하기

4 웃어른께 예절을 잘 지키고 있는 친구는 누구인가요? (   )

① 텔레비전을 보려고 할머니보다 먼저 밥을 먹은 진한이
② 높임말이 불편해서 친한 어른께는 반말을 하는 성현이
③ 이웃 어른을 만나면 기분이 좋을 때만 인사하는 상민이
④ 어른의 전화를 받고 자신이 누군지 얘기하지 않은 현서
⑤ 친척 어른이 집에 가실 때 현관 앞까지 나가 인사하는 정현이

지문 분석

1 문단 요약

다음은 이 글에 나타난 각 문단의 중심 내용입니다. 알맞은 것에 ○표, 틀린 것에 ×표를 하세요.

1문단	예절은 다른 사람과의 사이에서 지켜야 하는 바르고 공손한 태도입니다.	( )
2문단	예절은 웃어른에게만 지키는 것입니다.	( )

2 글의 구조

다음 표의 빈칸을 채워 이 글의 내용을 정리해 보세요.

웃어른께 지켜야 할 ❶ ☐☐

말할 때	인사할 때	전화할 때	식사할 때
• 웃어른께는 ❷ ☐☐☐ 을 써야 함.	• 먼저 ❸ ☐☐ 하게 인사함. • 집에 오신 어른이 가실 때 배웅함.	• 내가 누구인지 말씀드림. • 어른이 전화를 끊으신 후에 전화를 끊음.	• 어른이 먼저 수저를 드신 후 식사함. • 어른보다 먼저 일어나지 않음.

❶( ) ❷( ) ❸( )

배경지식

나라마다 다른 식사 예절

중국에서는 상대가 음식을 남겨야 잘 대접했다고 생각해요.

일본에서는 밥그릇을 손에 들고 밥을 먹어요.

우리나라에서는 밥그릇을 상 위에 놓고 밥을 먹어요.

오늘의 어휘

다음 낱말의 알맞은 뜻을 찾아 선으로 이으세요.

공손한 •

몸가짐 •

대상 •

높임말 •

배웅 •

• 예의가 바르고 겸손한.

• 상대를 높일 때 쓰는 말.

• 몸의 움직임. 또는 몸을 거두는 일.

• 어떤 일의 상대 또는 목표나 목적이 되는 것.

• 떠나는 사람을 따라 나가서 인사하여 보내는 일.

1 다음 문장의 빈칸에 들어갈 알맞은 말을 오늘의 어휘 에서 찾아 쓰세요.

• 수연이는 [ ][ ][ ]이 바른 학생이다.

• [ ][ ]에 따라 지켜야 할 예절이 다르다.

• 어른께는 [ ][ ][ ]을 바르게 써야 한다.

• 승표는 선생님께 [ ][ ][ ]태도로 인사했다.

• 온 가족이 대문까지 나와서 삼촌을 [ ][ ]했다.

2 다음 밑줄 친 말과 뜻이 비슷한 말을 ( )에서 찾아 ○표 하세요.

영상: 선생님, 물어볼 것이 있어요.

선생님: 영상아, 어른께는 '물어보다'가 아니라 '여쭈다'라고 해야 해.

영상: '여쭈다'요?

선생님: 그래, '여쭈다'는 '물어보다'의 <u>존댓말</u>이야. 어른한테는 높임말을 써야 예의 바른 어린이겠지?

(높임말, 반말)

지문분석

KEY WORD

한복

글자 수

454

200   400   600   800

우리나라의 옷 한복

1 한복은 우리 조상들이 옛날부터 입었던 우리나라의 **고유한** 옷이에 요. 한복은 곧은 선과 둥근 선이 잘 어우러져서 선이 아름다운 옷으로 유명해요. 다양한 색의 **조화**가 멋스럽기도 하지요. 또한 옷의 **품**이 **넉 넉하여** 활동하기에 편하고 몸을 **조이지** 않아 건강에도 좋아요.

2 한복은 남자와 여자의 **차림**이 달라요. 여자는 **저고리**와 치마를 입 어요. 속바지, 속치마, 속**적삼** 등 여러 개의 속옷을 갖추어 입지요. 여자 한복은 저고리는 짧고 치마는 길면서 풍성한 것이 특징이에요.

3 남자는 저고리와 바지를 입어요. 남자 한복은 여자 한복보다 모양 과 색이 **단순**한 편이에요. 남자 한복의 저고리는 여자 한복보다 길고 넉넉해요. 바지를 입을 때는 흘러내리지 않도록 허리에 띠를 하고, 바 지 끝자락에는 대님이라고 하는 끈을 매요.

4 남자와 여자 모두 발에는 **버선**을 신어요. 그리고 외출할 때는 외투 처럼 겉에 입는 기다란 웃옷인 두루마기를 입지요.

5

10

● **고유한** 본래부터 지니고 있 는.

● **조화** 서로 잘 어울림.

● **품** 윗옷의 겨드랑이 밑의 가슴과 등을 두르는 부분의 넓이.

● **넉넉하여** 남을 만하여. 모 자라지 않아.

● **조이지** 느슨하거나 헐거운 것을 팽팽하게 하지.

● **차림** 옷이나 몸치장을 꾸미 는 것.

● **저고리** 한복의 윗옷.

● **적삼** 윗도리에 입는 홑저고 리.

● **단순** 복잡하지 않고 간단한 것.

● **버선** 헝겊으로 만들고 솜을 넣기도 하며 한복 차림에 신 는 한국의 전통적 양말.

지문 독해

핵심어

1 이 글에서 가장 중심이 되는 낱말을 보기 에서 찾아 쓰세요.

> 보기
>
> 바지,　　치마,　　한복,　　저고리,　　두루마기

(　　　　　　　　　　　　　　　)

내용 이해

2 이 글의 내용으로 알맞은 것은 무엇인가요? (　　　)

① 한복은 몸에 딱 맞아 활동하기 편하다.
② 옛날 사람들은 모두 흰색 한복을 입었다.
③ 남자와 여자 모두 저고리와 두루마기를 입는다.
④ 한복은 둥근 선으로만 되어 있어 부드러워 보인다.
⑤ 남자 한복은 여자 한복보다 화려한 것이 특징이다.

내용 이해

3 다음 중 여자 한복이 <u>아닌</u> 것은 무엇인가요? (　　　)

① 치마　　　② 대님　　　③ 저고리　　　④ 속바지　　　⑤ 두루마기

추론하기

4 명절에 한복을 입었습니다. 잘못 입은 사람은 누구인가요? (　　　)

① 남자1: 바지 끝자락을 대님으로 잘 매었어.
② 여자1: 짧은 저고리와 길고 풍성한 치마를 입었어.
③ 남자2: 바지가 흘러내리지 않도록 허리를 잘 접어 입었어.
④ 여자2: 속바지와 속치마를 겹쳐 입고 그 위에 겉옷을 입었어.
⑤ 남자3: 외출하기 위해 저고리와 바지 위에 두루마기를 입었어.

지문 분석

1 문단 요약

다음은 이 글에 나타난 각 문단의 중심 내용입니다. 알맞은 것에 ○표, 틀린 것에 ×표를 하세요.

1 문단	한복이 세계적으로 사랑받는 까닭	( )
2 문단	여자 한복의 차림과 특징	( )
3 문단	남자 한복의 차림과 특징	( )
4 문단	남자 한복과 여자 한복의 다른 점	( )

2 글의 구조

다음 표의 빈칸을 채워 이 글의 내용을 정리해 보세요.

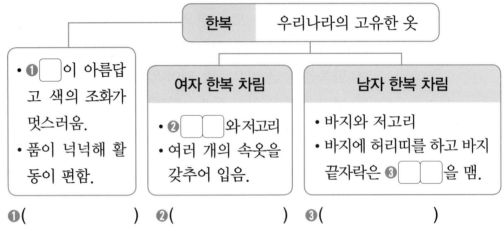

| 한복 | 우리나라의 고유한 옷 |

- ❶ ▢이 아름답고 색의 조화가 멋스러움.
- 품이 넉넉해 활동이 편함.

여자 한복 차림
- ❷ ▢▢와 저고리
- 여러 개의 속옷을 갖추어 입음.

남자 한복 차림
- 바지와 저고리
- 바지에 허리띠를 하고 바지 끝자락은 ❸ ▢▢을 맴.

❶( ) ❷( ) ❸( )

배경지식 조선 시대 양반의 한복 차림

비싼 보석으로 된 비녀를 했어요.

귀한 보석으로 만든 노리개로 치장했어요.

갓은 양반만 쓸 수 있었어요.

비단으로 된 풍성하고 긴 치마를 입었어요.

흑혜라는 신발을 신었어요.

예쁜 천으로 만든 당혜를 신었어요.

오늘의 어휘

다음 낱말의 알맞은 뜻을 찾아 선으로 이으세요.

고유한 •

조화 •

넉넉하여 •

차림 •

단순 •

• 서로 잘 어울림.

• 본래부터 지니고 있는.

• 복잡하지 않고 간단한 것.

• 옷이나 몸치장을 꾸미는 것.

• 남을 만하여, 모자라지 않아.

1 다음 문장의 빈칸에 들어갈 알맞은 말을 오늘의 어휘 에서 찾아 쓰세요.

- 그 문제는 □□해서 풀기에 쉬웠다.

- 운동을 할 때는 편한 □□을 하는 것이 좋다.

- 색과 무늬가 □□를 이루는 아름다운 옷이다.

- 음식이 □□□□ 모두가 배불리 먹었다.

- 나라마다 그 나라만의 □□□ 문화가 있다.

2 다음 밑줄 친 말과 뜻이 반대인 말을 (   )에서 찾아 ○표 하세요.

> 엄마와 길을 가다 다른 동네로 이사를 간 민희를 만났어요. 오랜만에 보니까 무척 반가웠어요. 민희와 같이 놀고 싶었지만 병원에 가는 중이라 금방 헤어져야 했어요. 시간이 넉넉하게 있으면 좋았을 텐데, 함께할 수 있는 시간이 <u>부족하여</u> 매우 아쉬웠지요.

(모자라, 넉넉하여)

KEY WORD

명절

글자 수

555

200 400 600 800

우리나라의 대표 명절, 설과 추석

1 명절이란 옛날부터 계절에 따라 의미 있는 때를 정해 놓고 기념하던 날이에요. 우리나라의 **대표적인** 명절에는 설과 추석이 있어요.

2 설은 **음력** 1월 1일로 한 해가 시작되는 새해의 첫날이에요. 설날 아침에는 집안의 어른들께 새해 첫 인사를 드려요. 새해를 맞아 웃어른께 드리는 인사를 세배라고 해요. 설날에는 **조상**들께 **차례**를 지내며 새로운 한 해의 복을 빌고 떡국을 먹지요. 친척들이 모여 한 해 동안 모든 일이 잘되기를 바라는 마음으로 서로 **덕담**을 나누고 윷놀이와 연날리기 같은 놀이를 하기도 해요.

3 추석은 음력 8월 15일로 '중추절', '한가위'라고도 해요. 무더웠던 여름이 지나고 **서늘한** 가을철로 접어드는 때에 있는 추석은, 봄에서 여름 동안 **가꾼 곡식**과 과일들이 잘 익은 것을 기뻐하며 즐거워하는 날이에요. 그래서 추석에는 그해 새로 거두어들인 **햅쌀**로 송편을 만들어 먹고 새로 딴 **햇과일**을 먹어요. 그리고 조상들께 감사하는 마음을 담아 차례를 지내고 **성묘**를 하지요. 강강술래와 씨름 등의 놀이를 하기도 해요. 추석에는 보름달이 뜨기 때문에 보름달을 보며 소원을 비는 '달맞이'도 하지요.

5

10

15

- **대표적인** 가장 두드러지거나 뛰어나 대표가 될 만한.
- **음력** 지구 주위를 도는 달의 주기를 기준으로 만든 달력.
- **조상** 한 가족의 여러 대에서 할아버지보다 먼저 산 사람.
- **차례** 명절과 조상의 생일 아침 등에 간단하게 지내는 집안의 제사.
- **덕담** 남이 잘되기를 비는 말. 주로 새해에 나누는 말임.
- **서늘한** 물체의 온도나 기온에 꽤 찬 느낌이 있는.
- **가꾼** 식물이 잘 자라도록 보살핀.
- **곡식** 사람의 식량이 되는 쌀, 보리, 콩, 밀, 옥수수 등을 이르는 말.
- **햅쌀** 그해에 새로 난 쌀.
- **햇과일** 그해에 새로 난 과일.
- **성묘** 조상의 산소에 가서 인사를 드리고 산소를 보살피는 것.

지문 독해

1 글쓴이가 이 글을 쓴 까닭으로 알맞은 것에 ○표 하세요.
　목적

(1) 세계의 유명한 명절을 알려 주기 위해　　　　　　　　(　　　)

(2) 설과 추석을 잘 보내는 방법을 알려 주기 위해　　　　(　　　)

(3) 우리나라의 대표적인 명절에 대해 알려 주기 위해　　(　　　)

　내용 이해

2 이 글의 내용으로 알맞지 <u>않은</u> 것은 무엇인가요? (　　　)

① 설에는 떡국, 추석에는 송편을 먹는다.

② 설과 추석 모두 함께 즐기는 놀이가 있다.

③ 설과 추석에 모두 조상들께 차례를 지낸다.

④ 설과 추석 모두 웃어른께 세배를 하는 날이다.

⑤ 설과 추석 모두 우리나라의 의미 있는 명절이다.

　내용 이해

3 다음 중 설과 관련된 것에는 '설', 추석과 관련된 것에는 '추'라고 쓰세요.

(1) 햅쌀　　　　　　　　(　　　)

(2) 달맞이　　　　　　　(　　　)

(3) 음력 1월 1일　　　　(　　　)

(4) 음력 8월 15일　　　(　　　)

　추론하기

4 다음 중 명절에 어울리는 일을 한 사람은 누구인가요? (　　　)

① 추석에 아빠와 떡국을 먹었어.

② 추석에 할아버지께 세배를 드렸어.

③ 설에 온 가족이 달을 보고 소원을 빌었어.

④ 설에 새로 거두어들인 햅쌀로 송편을 만들었어.

⑤ 설에 삼촌께서 한 해 동안 건강하라는 덕담을 해 주셨어.

지문 분석

1 문단 요약 │ 다음 빈칸을 채워 이 글에 나타난 각 문단의 중심 내용을 정리하세요.

1문단	❶ □□의 뜻
2문단	우리나라의 대표적인 명절 ❷ □
3문단	우리나라의 대표적인 명절 ❸ □□

❶(   )   ❷(   )   ❸(   )

2 글의 구조 │ 다음 표의 빈칸을 채워 이 글의 내용을 정리해 보세요.

우리나라의 대표적인 ❶ □□

설	추석
• 때: 음력 1월 1일	• 때: 음력 8월 15일
• 하는 일: 세배, 차례, 덕담	• 하는 일: 차례, 성묘, ❸ □□□
• 먹는 것: ❷ □□	• 먹는 것: 송편, 햇과일
• 놀이: 윷놀이, 연날리기	• 놀이: 강강술래, 씨름

❶(   )   ❷(   )   ❸(   )

배경지식 │ 바른 세배 자세를 익혀요

① 왼손을 오른손 위에 포개요.

② 이마를 손등 가까이 대요.

③ 오른쪽 무릎을 세워 일어나요.

① 오른손을 왼손 위에 포개요.

② 왼쪽 무릎부터 꿇어요.

③ 오른쪽 무릎을 세워 일어나요.

오늘의 어휘

다음 낱말의 알맞은 뜻을 찾아 선으로 이으세요.

대표적인	•	• 식물이 잘 자라도록 보살핀.
조상	•	• 가장 두드러지거나 뛰어나 대표가 될 만한.
차례	•	• 한 가족의 여러 대에서 할아버지보다 먼저 산 사람.
가꾼	•	• 조상의 산소에 가서 인사를 드리고 산소를 보살피는 것.
성묘	•	• 명절과 조상의 생일 아침 등에 간단하게 지내는 집안의 제사.

1 다음 문장의 빈칸에 들어갈 알맞은 말을 오늘의 어휘 에서 찾아 쓰세요.

- 추석 아침에는 ☐☐ 부터 지낸다.
- 진돗개는 한국의 ☐☐☐☐ 개이다.
- 명절에는 조상의 산소를 찾아가 ☐☐ 를 한다.
- 우리 집에는 ☐☐ 대대로 내려오는 보물이 있다.
- 우리 가족이 ☐☐ 텃밭에는 싱싱한 채소가 가득하다.

2 다음 밑줄 친 말과 뜻이 비슷한 말을 ( )에서 찾아 ○표 하세요.

누나는 지난 식목일 학교에서 받은 꽃씨를 화분에 심었습니다. 때를 맞춰 물을 주고 햇볕을 잘 받을 수 있도록 키웠습니다. 식물 일지를 쓰면서 매일매일 관찰하기도 했지요. 정성을 다해 보살핀 화분에 꽃이 피었을 때, 누나는 그 어느 때보다도 기뻐했습니다. 우리 가족 모두 함께 축하해 주었습니다.

(가꾼, 심은)

문화 **03**

지문분석

KEY WORD

전통 놀이

글자 수

560

200 400 600 800

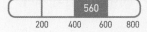

전통 놀이 줄다리기

1 전통 놀이는 조상들이 옛날부터 즐기던 놀이로, 지금까지 전해 내려오고 있어요. 놀이는 재미와 즐거움을 주지요. 그런데 옛날 사람들은 가정과 마을의 **평화**를 빌거나, 농사가 잘되기를 바라는 마음을 담아 놀이를 즐기기도 했어요. 또한 마을 사람 전체가 참여하는 놀이를 통해 **협동심**과 마을을 사랑하는 마음을 기르기도 했지요. 전통 놀이를 살펴보면 조상들의 생활 모습과 **지혜**를 엿볼 수 있어요.

2 조상들의 생활 모습과 지혜를 엿볼 수 있는 대표적인 전통 놀이로 줄다리기가 있어요. 줄다리기는 많은 사람이 두 편으로 나뉘어서 줄을 마주 잡아당겨 **승부**를 **겨루는** 놀이에요. 옛날에는 주로 명절에, 농사가 잘되기를 바라는 마음을 담아 하였어요. 줄다리기는 마을 사람들이 모두 매달릴 수 있는 큰 줄을 만드는 것에서부터 양쪽에서 줄을 잡아당겨 힘을 겨루는 본격적인 줄다리기를 하는 것에 이르기까지 온 마을 사람이 힘을 합쳐야 할 수 있는 놀이예요. 이 **과정**에서 사람들은 이웃을 아끼고 자신이 속한 마을을 사랑하는 마음을 기르지요. 또한 자신의 힘을 마음껏 펼치면서 즐거움을 느끼고 몸과 마음을 건강하게 가꿀 수 있어요.

- **평화(平** 평평할 평, **和** 화목할 화) 나라나 사람들 사이에 심한 싸움이 없는 조용한 상태.
- **협동심** 어떤 일에 여러 사람이 서로 뜻과 힘을 합쳐 함께하는 것.
- **지혜** 생활의 이치를 잘 이해하고 판단하는 능력.
- **승부** 이김과 짐.
- **겨루는** 누가 더 힘이 센지 또는 더 능력이 있는지가 드러나도록 서로 싸우는.
- **과정** 어떤 일이 벌어지거나 변하여 가는 차례나 형편.

지문 독해

핵심어

1 이 글에서 중심이 되는 말 두 가지를 보기 에서 찾아 쓰세요.

보기

조상,   줄다리기,   전통 놀이,   생활 모습,   마을 사람

(,   )

내용 이해

2 이 글을 읽고 알 수 있는 것을 두 가지 골라 ○표 하세요.

(1) 전통 놀이의 뜻   (   )

(2) 줄다리기의 규칙   (   )

(3) 전통 놀이에 담긴 마음   (   )

(4) 줄다리기 줄을 만드는 방법   (   )

내용 이해

3 전통 놀이에 담긴 마음이 <u>아닌</u> 것은 무엇인가요? (   )

① 경쟁하는 마음   ② 협동하는 마음

③ 평화를 비는 마음   ④ 마을을 사랑하는 마음

⑤ 농사가 잘되기를 바라는 마음

추론하기

4 이 글을 읽고 생각하거나 느낀 점으로 알맞은 것은 무엇인가요? (   )

① 줄다리기는 힘센 사람들끼리만 하겠군.

② 컴퓨터 게임도 즐거움을 주니까 전통 놀이겠군.

③ 전통 놀이는 오늘날에도 옛날과 똑같은 모습으로 남아 있겠군.

④ 줄다리기를 할 때는 서로 아끼는 마음을 기르기 위해 승부를 내지 않았겠군.

⑤ 놀이에서도 농사가 잘되길 바란 것을 보면 옛날 사람들은 농사를 중요하게 생각했겠군.

지문 분석

1 문단 요약 이 글에 나타난 각 문단의 중심 내용으로 알맞은 것을 찾아 선으로 이으세요.

1 문단 •   • 전통 놀이의 의미와 역할

2 문단 •   • 대표적인 전통 놀이 줄다리기

2 글의 구조 다음 표의 빈칸을 채워 이 글의 내용을 정리해 보세요.

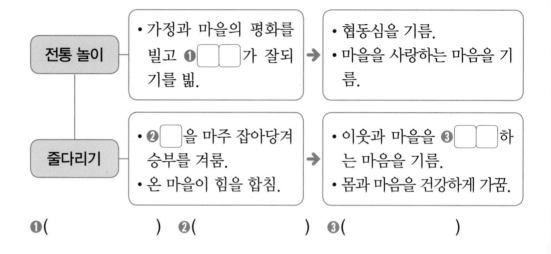

전통 놀이 ── • 가정과 마을의 평화를 빌고 ❶□□가 잘되기를 빎. → • 협동심을 기름.
• 마을을 사랑하는 마음을 기름.

줄다리기 ── • ❷□을 마주 잡아당겨 승부를 겨룸.
• 온 마을이 힘을 합침. → • 이웃과 마을을 ❸□□하는 마음을 기름.
• 몸과 마음을 건강하게 가꿈.

❶(   ) ❷(   ) ❸(   )

배경지식 **협동심을 길러 주는 전통 놀이 고싸움**

고싸움은 볏짚으로 '고'를 만들어 편을 갈라 승부를 겨루는 전통 놀이입니다.

짚과 나무를 엮어 동그란 고리 모양으로 만든 고 위에 대장이 올라갑니다.

상대의 고를 먼저 누르면 이깁니다.

힘을 합쳐 고를 듭니다.

농악대가 응원합니다.

오늘의 어휘

다음 낱말의 알맞은 뜻을 찾아 선으로 이으세요.

평화 • • 이김과 짐.

협동심 • • 생활의 이치를 잘 이해하고 판단하는 능력.

지혜 • • 나라나 사람들 사이에 심한 싸움이 없는 조용한 상태.

승부 • • 어떤 일에 여러 사람이 서로 뜻과 힘을 합쳐 함께하는 것.

겨루는 • • 누가 더 힘이 센지 또는 더 능력이 있는지가 드러나도록 서로 싸우는.

1 다음 문장의 빈칸에 들어갈 알맞은 말을 **오늘의 어휘** 에서 찾아 쓰세요.

- 가위바위보로 ☐☐ 를 정했다.

- 전쟁이 끝나고 드디어 ☐☐ 가 찾아왔다.

- 전통문화에는 조상들의 ☐☐ 가 담겨 있다.

- 축구는 ☐☐☐ 을 기르기에 알맞은 운동이다.

- 이 시합은 선수들이 서로 능력을 ☐☐☐ 자리이다.

2 다음 밑줄 친 말과 뜻이 비슷한 말을 ( )에서 찾아 ○표 하세요.

독서는 여러 가지를 알려 줍니다. 내가 가 보지 못한 나라를 소개해 주기도 하고, 내가 직접 해 보지 못한 일들을 경험하는 느낌을 주기도 합니다. 혼자서는 알 수 없는 다양한 지식과 지혜를 깨닫게도 해 주지요. 독서는 삶의 <u>슬기</u>를 얻을 수 있는 좋은 방법입니다.

(실수, 지혜, 재미)

KEY WORD

궁궐

글자 수

569
200 400 600 800

궁궐은 어떤 곳일까요?

1 궁궐은 왕이 나라를 **돌보는** 일을 하던 곳이자 왕과 가족이 사는 집이었어요. 신하들에게 궁궐은 일을 하는 직장이기도 했지요. 궁궐은 한 나라의 가장 중요한 장소였어요.

2 하나의 궁궐 안에는 많은 건물이 있기 때문에 궁궐은 무척 크고 넓었어요. 궁궐 안에 있는 건물에는 왕과 왕의 가족이 잠을 자는 곳, 식 ⁵사를 하는 곳, **휴식**하는 곳과 같은 생활에 필요한 공간이 있어요. 그리고 왕이 신하들과 나라의 여러 가지 중요한 일에 대해 의견을 나누는 곳, 나라의 큰 **행사**가 열리거나 다른 나라의 손님을 맞이하는 곳처럼 나라를 다스리는 일을 하는 공간도 있지요. 신하들이 일을 하거나 **학문**을 익히기 위해 모이는 공간도 있어요. ¹⁰

3 한 나라의 왕은 한 명이지만 궁궐은 여러 개가 있었어요. 각각의 궁궐이 서로 다른 **용도**로 지어졌기 때문이지요. 궁궐은 용도에 따라 법궁, 이궁, 행궁으로 나뉘어요. 법궁은 **평상시**에 왕이 머무는 나라의 중심 궁궐이에요. 이궁은 화재나 전염병 등의 **사정**이 생겨 법궁에 머무를 수 없을 때 왕과 가족이 머무는 궁궐이에요. 그리고 행궁은 왕이 ¹⁵서울을 떠나 멀리 다른 지역에 나들이를 갔을 때 머물던 궁궐이에요.

- **돌보는** 관심을 가지고 보살 피는.
- **휴식** 하던 일을 멈추고 잠 시 쉬는 것.
- **행사** 여럿이 어떤 목적과 계획을 가지고 조직적인 모 임이나 절차를 진행하는 것.
- **학문(學** 배울 학, **文** 글월 **문)** 어떤 분야의 내용을 체 계적으로 배우고 익히는 것. 또는 일정 분야의 체계적 지 식.
- **용도** 쓰이는 길. 또는 쓰이 는 곳.
- **평상시** 특별한 일이 없는 보통 때.
- **사정** 일의 형편이나 까닭.

1 이 글에서 가장 중심이 되는 낱말을 보기 에서 찾아 쓰세요.

> 보기
>
> 왕,   이궁,   법궁,   궁궐,   행궁

(   )

내용 이해

2 궁궐 안에 있는 건물을 성격에 따라 구분하여 기호를 쓰세요.

> ㉠ 휴식하는 곳   ㉡ 잠을 자는 곳
>
> ㉢ 식사를 하는 곳   ㉣ 의견을 나누는 곳
>
> ㉤ 손님을 맞이하는 곳   ㉥ 나라의 행사가 열리는 곳

(1) 생활에 필요한 공간: (,   ,   )
(2) 나라를 다스리는 일을 하는 공간: (,   ,   )

내용 이해

3 이 글의 내용으로 알맞지 <u>않은</u> 것은 무엇인가요? (   )

① 궁궐은 여러 개이다.
② 궁궐은 여러 개의 건물로 이루어졌다.
③ 궁궐에는 신하들을 위한 공간도 있다.
④ 궁궐에는 다른 나라 사람도 들어올 수 있다.
⑤ 궁궐은 만들어진 때에 따라 법궁, 이궁, 행궁으로 나뉜다.

추론하기

4 이 글을 읽고 짐작한 것으로 알맞은 것은 무엇인가요? (   )

① 왕비는 궁궐 밖에서 살았겠군.
② 왕이 서울을 떠나 먼 지역에 가면 이궁에 머물렀겠군.
③ 불이 나서 법궁에 있을 수 없으면 왕은 행궁에 갔겠군.
④ 왕은 특별한 사정이 없으면 평상시에는 법궁에서 머물렀겠군.
⑤ 왕의 가족이 사는 궁궐과 왕이 일하는 궁궐을 따로 만들었겠군.

지문 분석

1 문단 요약 다음은 이 글에 나타난 각 문단의 중심 내용입니다. 알맞은 것에 ○표, 틀린 것에 ×표를 하세요.

| 1 문단 | 궁궐은 한 나라에서 중요한 장소입니다. | ( ) |

| 2 문단 | 궁궐은 왕과 왕의 가족이 사는 생활 공간입니다. | ( ) |

| 3 문단 | 궁궐에는 법궁, 이궁, 행궁이 있습니다. | ( ) |

2 글의 구조 다음 표의 빈칸을 채워 이 글의 내용을 정리해 보세요.

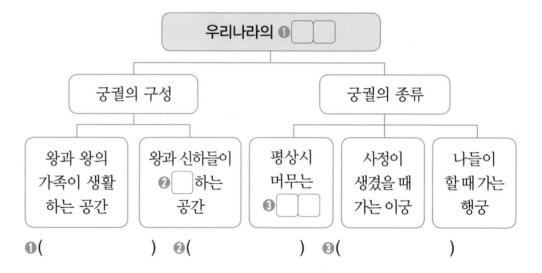

우리나라의 ❶□□

- 궁궐의 구성
  - 왕과 왕의 가족이 생활하는 공간
  - 왕과 신하들이 ❷□하는 공간
- 궁궐의 종류
  - 평상시 머무는 ❸□□
  - 사정이 생겼을 때 가는 이궁
  - 나들이 할 때 가는 행궁

❶( ) ❷( ) ❸( )

배경지식 경복궁의 구조

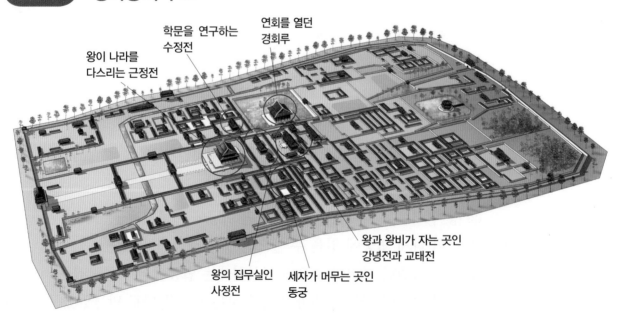

학문을 연구하는 수정전

연회를 열던 경회루

왕이 나라를 다스리는 근정전

왕과 왕비가 자는 곳인 강녕전과 교태전

왕의 집무실인 사정전

세자가 머무는 곳인 동궁

오늘의 어휘

다음 낱말의 알맞은 뜻을 찾아 선으로 이으세요.

돌보는 •

휴식 •

학문 •

용도 •

사정 •

• 일의 형편이나 까닭.

• 관심을 가지고 보살피는.

• 쓰이는 길, 또는 쓰이는 곳.

• 하던 일을 멈추고 잠시 쉬는 것.

• 어떤 분야의 내용을 체계적으로 배우고 익히는 것. 또는 일정 분야의 체계적 지식.

1 다음 문장의 빈칸에 들어갈 알맞은 말을 오늘의 어휘 에서 찾아 쓰세요.

• 숟가락과 젓가락은 ☐☐ 가 다르다.

• 규칙적인 ☐☐ 은 건강에 도움이 된다.

• 강아지를 ☐☐☐ 일에는 노력이 필요하다.

• 친구의 안타까운 ☐☐ 을 듣고 친구를 돕기로 했다.

• 세종 대왕은 신하들과 ☐☐ 을 연구하는 데 힘썼다.

2 다음 밑줄 친 말과 뜻이 비슷한 말을 ( )에서 찾아 ○표 하세요.

교실 창가에는 예쁜 화분이 있습니다. 우리 반 친구들은 화분을 보살피는 일을 모두 같이 하기로 약속했지요. 그러나 친구들이 돌보는 것을 열심히 하지 않아서 화분의 꽃이 시들고 말았어요. 우리 반 친구들은 약속을 지키지 않은 것을 반성했어요.

(돌보는, 관찰하는)

돈을 깨끗이 써요

1 물건을 살 때, 버스를 탈 때, 영화를 볼 때 등과 같은 여러 상황에서 우리는 돈을 써요. 돈은 우리가 살아가는 데 중요한 역할을 해요. 돈은 어디에서 나오는 것일까요? 나라에는 돈을 찍는 **중앙은행**이 있어서 우리가 사용하는 동전이나 **지폐**를 만들어요. 만들어진 돈은 여러 회사나 상점, 각 가정 등을 돌며 사용되지요. 이렇게 돌고 돌아 낡은 돈은 더는 쓸 수 없게 되어요. 쓸 수 없게 된 돈은 다시 중앙은행에 들어가 버려지지요. 5

2 그런데 새 돈을 만들고 헌 돈을 버리는 데도 돈이 들어요. 그래서 한 번 만들어져 세상에 나온 돈은 **되도록** 오래 사용되어야 해요. 돈을 못 쓰게 되면 새 돈을 만들어야 하고, 새 돈을 자주 만들면 나라는 **손**10 **해**를 보기 때문이지요.

3 돈을 오래 쓰려면 돈을 깨끗하게 사용해야 해요. 돈에 **낙서**를 하면 안 되지요. 돈을 찢거나 구겨서도 안 돼요. 돈을 가지고 다닐 때는 지갑에 넣어 다니는 것이 좋아요. **생활** 속에서 돈을 소중하게 다루는 습관을 들이도록 해요. 그러면 돈을 깨끗하게 오래 사용할 수 있어요. 15

KEY WORD

돈의 사용

글자 수

519
200 400 600 800

- **중앙은행** 나라의 돈을 관리하는 은행.
- **지폐** 종이로 된 돈.
- **되도록** 될 수 있는 대로, 가능한 한.
- **손해** 돈이나 재산을 잃거나 해를 입는 것.
- **낙서** 글자나 그림 등을 장난 삼아 아무 데나 쓰는 짓. 또는 그런 글자나 그림.
- **생활** 살면서 겪는 모든 경험과 행동.

지문 독해

1 글쓴이가 이 글을 쓴 까닭으로 알맞은 것에 ○표 하세요.

목적

⑴ 돈을 깨끗이 오래 쓰자고 주장하기 위해 ( )

⑵ 돈이 언제부터 쓰였는지 알려 주기 위해 ( )

⑶ 돈이 얼마나 중요한지 깨닫게 하기 위해 ( )

내용 이해

2 이 글을 통해 알 수 있는 내용이 <u>아닌</u> 것은 무엇인가요? ( )

① 돈의 쓰임새

② 돈을 만드는 곳

③ 우리나라 돈의 종류

④ 돈을 깨끗이 쓰는 방법

⑤ 돈을 오래 써야 하는 까닭

내용 이해

3 이 글의 내용으로 알맞지 <u>않은</u> 것은 무엇인가요? ( )

① 물건을 살 때 돈이 필요하다.

② 돈은 많이 만드는 것이 좋다.

③ 중앙은행은 돈을 만드는 곳이다.

④ 돈을 깨끗하게 쓰면 나라에 도움이 된다.

⑤ 돈은 낡아서 쓰지 못하게 되면 버려진다.

적용하기

4 이 글의 내용을 잘 실천하고 있는 친구는 누구인가요? ( )

① 경아: 지폐로 예쁜 종이학을 접었어.

② 진아: 종이가 없어서 지폐에 전화번호를 적었어.

③ 가연: 동전을 가방에 그냥 넣어 두었다 잃어버렸어.

④ 대규: 용돈을 받으면 꼭 지갑에 넣어 가지고 다녔어.

⑤ 태환: 동전이 얼마나 단단한지 실험하기 위해 구멍을 뚫어 보기로 했어.

지문 분석

1 문단 요약

다음은 이 글에 나타난 각 문단의 중심 내용입니다. 알맞은 것에 ○표, 틀린 것에 ×표를 하세요.

1 문단	함부로 버려지는 돈이 너무 많습니다.	( )
2 문단	돈을 만들고 버리는 데 쓰는 돈을 아끼려면 돈을 오래 써야 합니다.	( )
3 문단	돈을 오래 쓰려면 깨끗이 써야 합니다.	( )

2 글의 구조

다음 표의 빈칸을 채워 이 글의 내용을 정리해 보세요.

❶ □□은 사용할 수 있는 기간이 있음.

돈을 오래 써야 함.	돈을 ❸ □□□ 써야 함.
• 돈을 만들고 버리는 데 돈이 듦. • 새 돈을 자주 만들면 ❷ □□는 손해를 봄.	• 돈에 낙서하면 안 됨. • 돈을 구기고 찢으면 안 됨. • 생활 속에서 돈을 소중히 해야 함.

❶( ) ❷( ) ❸( )

배경지식 지폐 속에 숨겨진 기술

오늘의 어휘

다음 낱말의 알맞은 뜻을 찾아 선으로 이으세요.

지폐 •   • 종이로 된 돈.

되도록 •   • 될 수 있는 대로, 가능한 한.

손해 •   • 살면서 겪는 모든 경험과 행동.

낙서 •   • 돈이나 재산을 잃거나 해를 입는 것.

생활 •   • 글자나 그림 등을 장난 삼아 아무 데나 쓰는 짓, 또는 그런 글자나 그림.

1 다음 문장의 빈칸에 들어갈 알맞은 말을 오늘의 어휘 에서 찾아 쓰세요.

• 계산을 잘못해서 ☐☐를 보았다.

• 규칙적인 ☐☐ 태도를 가져야 한다.

• 청소는 ☐☐☐ 깨끗하게 해야 한다.

• 책상에 ☐☐를 하다가 선생님께 혼이 났다.

• 만 원짜리 ☐☐를 내고 거스름돈을 받았다.

2 다음 밑줄 친 말과 뜻이 비슷한 말을 ( )에서 찾아 ○표 하세요.

'밑져야 본전.'이라는 말이 있습니다. 어떤 일이 잘못되어도 <u>해</u>는 입지 않아 처음의 값은 남아 있다는 말이에요. 또한 해를 입을 것이 없으니 한번 해 보아도 된다는 말이기도 해요.

(손해, 이익, 잘못)

물건을 사요

지문분석

KEY WORD

물건 구입

글자 수

510
200 400 600 800

1 엄마께서 된장찌개에 넣을 두부를 사 오라고 **심부름**을 시키셨어요. 오천 원을 주시며 남는 돈으로는 먹고 싶은 것을 사라고 하셔서 신나는 마음으로 집을 나섰어요. 슈퍼마켓에 도착해 보니 두부가 다양했어요. 무엇을 사야 할지 몰라 옆에 계신 **점원** 아주머니께 찌개에 넣을 두부로 어떤 것이 좋을지 여쭈어보았어요. 아주머니께서 보여 주신 찌개용 ㉠두부는 세 가지였어요. 하나는 너무 크고 가격도 비싸 오천 원으로는 살 수 없었고, 다른 하나는 우리 식구가 먹기에 너무 작을 것 같았어요. 그래서 중간 크기의 두부를 골랐지요. 5

2 두부를 고른 후 ㉡간식을 골랐어요. 초콜릿도 과자도 먹고 싶었지만 두부를 사고 남은 돈으로 둘 다 살 수는 없어서 하나를 **선택**해야 했지요. **고민** 끝에 내가 더 좋아하는 초콜릿을 고르고 차례를 기다려 **계산**을 했어요. 두부 삼천 원에 초콜릿 천오백 원을 계산하니 오백 원이 남았어요. **거스름돈**이 맞는지 잘 확인하고 물건을 챙겨 집으로 왔어요. 엄마께서 잘했다고 칭찬해 주셨어요. 기분이 좋았어요. 10

- **심부름** 남이 시키는 일이나 부탁을 받아 해 주는 것.
- **점원** 상점에서 물건 파는 일 등을 맡아보도록 고용된 사람.
- **선택** 여럿 가운데서 필요한 것을 골라 뽑음.
- **고민** 걱정거리가 있어 괴로워하고 답답해하는 것.
- **계산** 수를 셈하는 것.
- **거스름돈** 셈해야 할 액수를 빼고서 주는 나머지 돈, 잔돈.

지문 독해

핵심어

1 이 글의 글쓴이가 슈퍼마켓에서 산 물건 두 가지를 보기 에서 골라 쓰세요.

> **보기**
>
> 두부,   과자,   된장,   찌개,   초콜릿

(,   )

내용 이해

2 이 글을 읽고 알 수 있는 것이 <u>아닌</u> 것은 무엇인가요? (   )

① 심부름을 하러 간 때
② 심부름 갈 때 신났던 까닭
③ 중간 크기 두부를 고른 까닭
④ 점원 아주머니께 질문을 한 까닭
⑤ 심부름을 마치고 기분이 좋았던 까닭

내용 이해

3 다음 중 이 글에서 얼마인지 알 수 <u>없는</u> 것은 무엇인가요? (   )

① 두부값   ② 과자값   ③ 초콜릿값
④ 거스름돈   ⑤ 엄마가 주신 돈

추론하기

4 ㉠'두부' 고를 때 한 일에는 ㉠을, ㉡'간식'을 고를 때 한 일에는 ㉡을 쓰세요.

⑴ 점원 아주머니께 질문을 했다.   (   )
⑵ 내가 더 좋아하는 것을 선택했다.   (   )
⑶ 원하는 것을 다 가질 수 없어서 하나를 골랐다.   (   )
⑷ 세 가지를 비교해서 필요에 알맞은 것을 선택했다.   (   )

지문 분석

1 문단 요약 다음은 이 글에 나타난 각 문단의 중심 내용입니다. 알맞은 것에 ○표, 틀린 것에 ×표를 하세요.

1 문단	엄마의 심부름으로 된장찌개에 넣을 두부를 삼.	( )
2 문단	엄마의 심부름으로 가족과 먹을 초콜릿을 삼.	( )

2 글의 구조 다음 표의 빈칸을 채워 이 글의 내용을 정리해 보세요.

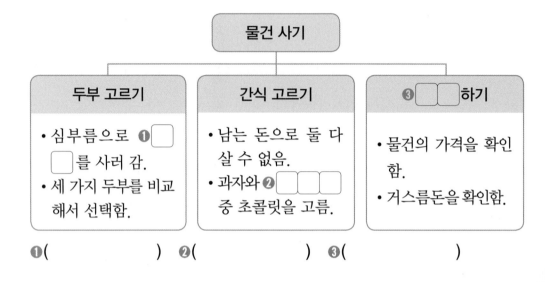

물건 사기

두부 고르기	간식 고르기	③□□하기
• 심부름으로 ①□□를 사러 감. • 세 가지 두부를 비교해서 선택함.	• 남는 돈으로 둘 다 살 수 없음. • 과자와 ②□□□ 중 초콜릿을 고름.	• 물건의 가격을 확인함. • 거스름돈을 확인함.

①( )   ②( )   ③( )

배경지식 물건의 값을 치르는 방법에는 어떤 것이 있을까요?

오늘날에는 현금, 신용카드, 상품권, 스마트폰 애플리케이션 등 다양한 방법으로 물건을 살 수 있어요.

오늘의 어휘

다음 낱말의 알맞은 뜻을 찾아 선으로 이으세요.

심부름 • • 수를 셈하는 것.

점원 • • 여럿 가운데서 필요한 것을 골라 뽑음.

선택 • • 걱정거리가 있어 괴로워하고 답답해하는 것.

고민 • • 남이 시키는 일이나 부탁을 받아 해 주는 것.

계산 • • 상점에서 물건 파는 일 등을 맡아보도록 고용된 사람.

1 다음 문장의 빈칸에 들어갈 알맞은 말을 오늘의 어휘 에서 찾아 쓰세요.

- 내가 좋아하는 색을 ☐☐해 벽에 칠했다.

- 친구에게 먼저 사과를 할지 말지 ☐☐했다.

- 복잡한 숫자를 ☐☐하는 것은 너무 어렵다.

- 우리 학교 앞 서점의 ☐☐ 아저씨는 늘 친절하시다.

- 할머니의 ☐☐☐으로 옆집에 반찬을 가져다드렸다.

2 다음 밑줄 친 말과 뜻이 비슷한 말을 ( )에서 찾아 ○표 하세요.

나는 늘 무언가를 고르는 일이 어렵습니다. 아이스크림을 살 때는 초코 맛도 딸기 맛도 먹고 싶고, 옷을 고를 때는 분홍색도 파란색도 다 예뻐 보입니다. 그러나 갖고 싶은 것을 다 가질 수는 없습니다. 그래서 무언가를 선택할 때는 더 좋아하는 것이 무엇인지, 더 필요한 것이 무엇인지 잘 생각하려고 합니다.

(선택하는, 포기하는)

저금이 무엇일까요?

지문분석

KEY WORD

저금

글자 수

522
200 400 600 800

1️⃣ 저금은 돈을 은행에 **맡겨** 모으는 것이에요. 우리가 은행에 저금을 하면 은행은 그 돈을 맡아 두었다 우리가 원할 때 돌려주지요. 이때 이자도 함께 주는데, 이자란 돈을 사용한 값이에요. 사람들이 돈을 은행에 맡기면 은행은 돈이 필요한 사람이나 회사에 이 돈을 빌려주지요. 은행은 이들에게 **사용료**인 이자를 받아 그중 **일부**를 저금한 사람에게 주는 것이에요. 그래서 저금한 돈을 돌려받을 때는 저금한 돈보다 더 많은 돈을 돌려받게 돼요. 5

2️⃣ 저금을 하면 어떤 점이 좋을까요? 저금을 하면 큰돈이 필요할 때를 대비할 수 있어요. 돈이 많이 드는 일이 닥쳤을 때 어려움을 겪지 않을 수 있고, 하고 싶은 일을 하거나 사고 싶은 것을 살 수도 있지요. 10 저금을 하기 위해 평소에는 꼭 필요한 돈만 쓰게 되어 돈을 **함부로** 쓰지 않게 돼요. 또한, 저금은 다른 사람에게도 도움을 줘요. 사람들이 저금을 많이 하면 은행은 여러 회사에 돈을 빌려줄 수 있어요. 회사는 이 돈을 빌려 **사업**을 더 잘할 수 있지요. 회사들이 잘되면 나라 **전체**의 **형편**도 좋아져요. 15

- **맡겨** 자기 물건을 어디에 두어 보관하게 하여.
- **사용료** 무엇을 사용한 값을 치르는 돈.
- **일부** 전체의 한 부분.
- **함부로** 생각 없이 마구. 되는대로.
- **사업** 경제적 이익을 얻을 수 있는 일.
- **전체** 무엇의 모든 부분.
- **형편** 일이 되어 가는 상황이나 상태.

지문 독해

1 핵심어

이 글에서 가장 중심이 되는 낱말을 보기 에서 찾아 쓰세요.

보기

돈,　　　회사,　　　저금,　　　은행,　　　나라

(　　　　　　　　　　　　　)

2 내용 이해

이 글을 통해 알 수 있는 내용이 아닌 것에 ×표 하세요.

(1) 저금과 이자의 뜻　　　　　　　　　　　　　　　　　　　　(　　)
(2) 저금을 하면 좋은 점　　　　　　　　　　　　　　　　　　　(　　)
(3) 저금을 할 때 주의할 점　　　　　　　　　　　　　　　　　(　　)

3 내용 이해

저금을 하면 좋은 점이 아닌 것은 무엇인가요? (　　)

① 돈을 모아 하고 싶은 일을 할 수 있다.
② 저금을 위해 돈을 함부로 쓰지 않게 된다.
③ 내가 직접 돈이 필요한 회사에 돈을 빌려줄 수 있다.
④ 돈이 많이 드는 일이 닥쳤을 때 어려움을 겪지 않을 수 있다.
⑤ 사람들이 저금을 많이 하면 나라 전체의 형편이 좋아질 수 있다.

4 적용하기

예찬이가 용돈을 아껴서 저금한 돈을 은행에서 찾으려고 합니다. 빈칸에 들어갈 알맞은 말을 쓰세요.

ㄱ: 예찬이가 아낀 용돈

ㄴ: 저금한 돈 +

지문 분석

1 문단 요약 다음 빈칸을 채워 이 글에 나타난 각 문단의 중심 내용을 정리하세요.

1 문단 ❶☐☐과 ❷☐☐의 뜻

2 문단 ❸☐☐을 하면 좋은 점

❶(   )   ❷(   )   ❸(   )

2 글의 구조 다음 표의 빈칸을 채워 이 글의 내용을 정리해 보세요.

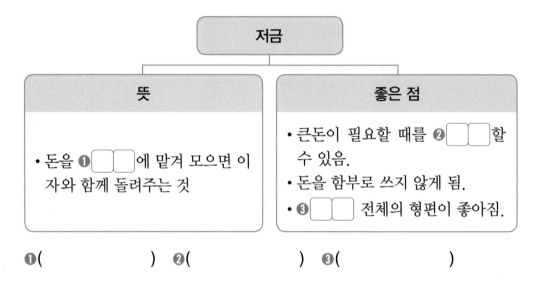

```
              저금
      ┌────────────┴────────────┐
      뜻                      좋은 점
```

뜻	좋은 점
• 돈을 ❶☐☐에 맡겨 모으면 이자와 함께 돌려주는 것	• 큰돈이 필요할 때를 ❷☐☐할 수 있음. • 돈을 함부로 쓰지 않게 됨. • ❸☐☐ 전체의 형편이 좋아짐.

❶(   )   ❷(   )   ❸(   )

배경지식 통장을 보는 방법

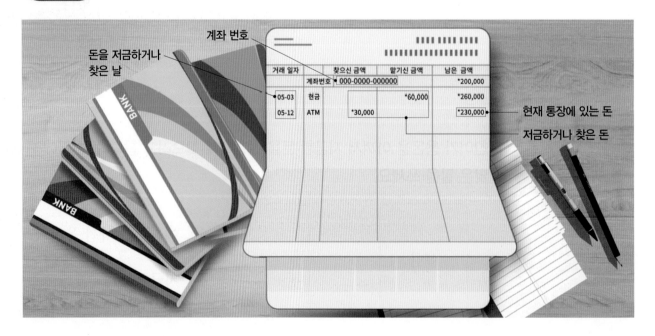

오늘의 어휘

다음 낱말의 알맞은 뜻을 찾아 선으로 이으세요.

맡겨 •   • 무엇의 모든 부분.

사용료 •   • 생각 없이 마구. 되는대로.

함부로 •   • 무엇을 사용한 값을 치르는 돈.

사업 •   • 경제적 이익을 얻을 수 있는 일.

전체 •   • 자기 물건을 어디에 두어 보관하게 하여.

1 다음 문장의 빈칸에 들어갈 알맞은 말을 오늘의 어휘 에서 찾아 쓰세요.

• 우리 반은 ☐☐ 인원이 30명이다.

• 남의 물건을 ☐☐☐ 쓰면 안 된다.

• 화장실에 다녀올 동안 가방을 친구에게 ☐☐ 두었다.

• 에어컨을 많이 틀었더니 전기 ☐☐☐ 가 많이 나왔다.

• 부모님이 하시는 ☐☐ 이 잘되어 집안 형편이 좋아졌다.

2 다음 밑줄 친 말과 뜻이 비슷한 말을 ( )에서 찾아 ○표 하세요.

　　수업이 끝나고 선생님께서 민서를 급히 부르셨습니다. 민서가 나에게 가방을 가지고 있어 달라고 해 나도 집에 갈 수 없었습니다. 민서의 가방을 가지고 교실에서 혼자 기다리고 있으니 괜히 무서운 생각이 들었습니다.

(맡겨, 주어)

우리나라의 사계절

1 계절은 일 년을 **기후** 변화에 따라 **구분**한 것이에요. 보통 봄, 여름, 가을, 겨울의 사계절로 나뉘지요. 우리나라의 사계절은 **특징**이 **뚜렷한** 편이에요.

2 봄은 겨울이 지나 날씨가 따뜻해지는 계절이에요. 새싹이 돋고 꽃이 피는 것을 볼 수 있지요. 초봄에는 잠깐 추위가 되돌아오기도 하는데 이것을 꽃샘추위라고 해요. '꽃이 피는 것을 **시샘**하듯이 춥다.'라는 의미에서 붙여진 이름이라고 해요.

3 봄이 지나면 여름이 오지요. 여름은 일 년 중 가장 덥고 **습기**가 많은 계절이에요. 여름에는 식물이 쑥쑥 자라고 나무들의 잎이 무성해지지요. 여러 날 계속해서 많은 비가 내리는 장마나 태풍이 오기도 해요.

4 가을에는 여름의 더위가 물러나고 점차 시원해져요. 가을은 여름 동안 익은 곡식이나 열매를 **수확**하는 계절이지요. 나뭇잎이 빨갛거나 노랗게 물드는 단풍도 볼 수 있어요.

5 가을이 지나면 겨울이 와요. 겨울은 일 년 중 가장 추운 계절이에요. 비가 적게 내려서 식물이나 **농작물**이 잘 자라지 못해요. 나무들도 잎을 모두 **떨구어** 쓸쓸해 보여요. 대신 겨울은 하얀 눈이 내리는 것을 볼 수 있는 계절이에요.

5

10

15

KEY WORD

사계절

글자 수

549

200 400 600 800

● **기후** 한 지역의 평균적인 날씨.

● **구분** 전체를 어떤 기준에 따라 몇 가지로 묶어서 가르는 것.

● **특징** 특별히 눈에 띄거나 두드러진 점.

● **뚜렷한** 누구나 알 수 있을 만큼 확실한.

● **시샘** 자기보다 나은 사람을 괜히 미워하고 싫어하는 것.

● **습기** 축축한 기운.

● **수확** 익은 농작물을 거두어들임.

● **농작물** 논밭에 심어 가꾸는 곡식이나 채소.

● **떨구어** 위에 있던 것을 아래로 내려가게 하여.

지문 독해

1 이 글에서 가장 중심이 되는 낱말을 보기 에서 찾아 쓰세요.

> 보기
>
> 봄   가을   겨울   사계절   꽃샘추위

(   )

내용 이해

2 다음 중 계절이 <u>아닌</u> 것은 무엇인가요? (   )

① 봄   ② 장마   ③ 가을   ④ 겨울   ⑤ 여름

내용 이해

3 이 글의 내용으로 알맞은 것은 무엇인가요? (   )

① 계절을 구분하는 기준은 날짜이다.
② 우리나라의 사계절은 특징이 모두 비슷하다.
③ 봄, 여름, 가을, 겨울이 지나면 다시 봄이 된다.
④ 꽃샘추위는 겨울에 날씨가 갑자기 추워지는 것을 말한다.
⑤ 나뭇잎이 빨갛거나 노랗게 물드는 단풍은 여름의 특징이다.

적용하기

4 친구들이 각 계절에 경험한 것으로 알맞지 <u>않은</u> 것은 무엇인가요? (   )

① 동현이는 겨울에 동생과 눈싸움을 했다.
② 지환이는 가을 소풍에서 단풍잎을 주웠다.
③ 건영이는 봄에 꽃샘추위 때문에 감기에 걸렸다.
④ 근혁이는 여름 더위를 피하려고 물놀이를 했다.
⑤ 재혁이는 비가 많은 겨울 날씨 때문에 기분이 좋지 않았다.

지문 분석

1 문단 요약 이 글에 나타난 각 문단의 중심 내용으로 알맞은 것을 찾아 선으로 이으세요.

1 문단 •

2 문단 •

3 문단 •

4 문단 •

5 문단 •

• 봄의 특징

• 여름의 특징

• 가을의 특징

• 겨울의 특징

• 계절의 뜻과 종류

2 글의 구조 다음 표의 빈칸을 채워 이 글의 내용을 정리해 보세요.

우리나라의 ❶ ☐☐☐

봄	❷ ☐☐	가을	겨울
• 따뜻한 날씨 • 새싹이 돋고 꽃이 핌. • 꽃샘추위	• 덥고 습한 날씨 • 식물이 자람. • 장마나 태풍	• 시원한 날씨 • 곡식과 열매를 수확함. • 단풍이 듦.	• 추운 날씨 • 식물이 잘 자라지 못함. • ❸ ☐이 옴.

❶ ( )   ❷ ( )   ❸ ( )

배경지식 사계절의 생활

봄

여름

가을

겨울

오늘의 어휘

다음 낱말의 알맞은 뜻을 찾아 선으로 이으세요.

기후 •
• 축축한 기운.

구분 •
• 한 지역의 평균적인 날씨.

특징 •
• 특별히 눈에 띄거나 두드러진 점.

시샘 •
• 자기보다 나은 사람을 괜히 미워하고 싫어하는 것.

습기 •
• 전체를 어떤 기준에 따라 몇 가지로 묶어서 가르는 것.

1 다음 문장의 빈칸에 들어갈 알맞은 말을 오늘의 어휘 에서 찾아 쓰세요.

• 방에 ☐☐ 가 차서 눅눅하다.

• 이 지역의 ☐☐ 는 농사짓기에 알맞다.

• 철호는 자기보다 게임을 잘하는 영훈이를 ☐☐ 했다.

• 이 청소기의 ☐☐ 은 먼지를 아주 잘 빨아들인다는 것이다.

• 엄마께서 내 책과 언니 책을 ☐☐ 하여 정리하라고 하셨다.

2 다음 밑줄 친 말과 뜻이 비슷한 말을 ( )에서 찾아 ○표 하세요.

채원이가 좋아하는 과목과 싫어하는 과목은 뚜렷이 구별됩니다. 국어 시간에는 열심히 공부합니다. 반대로 수학 시간에는 집중하지 못하고 딴짓을 해서 선생님께 혼나기도 합니다.

(구분, 정리)

⟨ ㄱ ⟩의 세 가지 상태

1 우리 주위에는 공, 컵, 옷, 책상 등과 같은 여러 가지 물체들이 있어요. 물체란 모양을 지니고 일정한 **공간**을 **차지**하고 있는 것을 말해요. 이것들은 가죽, 유리, 천, 나무 등과 같은 재료로 만들어졌는데, 이렇게 물체를 만드는 **재료**를 물질이라고 하지요.

2 물질의 상태는 기체, 액체, 고체로 나눌 수 있어요. 기체는 색깔이 없을 때는 눈에 보이지 않으며 손으로 만지거나 잡을 수 없는 **상태**를 말해요. 정해진 형태가 없기 때문에 담는 그릇에 따라 모양이 달라질 수 있어요. 풍선을 불면 풍선의 모양에 따라 기체의 모양도 달라지는 것을 보면 알 수 있어요. 우리를 둘러싸고 있는 공기가 기체이지요.

3 액체는 눈으로 볼 수 있고 손으로 만질 수는 있지만 잡을 수 없는 상태를 말해요. 기체와 **마찬가지**로 담는 그릇에 따라 모양이 변하지요. 물을 어떤 컵에 따르느냐에 따라 모양이 달라지는 것을 생각하면 쉬워요. 주스, 우유, 식초 등이 바로 액체이지요.

4 기체나 액체와 달리 담는 그릇과 상관없이 모양과 크기가 변하지 않는 상태를 고체라고 해요. 고체는 눈으로 볼 수 있고 손으로 잡을 수 있어요. 책, 지우개, 연필 같은 것이 고체인 물체에 **해당**하지요.

- **공간** 특정한 사물이 들어 있지 않은, 비어 있는 곳이나 자리.
- **차지** 사물이나 공간, 지위 등을 자기 몫으로 가지는 것.
- **재료** 물건을 만들 때 그것의 구성 요소가 되는 물질.
- **상태** 어떤 사물이 보여 주는 모양이나 형편.
- **마찬가지** 서로 비교되는 여럿이 별로 차이가 없이 거의 같은 것.
- **해당** 어떤 범위나 조건에 들어맞음.

지문 독해

1 이 글에서 가장 중심이 되는 낱말을 ㉠에 넣어 글의 제목을 완성하세요.

• ☐☐의 세 가지 상태

내용 이해

2 이 글의 내용으로 알맞지 <u>않은</u> 것은 무엇인가요? (   )

① 기체는 고체와 달리 모양이 달라진다.

② 기체와 액체는 모두 손으로 잡을 수 없다.

③ 고체는 액체와 달리 손으로 만질 수 없다.

④ 기체와 액체는 모두 담는 그릇에 따라 모양이 달라진다.

⑤ 고체는 액체와 달리 담는 그릇에 따라 모양이 달라지지 않는다.

내용 이해

3 다음 중 상태가 다른 물질은 무엇인가요? (   )

① 물   ② 공기   ③ 우유   ④ 주스   ⑤ 식초

적용하기

4 이 글을 읽고 짐작한 것으로 알맞은 것은 무엇인가요? (   )

① 젤리는 말랑말랑하니까 액체일 거야.

② 초콜릿은 입에서 녹으니까 액체일 거야.

③ 축구공은 손으로 잡을 수 있으까 액체겠군.

④ 사과는 단단하니까 사과를 갈아 놓은 주스는 고체일 거야.

⑤ 풍선의 모양이 다 다르게 부푸는 걸 보니 풍선 속에는 기체가 들어 있을 거야.

지문 분석

1 문단 요약

다음은 이 글에 나타난 각 문단의 중심 내용입니다. 알맞은 것에 ○표, 틀린 것에 ×표를 하세요.

1문단	물체와 물질의 뜻	( )
2문단	기체가 만들어지는 과정	( )
3문단	액체의 특징	( )
4문단	고체가 다른 물질로 변하는 까닭	( )

2 글의 구조

다음 표의 빈칸을 채워 이 글의 내용을 정리해 보세요.

| 물질 | 물체를 만드는 재료 |

❶ □□	❷ □□	❸ □□
• 손으로 만질 수 없음. • 담는 그릇에 따라 모양이 달라짐.	• 손으로 만질 수 있지만 잡을 수 없음. • 담는 그릇에 따라 모양이 달라짐.	• 손으로 잡을 수 있음. • 모양이 달라지지 않음.

❶( ) ❷( ) ❸( )

배경지식

자연에서 볼 수 있는 물의 세 가지 상태

산꼭대기에 쌓인 눈과 얼음은 고체입니다.

온천에서 나오는 수증기는 기체입니다.

흐르는 물은 액체입니다.

오늘의 어휘

다음 낱말의 알맞은 뜻을 찾아 선으로 이으세요.

공간 •　　　　• 어떤 사물이 보여 주는 모양이나 형편.

차지 •　　　　• 물건을 만들 때 그것의 구성 요소가 되는 물질.

재료 •　　　　• 사물이나 공간, 지위 등을 자기 몫으로 가지는 것.

상태 •　　　　• 서로 비교되는 여럿이 별로 차이가 없이 거의 같은 것.

마찬가지 •　　　　• 특정한 사물이 들어 있지 않은, 비어 있는 곳이나 자리.

1 다음 문장의 빈칸에 들어갈 알맞은 말을 오늘의 어휘 에서 찾아 쓰세요.

- 교실에 책상을 놓을 [　][　]이 부족하다.
- 지희는 건강 [　][　]가 좋지 않아 결석을 했다.
- 동생이 내 자리를 [　][　]해서 앉을 수가 없다.
- 엄마는 요리 [　][　]를 사기 위해 시장에 가셨다.
- 그 일은 네가 하든 내가 하든 [　][　][　][　]이다.

2 다음 밑줄 친 말과 뜻이 비슷한 말을 (　　)에서 찾아 ○표 하세요.

　　찬웅이는 수업을 마치고 평소와 같이 운동장에서 축구를 했습니다. 친구들과 재미있게 놀다 보니 어느새 저녁 시간이 되었습니다. 어제도 저녁까지 놀다 집에 늦게 들어가서 엄마께 꾸지람을 들었던 찬웅이는 어제와 같이 오늘도 혼이 날 것 같아 걱정이 되었습니다.

(달리, 마찬가지로)

KEY WORD

초식 동물, 육식 동물

글자 수

582

200 400 600 800

초식 동물과 육식 동물

1 동물은 주로 먹는 먹이에 따라 초식 동물과 육식 동물로 나눌 수 있어요. 식물을 주로 먹고 사는 동물을 초식 동물이라고 해요. 그리고 다른 동물의 고기를 주로 먹고 사는 동물을 육식 동물이라고 하지요.

2 초식 동물은 식물을 **소화**하는 데 **유리한** 몸을 가지고 있어요. 초식 동물의 이빨은 식물을 뜯어내어 씹기 좋게 생겼어요. 넓적한 앞니로 칼처럼 식물을 자르고 **맷돌** 같은 어금니로 먹이를 잘게 으깰 수 있지요. 식물에는 소화가 잘되지 않는 **섬유질**이 많아요. 그래서 초식 동물 중에는 풀을 잘 소화하도록 **위**가 네 개나 되는 소와 사슴 같은 동물도 있고, 크기가 큰 **장** 안에 소화를 돕는 **균**이 있는 말과 코뿔소 같은 동물도 있어요.

3 육식 동물은 다른 동물을 사냥하기에 유리한 몸을 가지고 있어요. 주로 사냥을 해서 동물의 고기를 얻기 때문이지요. 육식 동물은 도망치는 사냥감을 쫓기 쉬운 긴 다리와 먹잇감을 발견할 수 있는 좋은 눈을 가지고 있어요. 냄새를 잘 맡고 소리도 잘 듣지요. 또한 고기를 뜯어 먹을 수 있는 강한 이빨과 발톱도 가지고 있어요. 길고 뾰족한 송곳니와 날카로운 발톱을 가진 사자와 호랑이 등이 대표적인 육식 동물이에요.

5

10

15

- **소화** 사람이나 동물이 먹은 것을 배 속에서 처리하여 영양분으로 빨아들이는 것.
- **유리한** 이로운.
- **맷돌** 곡식을 갈아 가루로 만드는 데 쓰는 돌로 만든 기구.
- **섬유질** 식물의 세포가 모여 질긴 조직을 이루는 물질.
- **위** 동물의 배 속에 있으며 음식을 소화시키는 일을 하는 주머니 모양의 기관.
- **장** 먹은 음식을 소화하고 찌꺼기를 내보내는, 긴 관 모양의 배 속의 기관.
- **균** 맨눈으로 볼 수 없이 아주 작으며 병을 일으키거나 물질을 썩게 하는 일을 하는 생물.

지문 독해

글의 특징

1 이 글에 대한 설명으로 알맞은 것은 무엇인가요? ( )

① 동물이 먹는 먹이의 종류를 자세히 알려 주고 있다.

② 동물이 사냥을 잘할 수 있는 방법을 알려 주고 있다.

③ 동물이 먹은 음식을 소화시키는 과정을 알려 주고 있다.

④ 먹이에 따라 동물을 나누고 각각의 특징을 알려 주고 있다.

⑤ 동물의 종류를 나누는 여러 가지 기준을 자세히 알려 주고 있다.

내용 이해

2 다음 중 먹이의 종류가 다른 동물은 무엇인가요? ( )

① 말 ② 소 ③ 사자 ④ 사슴 ⑤ 코뿔소

내용 이해

3 이 글을 통해 알 수 있는 내용에 ○표 하세요.

(1) 소화하는 데 유리한 몸의 특징 ( )

(2) 동물이 한 가지 먹이만 먹는 까닭 ( )

(3) 육식 동물이 사냥을 하는 자세한 과정 ( )

적용하기

4 동물이 나오는 영상을 보고 알맞게 말하지 못한 친구는 누구인가요? ( )

① 기린은 높은 나무에 달린 잎을 먹는 초식 동물이구나.

② 말이 넓적한 앞니로 당근을 먹는 걸 보니 초식 동물이구나.

③ 늑대가 냄새를 맡고 소리도 잘 듣는 것을 보니 사냥을 잘하겠구나.

④ 치타를 피해 빠르게 도망치는 사슴은 사냥을 하는 육식 동물이겠구나.

⑤ 호랑이는 긴 송곳니와 강한 발톱을 가지고 있으니 고기를 잘 먹겠구나.

지문 분석

정답과 해설 24쪽

1 문단 요약

다음은 이 글에 나타난 각 문단의 중심 내용입니다. 알맞은 것에 ○표, 틀린 것에 ×표를 하세요.

1문단	초식 동물과 육식 동물의 뜻	( )
2문단	식물을 소화하는 데 유리한 몸을 가진 초식 동물	( )
3문단	고기를 소화하는 데 유리한 몸을 가진 육식 동물	( )

2 글의 구조

다음 표의 빈칸을 채워 이 글의 내용을 정리해 보세요.

❶◻◻에 따른 동물의 종류

초식 동물

- 주로 식물을 먹이로 함.
- ❷◻◻하는 데 유리한 몸임.
  - 식물을 뜯고 씹기 좋은 이빨
  - 위나 장이 발달함.
- 예 소, 사슴, 말, 코뿔소

육식 동물

- 주로 동물의 고기를 먹이로 함.
- ❸◻◻하는 데 유리한 몸임.
  - 긴 다리, 좋은 눈
  - 냄새를 잘 맡고 소리를 잘 들음.
  - 이빨과 발톱이 날카로움.
- 예 사자, 호랑이

❶( ) ❷( ) ❸( )

배경지식 **우리 주변의 동물은 초식 동물일까, 육식 동물일까?**

개는 고기와 채소, 곡식도 먹을 수 있는 잡식 동물이에요.

고양이는 고기를 주로 먹는 육식 동물이에요.

토끼는 풀을 주로 먹는 초식 동물이에요.

금붕어는 육식, 채식 모두 먹을 수 있는 잡식 동물이에요.

오늘의 어휘

다음 낱말의 알맞은 뜻을 찾아 선으로 이으세요.

소화 •　　• 이로운.

유리한 •　　• 식물의 세포가 모여 질긴 조직을 이루는 물질.

맷돌 •　　• 곡식을 갈아 가루로 만드는 데 쓰는 돌로 만든 기구.

섬유질 •　　• 사람이나 동물이 먹은 것을 배 속에서 처리하여 영양분으로 빨아들이는 것.

균 •　　• 맨눈으로 볼 수 없이 아주 작으며 병을 일으키거나 물질을 썩게 하는 일을 하는 생물.

1 다음 문장의 빈칸에 들어갈 알맞은 말을 오늘의 어휘 에서 찾아 쓰세요.

• □□가 안 되어서 속이 답답하다.

• 상처에 □이 들어가지 않도록 조심해라.

• 식물은 많은 □□□을 가지고 있다.

• 다리가 길어서 달리기에 □□□ 조건이다.

• 할머니께서 콩을 □□에 갈아 두부를 만드셨다.

2 다음 밑줄 친 말과 뜻이 비슷한 말을 (　　)에서 찾아 ○표 하세요.

　모두에게 이로운 일을 하는 것이 결국 나에게도 이로운 일이 될 수 있습니다. 나에게만 유리한 일을 한다면 함께 있는 다른 사람들이 힘들어질 수 있습니다. 함께 있는 모두가 힘들면 나에게도 결국은 좋지 않은 영향을 줍니다.

(불리한, 유리한)

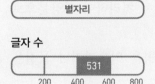

별자리는 무엇일까요?

1 "저 별들을 이어 보니 전체 모양이 양을 닮았어!"

　늦은 밤에 양 떼를 지키며 하늘을 보던 **목동**들은 밝은 별들을 서로 연결해 여러 가지 모양을 상상해 냈어요. 또 어떤 사람들은 자신들이 믿는 신들의 이야기에 나오는 **인물**을 별의 모양과 연결 짓기도 했지요. 이렇게 오랜 옛날부터 사람들은 여러 개의 별을 이어 동물, 물건, **신화**에 나오는 인물 등의 이름을 붙였는데, 이를 '별자리'라고 해요.

2 별자리를 이루고 있는 별들은 같은 방향의 밤하늘에 있기 때문에 별자리 모양으로 보이지만 사실은 서로 아무런 **관계**도 없어요. 하지만 별자리가 있기 때문에 우리는 밤하늘에서 별을 쉽게 찾고, 별의 **위치**를 쉽게 기억할 수 있어요. 하늘의 움직임을 **표시**하기에도 편리하지요.

3 모든 별자리가 늘 잘 보이는 것은 아니에요. 봄, 여름, 가을, 겨울에 잘 보이는 별자리가 각각 달라요. 우리가 사는 지구가 태양 **주위**를 돌며 움직이기 때문이지요. 지구가 움직이기 때문에 지구에서 보이는 별들의 위치가 날마다 조금씩 달라지고 계절에 따라 보이는 별자리도 달라지는 것이에요.

5

10

15

- **목동** 소, 양, 말 등의 풀을 먹는 가축을 돌보는 아이.
- **인물** 이야기나 연극에 나오는 사람.
- **신화** 신이나 신 같은 존재에 대한 신비롭고 환상적인 이야기.
- **관계** 서로 일정한 영향을 주고받도록 되어 있는 것.
- **위치** 사물이 차지하거나 놓인 일정한 자리.
- **표시** 어떤 사실을 알리거나 나타내는 표나 사물.
- **주위** 어떤 곳의 둘레나 가까운 주변.

지문 독해

1 이 글에서 가장 중심이 되는 낱말을 보기 에서 찾아 쓰세요.

보기

목동,   지구,   계절,   별자리,   밤하늘

(   )

내용 이해

2 이 글을 통해 알 수 있는 내용을 두 가지 골라 ○표 하세요.

(1) 별자리의 뜻   (   )

(2) 별자리에 나오는 신화 속 인물   (   )

(3) 계절마다 잘 보이는 별자리의 이름   (   )

(4) 계절마다 잘 보이는 별자리가 다른 까닭   (   )

내용 이해

3 이 글의 내용으로 알맞지 <u>않은</u> 것은 무엇인가요? (   )

① 별자리 중에는 물건 이름이 붙은 것도 있다.

② 별자리를 알면 하늘의 별을 쉽게 찾을 수 있다.

③ 지구는 별자리의 주위를 돌면서 움직이고 있다.

④ 별자리는 별들을 연결해 닮은 모양을 찾아 이름 짓는다.

⑤ 지구에서 보이는 별자리의 위치는 날마다 다르게 보인다.

추론하기

4 이 글을 읽고 짐작한 것으로 알맞은 것은 무엇인가요? (   )

① 별자리는 최근에 발견되기 시작했을 거야.

② 큰곰자리를 이루는 별들은 서로 깊은 관련이 있을 거야.

③ 봄에 가장 잘 보이는 사자자리는 가을에도 잘 보일 거야.

④ 별자리를 알더라도 별의 위치를 기억하기는 어려울 거야.

⑤ 신화 속 인물들의 이야기를 읽으면 별자리를 더 재미있게 익힐 수 있을 거야.

지문 분석

1 문단 요약 다음은 이 글에 나타난 각 문단의 중심 내용입니다. 알맞은 것에 ○표, 틀린 것에 ✕표를 하세요.

1문단	별자리의 뜻	( )
2문단	같은 별자리를 만드는 별들의 관계	( )
3문단	별자리가 계절마다 다르게 보이는 까닭	( )

2 글의 구조 다음 표의 빈칸을 채워 이 글의 내용을 정리해 보세요.

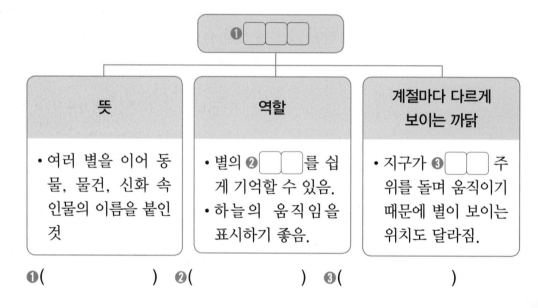

❶〔 〕

뜻	역할	계절마다 다르게 보이는 까닭
• 여러 별을 이어 동물, 물건, 신화 속 인물의 이름을 붙인 것	• 별의 **❷**〔 〕를 쉽게 기억할 수 있음. • 하늘의 움직임을 표시하기 좋음.	• 지구가 **❸**〔 〕주위를 돌며 움직이기 때문에 별이 보이는 위치도 달라짐.

❶( ) **❷**( ) **❸**( )

배경지식 ## 조상들이 별을 관찰한 곳, 첨성대

첨성대 꼭대기에서 별을 관측했어요.

내부에 계단이 있어요.

돌과 흙으로 가득차 있어요.

오늘의 어휘

다음 낱말의 알맞은 뜻을 찾아 선으로 이으세요.

인물 •　　　　　• 이야기나 연극에 나오는 사람.

신화 •　　　　　• 어떤 곳의 둘레나 가까운 주변.

관계 •　　　　　• 사물이 차지하거나 놓인 일정한 자리.

위치 •　　　　　• 서로 일정한 영향을 주고받도록 되어 있는 것.

주위 •　　　　　• 신이나 신 같은 존재에 대한 신비롭고 환상적인 이야기.

1 다음 문장의 빈칸에 들어갈 알맞은 말을 오늘의 어휘 에서 찾아 쓰세요.

- 집 [　][　] 에 담을 쌓았다.

- 나와 지수는 좋은 친구 [　][　] 이다.

- 동화 속 착한 [　][　] 들은 결국 복을 받는다.

- 물건을 쓰고 나면 원래 있던 [　][　] 에 갖다 놓아야 한다.

- 단군 [　][　] 에는 곰이 사람으로 변하는 이야기가 나온다.

2 다음 밑줄 친 말과 뜻이 비슷한 말을 (　　　　)에서 찾아 ○표 하세요.

　　수업을 마치고 자전거를 타려는데 열쇠가 없었습니다. 주머니 속에 넣어 두었던 열쇠를 잃어버린 것입니다. 나는 놀라서 열쇠를 찾기 위해 운동장과 교실 주변을 돌아다녔습니다. 한참을 돌아다닌 후 교실 안 내 책상 서랍 속에서 열쇠를 찾을 수 있었습니다.

(주위, 멀리)

KEY WORD

로봇

글자 수

523

200 400 600 800

다양한 로봇

1 사람을 대신해 **자동**으로 움직여 도움을 주는 기계를 로봇이라고 해요. 로봇은 우리의 생활을 편리하게 만들어 주지요. 로봇은 **산업**용 로봇과 **지능**형 로봇으로 나눌 수 있어요.

2 산업용 로봇은 사람이 컴퓨터에 **입력**한 명령에 따라 사람이 하기 힘든 일을 대신 하는 로봇이에요. 산업용 로봇은 쓰임에 따라 종류가 다양해요. 무거운 물건을 들어 올리거나 커다란 철판 등을 잘라 주는 **공업**용 로봇, 바닷속이나 우주같이 사람이 가기 어려운 곳에 대신 가 주는 **탐사** 로봇, 병원에서 사람이 하기 어려운 **수술**에 도움을 주는 의료용 로봇 등이 있지요.

3 지능형 로봇은 보고 들은 것을 가지고 스스로 **판단**해서 필요한 일을 하는 로봇이에요. 지능형 로봇은 혼자 길을 찾거나 사람과 대화도 할 수 있어요. 정보를 모으고 **학습**해서 스스로 더 똑똑해질 수도 있지요. 모양에 따라 강아지 로봇이나 청소 로봇같이 사람의 모습을 하지 않은 로봇도 있지만 사람처럼 얼굴, 몸통, 팔, 다리를 가진 휴머노이드 로봇, 피부나 얼굴까지 사람과 거의 똑같은 안드로이드 로봇도 있어요.

5

10

15

- **자동** 기계 장치 등이 사람이 부리지 않아도 저절로 움직이는 것.
- **산업** 생활에 필요한 물자나 서비스를 생산하는 일.
- **지능** 사물이나 현상을 이해하고 환경에 반응하는 능력.
- **입력**(入 들 입, 力 힘 력) 문자나 숫자를 컴퓨터가 기억하게 하는 것.
- **공업** 기계를 써서 재료를 가공하여 상품을 만들어 내는 일.
- **탐사** 전에 가 보지 못한 곳을 자세히 조사하여 알아보는 것.
- **수술** 피부 등을 자르거나 째서 병을 고치는 일.
- **판단** 어떤 사물에 대하여 여러 사정을 따져서 자기의 생각을 분명하게 정하는 것.
- **학습** 지식이나 기술 등을 배우고 익히는 것.

지문 독해

목적

1 글쓴이가 이 글을 쓴 까닭으로 알맞은 것에 ○표 하세요.

(1) 로봇의 종류와 특징을 알려 주기 위해 ( )

(2) 로봇이 생겨 난 과정을 알려 주기 위해 ( )

(3) 로봇을 바르게 사용하는 방법을 알려 주기 위해 ( )

내용 이해

2 다음 중 이 글의 내용으로 알맞지 <u>않은</u> 것은 무엇인가요? ( )

① 산업용 로봇은 병원에서도 사용된다.

② 산업용 로봇은 명령에 따라 움직인다.

③ 지능형 로봇은 사람처럼 생긴 로봇이다.

④ 지능형 로봇은 스스로 보고 들을 수 있다.

⑤ 산업용 로봇은 인간이 못 하는 일을 할 수 있다.

내용 이해

3 다음 중 종류가 <u>다른</u> 로봇은 무엇인가요? ( )

① 탐사 로봇　　　② 공업용 로봇　　　③ 의료용 로봇

④ 산업용 로봇　　　⑤ 안드로이드 로봇

추론하기

4 다음 중 산업용 로봇에 해당하는 것은 무엇인가요? ( )

① 다른 사람의 질문에 스스로 대답하는 로봇

② 명령에 따라 높은 곳에 물건을 올려놓는 로봇

③ 길을 가다 기둥이 있으면 보고 피해 가는 로봇

④ 주인이 부르는 소리를 듣고 달려가는 강아지 로봇

⑤ 처음에 틀린 문제를 다음에는 바르게 고쳐 대답하는 로봇

지문 분석

1 문단 요약 │ 다음은 이 글에 나타난 각 문단의 중심 내용입니다. 알맞은 것에 ○표, 틀린 것에 ×표를 하세요.

1문단	로봇은 사람을 대신해 자동으로 움직여 도움을 주는 기계입니다.	( )
2문단	산업용 로봇은 상황을 보고 행동하는 로봇입니다.	( )
3문단	지능형 로봇은 보고 들은 것을 가지고 스스로 판단해서 필요한 일을 하는 로봇입니다.	( )

2 글의 구조 │ 다음 표의 빈칸을 채워 이 글의 내용을 정리해 보세요.

```
                        로봇
        ┌───────────────┴───────────────┐
   ❶□□용 로봇                      ❸□□형 로봇

• 컴퓨터에 입력된 ❷□□에 따       • 보고 들은 것을 가지고 스스로 판
  라 움직임.                        단해 행동함.
• 쓰임에 따라 공업용, 탐사용, 의    • 모양에 따라 사람과 닮지 않았거
  료용 등이 있음.                   나 사람과 닮은 로봇이 있음.
```

❶( ) ❷( ) ❸( )

배경지식 생활 속 로봇

강아지 로봇이 재롱을 부려요.

청소기 로봇이 집을 깨끗이 해요.

안내 로봇이 길을 찾아 주어요.

드론 로봇이 택배를 배달해요.

오늘의 어휘

다음 낱말의 알맞은 뜻을 찾아 선으로 이으세요.

자동 •
• 지식이나 기술 등을 배우고 익히는 것.

지능 •
• 사물이나 현상을 이해하고 환경에 반응하는 능력.

탐사 •
• 전에 가 보지 못한 곳을 자세히 조사하여 알아보는 것.

판단 •
• 기계 장치 등이 사람이 부리지 않아도 저절로 움직이는 것.

학습 •
• 어떤 사물에 대하여 여러 사정을 따져서 자기의 생각을 분명하게 정하는 것.

1 다음 문장의 빈칸에 들어갈 알맞은 말을 **오늘의 어휘** 에서 찾아 쓰세요.

• 고래는 ☐☐ 이 매우 높은 동물이다.

• 우주 ☐☐ 를 위한 로켓 발사가 성공했다.

• 사람은 겉모습만 보고 ☐☐ 하면 안 된다.

• 이 문은 손을 대지 않아도 ☐☐ 으로 열린다.

• 외국어를 잘하려면 꾸준히 ☐☐ 하는 것이 중요하다.

2 다음 밑줄 친 말과 뜻이 비슷한 말을 ( )에서 찾아 ○표 하세요.

운동 경기에서 심판은 경기 중에 일어나는 모든 상황을 <u>판정하는</u> 사람입니다. 반칙을 하는 사람이 있는지 살피고 서로 의견이 다르면 조절해야 하기 때문에 매우 어려운 역할이기도 합니다.

(판단, 학습)

전화기의 발전

1 전화기는 소리를 **전기 신호**로 바꾸어 먼 곳에 전달한 후, 전기 신호를 다시 소리로 바꾸어 주는 장치예요. 전화기는 1876년 미국에서 처음 만들어졌어요. 그리고 여러 사람의 노력으로 다양한 **기능**을 더하며 더 **편리하게 발전**해 왔지요.

2 처음 만들어진 전화기는 상대에게 바로 전화를 걸 수 있는 것은 아니었어요. 전화기에 달린 손잡이를 돌리면 연락을 받는 사람이 중간에서 원하는 상대에게 전화를 **연결**해 주었지요. 이렇게 전화를 연결해 주는 사람을 '교환원'이라고 했어요. 이후 교환원을 통하지 않고 직접 원하는 상대에게 전화할 수 있는 전화기가 만들어지지요. 이 전화기는 둥그런 숫자판인 **다이얼**이 달려 있어 숫자 구멍에 손가락을 넣고 전화번호를 하나씩 돌려서 전화를 걸었어요. 그리고 점차 다이얼 대신 **버튼**을 누르는 더 편리한 방식의 전화기로 바뀌었어요. 이때까지의 전화기는 한 공간 안에서만 사용할 수 있었지요.

3 이후 들고 다니며 **통화**할 수 있는 휴대 전화가 등장했어요. 휴대 전화가 발전하면서 전화기로 통화뿐 아니라 문자 메시지를 이용해서 연락을 할 수 있게 되었지요. 그리고 정보 찾기, 전자 우편 주고받기, 음악 듣기, 사진 찍기 등 다양한 기능이 **추가**된 현재의 스마트폰으로 발전했어요.

5

10

15

KEY WORD

전화기

글자 수

606
200 400 600 800

- **전기 신호** 소리나 그림 등을 전기적 세기로 바꾼 것.
- **기능** 기술적인 능력.
- **편리하게** 어떤 일을 하는 데 힘이 들지 않고 이용하기 쉽게.
- **발전** 더 좋은 상태로 변하는 것.
- **연결** 전화나 통신이 이어지는 것.
- **다이얼** 상대편 번호를 돌리기 위한 전화기의 숫자 회전 장치.
- **버튼** 손가락으로 눌러 전기 장치에 전류를 끊거나 이어 주는 단추같이 생긴 장치.
- **통화** 전화로 말을 주고받는 것.
- **추가** 이미 있는 것에 다른 것을 더 보태는 것.

▲ 다이얼식 전화기

▲ 버튼식 전화기

▲ 휴대 전화

지문 독해

1 핵심어

이 글에서 가장 중심이 되는 낱말을 보기 에서 찾아 쓰세요.

보기

소리, 전화기, 다이얼, 전화번호, 스마트폰

( )

2 내용 이해

이 글을 읽고 알 수 있는 내용을 두 가지 골라 ○표 하세요.

(1) 전화기의 문제점 ( )

(2) 전화기가 만들어진 때 ( )

(3) 처음 나온 전화기의 연결 방식 ( )

(4) 전화가 없었을 때 연락한 방법 ( )

3 내용 이해

이 글의 내용으로 알맞지 <u>않은</u> 것은 무엇인가요? ( )

① 스마트폰은 여러 가지 기능을 가지고 있다.

② 다이얼식 전화기보다 버튼식 전화기가 편리하다.

③ 전화기는 소리를 전기 신호로 바꾸어 전달하는 장치이다.

④ 처음 만들어진 전화기로는 상대에게 바로 전화를 걸 수 없었다.

⑤ 전화기에 문자 메시지 기능이 생기고 난 후 휴대 전화가 나왔다.

4 추론하기

전화기가 발전한 순서대로 기호를 쓰세요.

㉠ 전화기 버튼을 눌러서 전화를 걸었다.

㉡ 전화기 다이얼을 돌려서 전화를 걸었다.

㉢ 전화를 연결해 주는 사람을 통해 전화를 걸었다.

㉣ 전화기를 들고 다니면서 통화를 하고 음악도 듣게 되었다.

( ) → ( ) → ( ) → ( )

지문 분석

1 문단 요약

이 글에 나타난 각 문단의 중심 내용으로 알맞은 것을 찾아 선으로 이으세요.

1 문단 •   • 전화기의 발전 과정

2 문단 •   • 휴대 전화의 등장과 스마트폰의 발전

3 문단 •   • 소리를 전기 신호로 바꾸어 주는 전화기

2 글의 구조

다음 표의 빈칸을 채워 이 글의 내용을 정리해 보세요.

전화기의 ❶☐☐

최초의 전화기	다이얼 전화기	❷☐☐식 전화기	휴대 전화	스마트폰
교환원이 전화를 연결해 줌.	다이얼을 돌려 직접 전화함.	버튼을 눌러 더 편리해짐.	이동하며 통화가 가능함.	다양한 ❸☐☐이 추가됨.

❶(   ) ❷(   ) ❸(   )

배경지식 우리나라 최초의 공중전화

1902년, 서울 − 인천 간 통화를 할 수 있는 최초의 공중전화 '한성 전화소'와 '인천 전화소'가 생겼어요.

교환원

오늘의 어휘

다음 낱말의 알맞은 뜻을 찾아 선으로 이으세요.

기능 •　　　　• 기술적인 능력.

편리하게 •　　　　• 전화로 말을 주고받는 것.

연결 •　　　　• 전화나 통신이 이어지는 것.

통화 •　　　　• 이미 있는 것에 다른 것을 더 보태는 것.

추가 •　　　　• 어떤 일을 하는 데 힘이 들지 않고 이용하기 쉽게.

1 다음 문장의 빈칸에 들어갈 알맞은 말을 (오늘의 어휘) 에서 찾아 쓰세요.

- 새로 알게 된 내용을 [　][　] 하여 썼다.

- 인터넷이 [　][　] 되지 않아 불편한 점이 많다.

- 새로 나온 게임기의 [　][　] 을 익히느라 늦게 잤다.

- 친구와 전화 [　][　] 를 하다가 버스를 놓치고 말았다.

- 자전거를 타면 학교에 더 [　][　][　][　] 갈 수 있다.

2 다음 밑줄 친 말과 뜻이 반대인 말을 (　　　)에서 찾아 ○표 하세요.

　　방학 때 가족들과 시골집에 갔습니다. 엄마와 아빠는 나무가 많고 조용한 그곳이 좋다고 하셨습니다. 하지만 게임기도 놀이터도 없는 그곳은 심심했습니다. 더구나 간식을 살 수 있는 슈퍼마켓도 멀리 있어서 나와 동생은 무척 <u>불편하게</u> 지냈습니다.

(지루하게, 편리하게)

지문분석

KEY WORD

악기

글자 수

543

200 400 600 800

여러 가지 악기

1 음악을 **연주하는** 데 쓰는 **기구**를 악기라고 해요. 악기의 종류는 아주 많은데 연주하는 방법에 따라 타악기, 현악기, 관악기, 건반 악기로 나눌 수 있어요.

2 타악기는 악기 **자체**를 두드리거나 서로 부딪치게 해서 소리 내는 악기예요. 가장 오래된 형태의 악기이지요. 실로폰, 북, 캐스터네츠, 탬버린 등이 있어요.

3 현악기는 악기에 달린 줄을 켜거나 타서 소리를 내는 악기예요. 악기에 달린 줄을 '현'이라고 하지요. '켠다'는 것은 바이올린을 연주할 때처럼 현을 **활** 따위로 문질러서 소리를 내는 것이고 '탄다'는 것은 기타를 연주할 때처럼 현을 **퉁겨서** 소리를 내는 것이에요. 현악기에는 바이올린, 첼로, 하프, 기타 등이 있어요.

4 관악기는 기다란 **관**을 입으로 불어 관 속의 공기를 **진동**시켜서 소리 내는 악기예요. 악기의 재료에 따라 관을 금속으로 만들면 '금관 악기', 나무로 만들면 '목관 악기'로 나누어요. 트럼펫, 플루트, 리코더 등이 관악기예요.

5 건반 악기는 건반을 눌러 소리를 내는 악기예요. 우리가 잘 아는 피아노, 오르간, 아코디언 등이 대표적인 건반 악기이지요.

5

10

15

• **연주하는** 악기를 다루어 곡을 표현하거나 들려주는.

• **기구** 간단하게 다룰 수 있는 기계나 도구.

• **자체** 다른 것이 아닌 바로 그것.

• **활** 현악기의 줄을 켜는 막대.

• **퉁겨서** 팽팽한 줄을 당겼다 놓아 소리가 나게 해서.

• **관** 몸 둘레가 둥글고 속이 비어 있는 물건을 통틀어 이르는 말.

• **진동** 규칙적으로 흔들려 움직이는 것.

▲ 타악기: 드럼

▲ 관악기: 트럼펫

▲ 현악기: 기타

▲ 건반 악기: 피아노

지문 독해

글의 특징

1 이 글에 대한 설명으로 알맞은 것은 무엇인가요? (   )

① 악기가 어떻게 발명되었는지 알려 주고 있다.

② 악기에서 나는 소리를 자세하게 알려 주고 있다.

③ 만든 방법에 따라 악기의 종류를 나누어 설명하고 있다.

④ 악기를 연주하면 좋은 점과 나쁜 점에 대해 알려 주고 있다.

⑤ 연주하는 방법에 따라 악기의 종류를 나누어 설명하고 있다.

내용 이해

2 다음 중 종류가 <u>다른</u> 악기는 무엇인가요? (   )

① 첼로   ② 기타   ③ 하프   ④ 실로폰   ⑤ 바이올린

내용 이해

3 이 글을 읽고 알 수 있는 내용을 두 가지 골라 ○표 하세요.

(1) 관악기를 나누는 기준   (   )

(2) 가장 오래된 악기의 종류   (   )

(3) 같이 연주하면 잘 어울리는 악기의 종류   (   )

적용하기

4 다음 중 악기에 대해 <u>잘못</u> 말한 친구는 누구인가요 ? (   )

① 신애: 기타에 달린 줄도 현이라고 하는구나.

② 정민: 리코더는 관을 입으로 부니까 관악기구나.

③ 민석: 북은 두드려 연주하는 것이니까 타악기구나.

④ 수진: 바이올린은 현을 퉁겨서 연주하는 현악기구나.

⑤ 재희: 피아노는 건반을 눌러서 쳐야 하니까 건반 악기구나.

지문 분석

1 문단 요약 다음 빈칸에 알맞은 말을 넣어 각 문단의 중심 내용을 정리하세요.

1 문단 ❶☐☐의 뜻과 종류	**2 문단** 타악기의 특징과 예
3 문단 ❷☐악기의 특징과 예	**4 문단** 관악기의 특징과 예

5 문단 ❸☐☐악기의 특징과 예

❶(   )   ❷(   )   ❸(   )

2 글의 구조 다음 표의 빈칸을 채워 이 글의 내용을 정리해 보세요.

악기의 ❶☐☐

타악기	현악기	관악기	건반 악기
• 두드리거나 서로 부딪쳐서 소리 냄. • 실로폰, 북, 탬버린	• 현을 켜거나 타서 소리 냄. • 첼로, 기타, 바이올린	• ❷☐을 입으로 불어 소리 냄. • 트럼펫, 플루트, 리코더	• ❸☐☐을 눌러 소리 냄. • 피아노, 오르간, 아코디언

❶(   )   ❷(   )   ❸(   )

배경지식 재미있는 악기 연주

오늘의 어휘

다음 낱말의 알맞은 뜻을 찾아 선으로 이으세요.

기구 •　　　• 현악기의 줄을 켜는 막대.

자체 •　　　• 다른 것이 아닌 바로 그것.

활 •　　　• 규칙적으로 흔들려 움직이는 것.

퉁겨서 •　　　• 간단하게 다룰 수 있는 기계나 도구.

진동 •　　　• 팽팽한 줄을 당겼다 놓아 소리가 나게 해서.

1 다음 문장의 빈칸에 들어갈 알맞은 말을 오늘의 어휘 에서 찾아 쓰세요.

- 꽃은 그 □□로 아름답다.

- 바이올린 연주를 하다 □이 부러졌다.

- 가야금 줄을 □□□ 소리를 냈다.

- 삼촌 댁에는 운동 □□가 아주 많다.

- 휴대 전화의 □□에 깜짝 놀라 잠이 깼다.

2 다음 밑줄 친 말과 뜻이 비슷한 말을 (　　　)에서 찾아 ○표 하세요.

　　시골에 놀러 간 민호는 친구와 함께 새총을 만들었습니다. 나뭇가지에 고무줄을 맨 뒤 손으로 줄을 <u>퉁겨서</u> 팽팽하게 잡아당겨지는 소리가 나도록 했습니다. 새총이 완성되자 민호는 신이 나서 돌멩이를 끼워 넣고 고무줄을 잡아당겼습니다. 그런데 너무 힘을 주었는지 고무줄이 끊어지는 바람에 손을 다치고 말았습니다.

(퉁겨서, 불어서, 두드려서)

그림의 종류

1 그림을 좋아하나요? 우리는 평소에도 **주변**에서 여러 가지 그림을 보게 되지요. 그림은 선과 색을 사용해서 **대상**을 **표현**한 것이에요. 그림은 표현하는 대상이 무엇이냐에 따라 정물화, 풍경화, 인물화 등으로 나눌 수 있어요.

2 정물화는 움직이지 않는 물건을 그린 그림이에요. 주로 과일, 꽃, 악기, 책, 그릇 등 생활 주변에서 볼 수 있는 물건들을 보기 좋게 놓고 그리지요. 여러 개의 물건을 그릴 때는 물건들이 잘 표현될 수 있도록 서로 어울리게 위치를 잡고 그려야 해요.

3 풍경화는 자연의 **경치**를 그린 그림이에요. 같은 곳이라도 계절과 날씨의 **변화**에 따라, 보는 사람이 어디에서 보느냐에 따라 다르게 표현될 수 있지요. 풍경화를 그릴 때는 멀리 있는 것은 작게, 가까이 있는 것은 크게 그려서 거리를 표현해 주어요.

4 인물화는 인물을 그린 그림이에요. 누구를 그리느냐에 따라 자기 자신을 그리는 자화상, **특정** 인물을 그리는 초상화, 두 사람 **이상**을 그리는 **군상**화 등이 있지요. 인물화를 그릴 때는 사람의 얼굴과 몸, 팔다리 등의 **균형**이 맞도록 그려야 해요.

5

10

15

KEY WORD

그림

글자 수

532

200 400 600 800

- **주변** 어떤 대상의 둘레 부근.
- **대상** 무엇의 상대나 목표가 되는 것.
- **표현** 느낌이나 생각을 말, 글, 예술 작품 등으로 나타내는 것.
- **경치** 자연의 아름다운 모습.
- **변화** 사물의 성질, 모양, 상태 등이 바뀌어 달라짐.
- **특정** 특별히 정해진 것이나 선택된 것.
- **이상** 그보다 더 많은 것.
- **군상** 떼를 지어 모여 있는 많은 사람.
- **균형** 어느 한쪽으로 치우치거나 기울어지지 않은 상태.

지문 독해

1 글쓴이가 이 글에서 설명하는 것으로 알맞은 것에 ○표 하세요.

(1) 그림의 역사 ( )

(2) 그림을 잘 그리는 방법 ( )

(3) 표현 대상에 따른 그림의 종류 ( )

내용 이해

2 이 글의 내용으로 알맞지 <u>않은</u> 것은 무엇인가요? ( )

① 정물화는 물건 한 개를 중심으로 놓고 그린 그림이다.

② 표현 대상이 무엇이냐에 따라 그림의 종류가 달라진다.

③ 누구를 그리느냐에 따라 인물화의 종류를 나눌 수 있다.

④ 같은 풍경을 그려도 날씨에 따라 다르게 표현될 수 있다.

⑤ 같은 곳이라도 보는 사람이 어디 있는지에 따라 다르게 표현될 수 있다.

추론하기

3 다음 중 정물화에 어울리지 <u>않는</u> 표현 대상은 무엇인가요? ( )

① 사과 ② 피아노 ③ 할머니 ④ 국어책 ⑤ 장미꽃

적용하기

4 미술 시간에 그림을 그렸습니다. 인물화를 그린 친구를 두 명 고르세요.

(,)

① 운동장 옆 나무들을 그린 진영

② 꽃밭에 있는 벌과 나비를 그린 혜령

③ 거울을 보고 자기의 모습을 그린 고은

④ 바닷가에서 주워 온 예쁜 조개들을 그린 주미

⑤ 칠판 앞에 서 계신 선생님의 모습을 그린 해연

지문 분석

1 문단 요약

이 글에 나타난 각 문단의 중심 내용으로 알맞은 것을 찾아 선으로 이으세요.

1 문단 •
2 문단 •
3 문단 •
4 문단 •

• 인물을 그린 인물화

• 자연의 경치를 그린 풍경화

• 표현 대상에 따른 그림의 종류

• 움직이지 않는 물건을 그린 정물화

2 글의 구조

다음 표의 빈칸을 채워 이 글의 내용을 정리해 보세요.

그림의 종류

정물화	❷ □□화	인물화
• 움직이지 않는 ❶□□을 그림. • 물건들이 잘 표현될 수 있도록 위치를 잡고 그림.	• 자연의 경치를 그림. • 멀리 있는 것은 작게, 가까이 있는 것은 크게 그려 거리를 표현함.	• ❸□□을 그림. • 사람의 얼굴과 몸, 팔다리 등의 균형이 맞도록 그림.

❶(   )   ❷(   )   ❸(   )

배경지식 ## 다양한 미술 작품

정물화

풍경화

인물화

추상화

추상화는 보이는 그대로 그리는 것이 아니고 점·선·면·색을 중심으로 표현한 그림이에요.

오늘의 어휘

다음 낱말의 알맞은 뜻을 찾아 선으로 이으세요.

주변 •　　　　　• 자연의 아름다운 모습.

표현 •　　　　　• 어떤 대상의 둘레 부근.

경치 •　　　　　• 특별히 정해진 것이나 선택된 것.

특정 •　　　　　• 어느 한쪽으로 치우치거나 기울어지지 않은 상태.

균형 •　　　　　• 느낌이나 생각을 말, 글, 예술 작품 등으로 나타내는 것.

1 다음 문장의 빈칸에 들어갈 알맞은 말을 오늘의어휘 에서 찾아 쓰세요.

- 해 지는 바닷가의 □□ 가 아름답다.

- 영민이는 □□ 상대에게만 상냥하게 대한다.

- 학교 □□ 은 어린이 보호 구역으로 지정되어 있다.

- 책을 많이 읽으면 자기의 생각을 글로 잘 □□ 할 수 있다.

- 엄마는 가족들에게 □□ 잡힌 식단을 제공하려고 노력하신다.

2 다음 밑줄 친 말과 뜻이 비슷한 말을 ( )에서 찾아 ○표 하세요.

　　미술 시간에 선생님께서 지금 자기의 기분을 <u>나타내</u> 보라고 하셨습니다. 나는 둥실둥실 구름이 떠오르는 그림을 도화지 가득 그렸습니다. 오늘 하루 나의 기분이 둥실둥실 날아갈 것처럼 좋았기 때문입니다.

(표현해, 고민해)

지문분석

KEY WORD

연극

글자 수

541

200 400 600 800

연극을 알아보아요

1 연극은 무대 위에서 배우가 말과 몸짓으로 대본에 있는 이야기를 관객에게 전하는 **예술**이에요. 무대는 배우가 연기를 하는 장소이자 연극을 하기 위해 필요한 것들이 **마련되는** 장소예요. 배우는 무대 위에서 이야기 속의 등장인물을 **연기**하는 사람이고, 대본은 연극에서 보여 줄 이야기를 쓴 글이지요. 배우들이 해야 할 말이나 몸짓, 무대 를 어떻게 꾸며야 하는지 등을 알려 주는 것이 대본이에요. 그리고 이 렇게 꾸며진 연극을 보는 사람이 관객이에요.

2 같은 내용이라도 연극을 보면 책으로 읽을 때보다 **실감**이 나요. 글을 읽으며 스스로 상상해야 하는 책과 달리 배우들이 이야기를 **실제로** 보여 주기 때문이지요. 영화나 드라마도 배우들이 말과 몸짓을 통해 이야기를 보여 주지만 연극이 더욱 **생생해요**. 관객의 바로 앞에서 배우들이 연기하기 때문이지요.

3 하지만 연극에서는 영화나 드라마에서와 달리 할 수 없는 것들이 있어요. 정해진 무대 위에서만 연기하기 때문에 다양한 장소를 보여 줄 수 없어요. 관객이 **직접** 보는 앞에서 연기하기 때문에 중간에 멈출 수 없고 틀려도 다시 할 수 없지요.

5

10

15

● **예술** 생각하고 느끼는 바를 아름다운 형식으로 표현하 거나 창조하는 것.

● **마련되는** 필요한 것을 미리 준비하여 두는.

● **연기** 배우가 배역이 인물, 성격, 행동 등을 표현해 내 는 일.

● **실감** 실제인 것처럼 느끼는 것.

● **실제로** 거짓이나 상상이 아 니고 현실적으로. 진짜로.

● **생생해요** 바로 눈앞에 보는 것처럼 명백하고 또렷해요.

● **직접** 사이에 남이나 다른 사물이 끼이지 않게 바로.

1 이 글에서 가장 중심이 되는 낱말을 보기 에서 찾아 쓰세요.

> **보기**
>
> 배우,   무대,   관객,   연극,   영화

(   )

내용 이해

2 연극을 이루는 기본 요소가 <u>아닌</u> 것은 무엇인가요? (   )

① 몸짓   ② 대본   ③ 관객   ④ 무대   ⑤ 배우

내용 이해

3 이 글의 내용으로 알맞지 <u>않은</u> 것은 무엇인가요? (   )

① 배우는 무대 위에서 연기를 한다.
② 배우가 어떻게 연기할지 대본에 쓰여 있다.
③ 대본에는 무대에 무엇을 놓을지 쓰여 있다.
④ 관객은 무대 앞에서 연극, 영화, 드라마를 본다.
⑤ 같은 이야기라도 연극으로 보면 생생하고 실감 난다.

적용하기

4 연극과 다른 갈래들을 비교한 것으로 알맞은 것은 무엇인가요? (   )

① 영화와 같이 중간에 멈출 수 없어.
② 드라마와 같이 틀려도 다시 연기할 수 있어.
③ 영화와 같이 배우들이 관객 앞에서 연기를 해.
④ 책과는 달리 주인공의 모습을 눈으로 볼 수 있어.
⑤ 드라마와 같이 학교에서 집으로, 집에서 병원으로, 다양한 공간을 순식간에 옮겨 가며 보여 줘.

지문 분석

1 문단 요약   이 글에 나타난 각 문단의 중심 내용으로 알맞은 것을 찾아 선으로 이으세요.

1 문단 •

2 문단 •

3 문단 •

• 연극의 특징: 생생하고 실감 남.

• 연극의 특징: 할 수 없는 것들이 있음.

• 연극을 이루는 요소: 무대, 대본, 배우, 관객

2 글의 구조   다음 표의 빈칸을 채워 이 글의 내용을 정리해 보세요.

연극

연극의 요소	연극의 특징
• 배우가 연기하는 장소인 무대 • 등장인물을 연기하는 ❶◻◻ • 연극의 이야기를 쓴 대본 • 연극을 보는 ❷◻◻	• 생생하고 ❸◻◻ 남. • 할 수 없는 것들이 있음.

❶(   )   ❷(   )   ❸(   )

배경지식   **다양한 연극**

노래와 춤과 연기가 어우러진 뮤지컬

몸짓으로만 표현하는 팬터마임

가면을 쓰고 공연하는 가면극

인형을 조종하여 꾸미는 인형극

오늘의 어휘

다음 낱말의 알맞은 뜻을 찾아 선으로 이으세요.

예술 •

마련되는 •

연기 •

실제로 •

직접 •

• 필요한 것을 미리 준비하여 두는.

• 거짓이나 상상이 아니고 현실적으로. 진짜로.

• 사이에 남이나 다른 사물이 끼이지 않게 바로.

• 배우가 배역의 인물, 성격, 행동 등을 표현해 내는 일.

• 생각하고 느끼는 바를 아름다운 형식으로 표현하거나 창조하는 것.

1 다음 문장의 빈칸에 들어갈 알맞은 말을 (오늘의 어휘)에서 찾아 쓰세요.

• 그 배우는 우는 ☐☐ 를 특히 잘한다.

• 그 그림은 큰 감동을 주는 ☐☐ 작품이다.

• 이 영화는 ☐☐☐ 일어난 일에 바탕을 두었다.

• 부모님께 내가 ☐☐ 만든 카네이션을 달아 드렸다.

• 학교에 축구장이 ☐☐☐☐ 데 오랜 시간이 걸렸다.

2 다음 밑줄 친 말과 뜻이 비슷한 말을 ( )에서 찾아 ○표 하세요.

선생님께서 학교에 수영장이 생긴다고 말씀하셨습니다. 여름이 되면 학교에서 수영을 할 수 있을 것이란 생각에 모두 기뻐했습니다. 그러나 수영장이 만들어지는 데 시간이 오래 걸려서 올여름에는 학교에서 수영을 할 수 없게 되었습니다.

(마련되는, 표현되는)

축구가 궁금해요

KEY WORD

> 축구

글자 수

603
200 400 600 800

1 축구는 세계적으로 인기 있는 운동이에요. 서로 다른 두 팀이 주로 발로 공을 차서 상대편 골대 안에 공을 많이 넣는 것을 겨루는 경기이지요. 축구와 비슷한 운동은 아주 먼 옛날부터 많은 나라에서 해 왔어요. 그러다 지금의 축구와 같은 모습이 갖추어지고 세계적인 축구 **단체**도 생겼지요. 이 축구 단체에 **가입**한 모든 나라들은 같은 규칙으로 축구 경기를 하고 있어요.

2 축구의 경기 시간은 전반전 45분, 후반전 45분으로 총 90분이고, 전반전과 후반전 사이에 15분의 쉬는 시간이 있어요. 11명이 한 팀을 이루어 두 팀의 선수 22명과 **심판**이 함께 경기에 참여하지요. 심판은 경기 중에 선수들이 규칙을 어기면 **지적**하고 의견이 나뉘면 결정해 주는 역할을 해요. 축구 선수들은 골키퍼를 빼면 주로 발로 차서 공을 움직이지만 몸에서 손과 팔을 뺀 나머지 부분 모두로 공을 다룰 수 있어요. 골을 막는 골키퍼만 손을 쓸 수 있지요.

3 **최대한** 많은 공을 상대편의 골대에 넣어야 하기 때문에 축구 선수들은 공을 이용해서 다양한 기술을 펼쳐요. 경기 시간 동안 계속 뛰어다닐 수 있는 **체력**도 필요하지요. 그리고 11명이 한 팀으로 움직이기 때문에 다른 사람과 **협력**하는 태도도 아주 중요해요.

5

10

15

- **단체** 같은 목적을 가지고 모인 사람들의 조직.
- **가입** 어떤 단체에 들어가거나 서비스를 신청하는 것.
- **심판** 운동 경기에서 규칙을 잘 지키는지나 승부를 판단하는 사람.
- **지적** 잘못된 점이나 허물을 가리켜 말하는 것.
- **최대한** 가장 크거나 많은 한도.
- **체력** 몸을 움직여 어떤 일을 할 수 있는 힘.
- **협력** 어떤 일을 하는 데에 힘을 합쳐 도움을 주는 것.

지문 독해

목적

1 글쓴이가 이 글을 쓴 까닭으로 알맞은 것을 두 가지 골라 ○표 하세요.

(1) 축구의 규칙을 알려 주기 위해 ( )

(2) 축구할 때 필요한 준비물을 알려 주기 위해 ( )

(3) 축구 선수에게 필요한 능력을 알려 주기 위해 ( )

내용 이해

2 이 글의 내용으로 알맞지 <u>않은</u> 것은 무엇인가요? ( )

① 선수들이 규칙을 어기면 심판이 지적한다.

② 축구는 세계 축구 단체에 가입한 나라들이 만들었다.

③ 공을 상대편의 골대 안에 넣어야 점수를 얻을 수 있다.

④ 축구 선수들은 계속 뛰어다녀야 하므로 체력이 필요하다.

⑤ 세계 축구 단체에 가입한 나라들은 같은 규칙으로 축구를 한다.

내용 이해

3 축구 경기에서 골키퍼만 쓸 수 있는 신체 부위는 어디인가요? ( )

① 손 ② 발 ③ 무릎 ④ 몸통 ⑤ 머리

추론하기

4 축구 경기를 보면서 한 생각 중 알맞은 것은 무엇인가요? ( )

① 운동장에는 22명이 있겠군.

② 경기는 같은 나라 팀끼리만 할 수 있군.

③ 심판은 선수와 함께 뛰면서 경기를 자세히 봐야겠군.

④ 기술이 뛰어난 선수만 있으면 경기를 이길 수 있겠군.

⑤ 온몸으로 공을 다룰 수 있으니까 공을 옮기기 쉽겠군.

지문 분석

1 문단 요약

다음은 이 글에 나타난 각 문단의 중심 내용입니다. 알맞은 것에 ○표, 틀린 것에 ×표를 하세요.

1문단   축구는 우리나라 고유의 운동입니다.   (   )

2문단   축구에는 지켜야 할 다양한 규칙이 있습니다.   (   )

3문단   축구 선수들에게는 다양한 능력이 필요합니다.   (   )

2 글의 구조

다음 표의 빈칸을 채워 이 글의 내용을 정리해 보세요.

축구	상대편 골대에 공을 많이 넣으면 이기는 운동

경기 ❶ ☐☐	선수의 능력
• 경기 90분, 쉬는 시간 15분 • 11명이 한 팀임. • 심판이 있음. • 골키퍼를 **뺀** 선수들은 ❷☐과 팔을 **뺀** 나머지 몸을 사용함.	• 공을 다루는 다양한 기술 • 경기 중 계속 뛰어다니는 체력 • 팀과 ❸☐☐하는 태도

❶(   )   ❷(   )   ❸(   )

배경지식 축구 경기가 더욱 재미있어지는 축구 용어

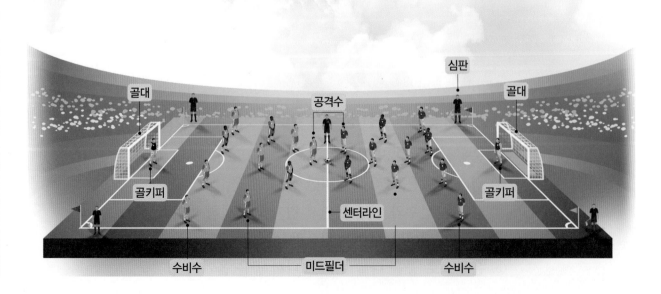

오늘의 어휘

다음 낱말의 알맞은 뜻을 찾아 선으로 이으세요.

단체 •

가입 •

지적 •

최대한 •

협력 •

• 가장 크거나 많은 한도.

• 같은 목적을 가지고 모인 사람들의 조직.

• 잘못된 점이나 허물을 가리켜 말하는 것.

• 어떤 단체에 들어가거나 서비스를 신청하는 것.

• 어떤 일을 하는 데에 힘을 합쳐 도움을 주는 것.

1 다음 문장의 빈칸에 들어갈 알맞은 말을 오늘의어휘 에서 찾아 쓰세요.

• 자연을 지키기 위해 환경 ☐☐ 에 가입했다.

• 공책에 잘못 쓴 글자를 짝에게 ☐☐ 받았다.

• 약속에 늦지 않기 위해 ☐☐☐ 빨리 뛰어야 했다.

• 우리 반 친구들 모두가 ☐☐ 해서 운동회에서 1등을 했다.

• 게임 사이트에 접속하기 위해서는 회원 ☐☐ 을 해야 한다.

2 다음 밑줄 친 말과 뜻이 비슷한 말을 ( )에서 찾아 ○표 하세요.

오늘은 내 생일입니다. 엄마께서 생일 축하 파티를 열어 주시기로 했어요. 친한 친구들을 집으로 초대했습니다. 그중에는 내가 좋아하는 짝 윤성이도 있어요. 가장 예쁜 옷을 꺼내 입고 친구들을 기다렸습니다. 좀 있으면 시작될 파티가 정말 기대됩니다.

(별로, 최대한)

여러 가지 색 이야기

1 우리가 보는 세상에는 다양한 색이 있어요. 그중 사과의 빨간색과 바다의 파란색, 바나나의 노란색, 이 세 가지 색은 다른 색을 **섞어서** 는 만들 수 없는 기본색이에요. 이 세 가지 기본색끼리 섞으면 우리가 아는 또 다른 색을 만들 수 있어요. 파랑과 노랑을 섞으면 새싹의 초록색이 돼요. 노랑과 빨강을 섞으면 오렌지의 주황색이 되지요. 파랑과 빨강을 섞으면 포도의 보라색이 만들어져요. 그리고 빨강, 파랑, 노랑을 섞으면 밤하늘의 검은색이 만들어지지요. 이렇게 색과 색을 섞어 또 다른 색을 만드는 것을 '색의 **혼합**'이라고 해요.

2 이렇게 만들어진 다양한 색들은 느낌에 따라 나뉘어요. 색을 비슷한 **느낌**으로 나누어 볼까요? 빨강, 주황, 노랑과 비슷한 색들은 따뜻한 느낌을 주는 색이에요. 파랑, 남색, 청록과 비슷한 색들은 차가운 느낌의 색이라고 하지요. 비슷한 느낌의 색이 나란히 있으면 변화가 적고 **안정**된 느낌을 줘요. 그러나 **반대** 느낌의 색이 나란히 있으면 서로 다른 점이 **두드러지고** 눈에 띄지요. 이러한 색 분류는 우리가 평소에 많이 보는 광고 포스터나 상품의 포장 등에 많이 활용되고 있어요.

5

10

15

KEY WORD

여러 가지 색

글자 수

565

200 400 600 800

- **섞어서** 무엇에 무엇을 넣어서.
- **혼합** 여러 가지를 뒤섞어 한데 합치는 것.
- **느낌** 느껴지는 것. 느낀 것.
- **안정** 마구 변하거나 흔들리지 않고 일정한 상태를 유지하는 것.
- **반대** 성질, 위치, 방향 등이 서로 완전히 다른 것.
- **두드러지고** 눈에 띄게 뚜렷하고.

지문 독해

핵심어

1 빈칸에 공통으로 들어갈 알맞은 말을 넣어 이 글의 중심 내용을 완성하세요.

> ☐의 혼합과 비슷한 느낌의 ☐, 반대 느낌의 ☐

(   )

내용 이해

2 다음 중 혼합하여 만든 색이 <u>아닌</u> 것은 무엇인가요? (   )

① 보라색   ② 검은색   ③ 주황색

④ 노란색   ⑤ 초록색

내용 이해

3 다음 중 이 글의 내용으로 알맞지 <u>않은</u> 것은 무엇인가요? (   )

① 빨간색과 파란색은 다른 색을 섞어 만들 수 없다.
② 보라색과 초록색을 만들 때는 파란색이 필요하다.
③ 초록색과 주황색을 만들 때는 노란색이 필요하다.
④ 주황색과 보라색을 만들 때는 빨간색이 필요하다.
⑤ 색의 혼합은 두 가지 색만 섞어 새로운 색을 만드는 것이다.

적용하기

4 미술 시간에 그림을 그렸습니다. 원하는 색을 잘 쓴 친구는 누구인가요?

(   )

① 동훈: 파란 종이에 빨간 배를 그려 눈에 띄게 할 거야.
② 소라: 노란 종이에 빨간 해를 그려 눈에 띄게 할 거야.
③ 철진: 파란 종이에 청록색 배를 그려 눈에 띄게 할 거야.
④ 혜지: 주황 종이에 빨간 해를 그려 차가운 느낌을 줄 거야.
⑤ 아영: 남색 종이에 파란 배를 그려 따뜻한 느낌을 줄 거야.

지문 분석

1 문단 요약 　다음은 이 글에 나타난 각 문단의 중심 내용입니다. 알맞은 것에 ○표, 틀린 것에 ×표를 하세요.

| **1문단** | 모든 색은 색과 색을 섞어서 만듭니다. | (　　) |

| **2문단** | 색이 주는 느낌에 따라 색을 나눌 수 있습니다. | (　　) |

2 글의 구조 　다음 표의 빈칸을 채워 이 글의 내용을 정리해 보세요.

```
                    다양한 색
        ┌───────────────────┴───────────────────┐
   색의 ❶[ ][ ]                  느낌이 비슷한 색과 반대되는 색

• 색과 색을 섞어 또 다른 색을 만      • 비슷한 느낌의 색: 안정된 느낌
  드는 것.                            을 줌.
• 두 가지 색의 혼합으로 만들어진      • ❸[ ][ ] 느낌의 색: 두드러지고
  색: ❷[ ][ ], 주황, 보라              눈에 띔.
• 세 가지 색의 혼합으로 만들어진
  색: 검은색
```

❶(　　　　　) ❷(　　　　　) ❸(　　　　　)

배경지식 ## 여러 색을 한눈에 보아요

　따뜻한 느낌을 주는 색과 차가운 느낌을 주는 색들을 색상에 따라 둥글게 늘어놓아 보기 쉽게 만들어 놓은 것이 바로 '색상환'입니다.

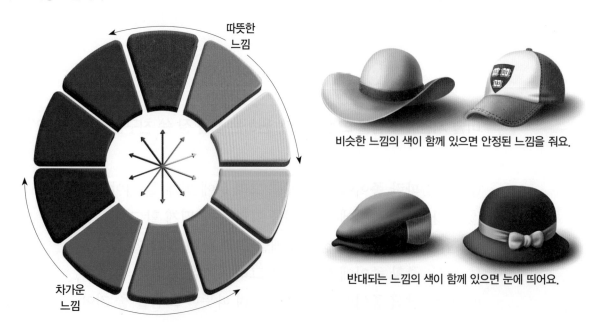

따뜻한 느낌

차가운 느낌

비슷한 느낌의 색이 함께 있으면 안정된 느낌을 줘요.

반대되는 느낌의 색이 함께 있으면 눈에 띄어요.

오늘의 어휘

다음 낱말의 알맞은 뜻을 찾아 선으로 이으세요.

섞어서 •　　　• 느껴지는 것. 느낀 것.

혼합 •　　　• 무엇에 무엇을 넣어서.

느낌 •　　　• 여러 가지를 뒤섞어 한데 합치는 것.

안정 •　　　• 성질, 위치, 방향 등이 서로 완전히 다른 것.

반대 •　　　• 마구 변하거나 흔들리지 않고 일정한 상태를 유지하는 것.

1 다음 문장의 빈칸에 들어갈 알맞은 말을 `오늘의 어휘` 에서 찾아 쓰세요.

- 우리 집은 학교와 　　　 방향에 있다.

- 목욕물의 따뜻한 　　　에 기분이 좋았다.

- 밀가루에 달걀과 우유를 　　　하여 반죽을 했다.

- 오늘 아침에는 우유에 시리얼을 　　　 먹었다.

- 따뜻한 우유를 마시자 불안했던 마음이 조금 　　　되었다.

2 다음 밑줄 친 말과 뜻이 비슷한 말을 (　　　)에서 찾아 ○표 하세요.

　　주말에 놀이동산에 갔습니다. 형과 함께 하늘 높이 올라갔다 내려오는 놀이 기구를 탔어요. 놀이 기구가 밑으로 내려올 때마다 진짜 땅으로 떨어지는 <u>기분</u>이 들어 너무 무서웠어요. 형은 너무 재미있다고 또 타자고 했지만 나는 가슴이 떨려 타지 못하겠다고 했습니다.

(느낌, 생각)

백성을 사랑한 세종 대왕

1 세종 대왕은 **백성**들이 글을 몰라 **억울한** 일을 당하는 것을 늘 안타까워했어요. 백성들이 잘 살기 위해서는 글을 알아야 한다고 생각했지요. 그래서 1443년에 백성들이 쉽게 배우고 쓸 수 있는 글자를 만들었어요. 그리고 1446년에 **신하**들에게 글자에 대한 설명을 쓰게 하여 '훈민정음'이라는 이름으로 백성들에게 널리 알렸지요. 훈민정음은 우리가 지금 쓰고 있는 한글의 첫 이름이에요. 백성을 가르치는 바른 소리라는 뜻이지요.

2 또한 세종 대왕은 농사가 잘되어야 백성들이 편안하게 살 수 있다고 생각했어요. 그래서 여러 신하들과 함께 하늘의 움직임을 알 수 있는 혼천의, 시간을 알려 주는 물시계, 비의 양을 재는 측우기 등을 만들었지요. **가뭄**과 **홍수**에 **대비**하고 농사를 잘 지을 수 있게 하기 위해서였어요. 이 덕분에 조선의 과학 기술은 무척 발전하게 되었지요.

3 세종 대왕은 약, 음악, 농사와 법 등에 대한 다양한 책을 펴내고 문화의 발전에도 힘썼어요. 새로운 **무기**를 만들어서 나라를 안전하게 하기 위해 노력하고 **외적**과 싸워 영토를 넓히기도 했지요. 세종 대왕은 1418년 왕이 된 후 1450년 세상을 떠나기까지, 백성들이 살기 좋은 나라를 만들기 위해 끊임없이 애쓴 훌륭한 왕이에요.

5

10

15

KEY WORD

세종 대왕

글자 수

200 400 **600** 800

- **백성** 일반 국민을 예스럽게 이르는 말.
- **억울한** 공평하지 못한 일을 당하여 속이 아픈.
- **신하**(臣 신하 신, 下 아래 하) 임금을 섬기는 벼슬아치.
- **가뭄** 오랫동안 계속해서 비가 오지 않는 날씨.
- **홍수**(洪 큰물 홍, 水 물 수) 비가 많이 내려 강과 시내의 물이 크게 불어나 넘치는 것.
- **대비** 앞으로 있을지도 모를 힘들거나 어려운 일을 겪지 않기 위해서 미리 준비하는 것.
- **무기** 전쟁이나 싸움에 사용되는 기구를 통틀어 이르는 말.
- **외적** 외국으로부터 쳐들어오는 적.

지문 독해

1 이 글의 중심 내용으로 알맞은 것을 골라 ○표 하세요.

중심 내용

(1) 한글이 만들어진 과정 ( )

(2) 세종 대왕이 왕이 된 까닭 ( )

(3) 세종 대왕이 백성을 위해 한 일 ( )

내용 이해

2 세종 대왕이 백성을 위해 만든 것이 <u>아닌</u> 것은 무엇인가요? ( )

① 무기 ② 한글 ③ 한복 ④ 물시계 ⑤ 측우기

내용 이해

3 이 글의 내용으로 알맞지 <u>않은</u> 것은 무엇인가요? ( )

① 훈민정음은 한글의 첫 이름이다.

② 세종 대왕은 신하들을 위해 한글을 만들었다.

③ 한글은 백성들이 쉽게 배울 수 있도록 만들었다.

④ 비의 양과 하늘의 움직임을 알면 농사에 도움이 되었다.

⑤ 세종 대왕의 노력으로 과학 기술과 여러 문화가 발전했다.

추론하기

4 이 글을 읽고 세종 대왕이 1418년 왕이 되었을 당시의 상황을 짐작해 보았습니다. 알맞지 <u>않은</u> 것은 무엇인가요? ( )

① 책이 없었다.

② 글을 모르는 백성이 많았다.

③ 농사를 짓는 사람들이 많았다.

④ 나라를 튼튼히 할 무기가 필요했다.

⑤ 백성들이 쉽게 배우고 쓸 수 있는 우리글이 없었다.

지문 분석

1 문단 요약

다음은 이 글에 나타난 각 문단의 중심 내용입니다. 알맞은 것에 ○표, 틀린 것에 ×표를 하세요.

1문단	백성을 위해 한글을 만든 세종 대왕	( )
2문단	농사를 짓기 위해 노력한 세종 대왕	( )
3문단	백성을 위해 끊임없이 애쓴 세종 대왕	( )

2 글의 구조

다음 표의 빈칸을 채워 이 글의 내용을 정리해 보세요.

세종 대왕이 한 일

한글 창제	과학 기술 발전	문화 발전	국방 강화
• 글을 모르는 백성을 위해 ❶□□□□을 만듦.	• ❷□□에 도움이 되는 혼천의, 물시계, 측우기를 만듦.	• 약, 음악, 농사, 법 등에 대한 다양한 책을 펴냄.	• 새로운 ❸□□를 만듦. • 영토를 넓힘.

❶( ) ❷( ) ❸( )

배경지식

물시계 자격루의 원리

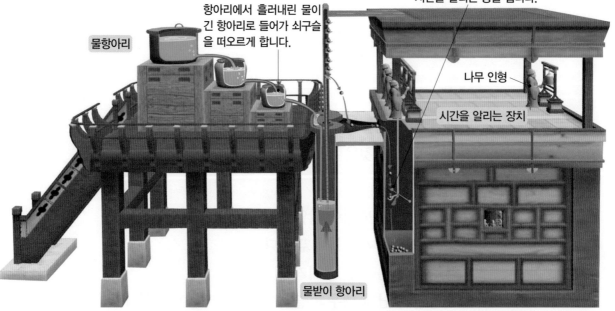

물항아리

항아리에서 흘러내린 물이 긴 항아리로 들어가 쇠구슬을 떠오르게 합니다.

쇠구슬이 떨어지면서 판을 치면 나무 인형이 시간을 알리는 종을 칩니다.

나무 인형

시간을 알리는 장치

물받이 항아리

다음 낱말의 알맞은 뜻을 찾아 선으로 이으세요.

백성 •

신하 •

가뭄 •

홍수 •

대비 •

• 임금을 섬기는 벼슬아치.

• 일반 국민을 예스럽게 이르는 말.

• 오랫동안 계속해서 비가 오지 않는 날씨.

• 비가 많이 내려 강과 시내의 물이 크게 불어나 넘치는 것.

• 앞으로 있을지도 모를 힘들거나 어려운 일을 겪지 않기 위해서 미리 준비하는 것.

1 다음 문장의 빈칸에 들어갈 알맞은 말을 오늘의 어휘 에서 찾아 쓰세요.

• ☐☐로 다리가 물에 잠겼다.

• 오랜 ☐☐ 끝에 비가 내려 모두가 기뻐했다.

• 장기 자랑에 ☐☐해서 열심히 노래 연습을 했다.

• 세종 대왕은 항상 ☐☐을 생각하며 나라를 다스렸다.

• 훌륭한 임금 곁에는 충성스러운 ☐☐가 있기 마련이다.

2 다음 밑줄 친 말과 뜻이 비슷한 말을 (　　　)에서 찾아 ○표 하세요.

우리 속담에 '소 잃고 외양간 고친다'라는 말이 있습니다. 이 말은 소를 도둑맞고 나서야 빈 외양간을 고치느라 수선을 떤다는 뜻으로, 일이 잘못되기 전에 미리미리 <u>준비</u>하는 것의 중요성을 깨우쳐 주는 속담입니다.

(대비, 노력, 생각)

동화의 아버지 안데르센

1 안데르센은 1805년 덴마크의 가난한 집에서 태어났어요. 11세에 아버지가 돌아가시고, 14세에 연극배우가 되려고 집을 떠났지만 배우 생활에 **실패**했지요. 그러던 중 한 정치인의 도움을 받아 대학 공부를 할 수 있었어요. 이후 안데르센은 다양한 글을 쓰다가 1835년에 『어린이에게 들려주는 놀라운 이야기들』이라는 첫 동화집을 펴냈어요. 5 그리고 「인어 공주」, 「벌거벗은 임금님」, 「성냥팔이 소녀」, 「미운 오리 새끼」 등 여러 **작품**을 발표하며 큰 성공을 거두었지요. 1875년 70세 의 나이로 세상을 뜨기 전까지 그는 어린이를 위한 수많은 동화를 남 겼어요.

2 안데르센은 풍부한 상상력으로 다양한 **환상**의 세계를 그려 냈어 10 요. 딱딱하게 **교훈**적인 내용만을 담고 있는 다른 동화들과 달랐지요. 안데르센의 상상력 넘치는 동화는 이후의 다른 동화 작가들에게도 **영 향**을 주었어요. 그래서 안데르센을 '동화의 아버지'라고 부르는 것이 지요. 그가 남긴 동화는 아이들뿐만 아니라 어른들에게도 큰 **감동**을 주며 지금도 사랑받고 있어요. 15

KEY WORD

안데르센

글자 수

511
200 400 600 800

- **실패** 일이 잘못되어 뜻한 대로 되지 않는 것.
- **작품**(作 지을 작, 品 물건 품) 그림, 조각, 소설, 시 등 창작 활동으로 만든 것.
- **환상** 실제로는 있을 수 없 는 일을 있는 것처럼 상상하 는 것. 또는 그렇게 상상한 내용이나 모양.
- **교훈** 도움이 되거나 따를 만한 가르침.
- **영향** 무엇에 원인이 되거나 힘을 미쳐 반응이나 변화가 생기게 하는 것.
- **감동**(感 느낄 감, 動 움직일 동) 강하게 느끼어 마음에 변화를 일으키는 것.

지문 독해

1 이 글에 대한 설명으로 알맞은 것은 무엇인가요? (   )

① 안데르센 동화의 줄거리를 자세히 알려 준다.

② 안데르센 동화가 아이들에게 나쁜 영향을 준다고 주장한다.

③ 안데르센 동화 중 특히 인기 있는 작품을 순서대로 알려 준다.

④ 다른 동화 작가들이 안데르센을 어떻게 생각하는지 알려 준다.

⑤ 안데르센의 삶을 소개하고 안데르센 동화의 특징을 알려 준다.

내용 이해

2 이 글에 나온 안데르센의 동화가 <u>아닌</u> 것은 무엇인가요? (   )

① 「인어 공주」   ② 「이솝 우화」   ③ 「성냥팔이 소녀」

④ 「미운 오리 새끼」   ⑤ 「벌거벗은 임금님」

추론하기

3 이 글을 읽고 짐작할 수 있는 것은 무엇인가요? (   )

① 안데르센은 오직 동화만 썼을 것이다.

② 안데르센의 부모님은 부자였을 것이다.

③ 안데르센은 연극배우로 성공했을 것이다.

④ 안데르센의 동화는 전부 비슷한 내용일 것이다.

⑤ 안데르센 이후의 동화 작가들도 풍부한 상상력으로 동화를 썼을 것이다.

적용하기

4 안데르센의 삶을 통해 깨달은 점을 알맞게 말한 친구는 누구인가요? (   )

① 하경: 거짓말을 하면 안 돼.

② 수호: 남을 도우면서 살아야 해.

③ 혜린: 사람을 겉으로만 판단하면 안 돼.

④ 서현: 힘들어도 최선을 다해서 살아야 해.

⑤ 준서: 남들과 똑같이 따라 하면 성공할 수 있어.

지문 분석

1 문단 요약 | 각 문단의 중심 내용을 정리할 때 ( ) 안에서 알맞은 말을 찾아 ○표 하세요.

1 문단
안데르센의 (삶, 어린 시절)

2 문단
안데르센 동화의 (특징, 내용)과 다른 동화 작가들에게 끼친 영향

2 글의 구조 | 다음 표의 빈칸을 채워 이 글의 내용을 정리해 보세요.

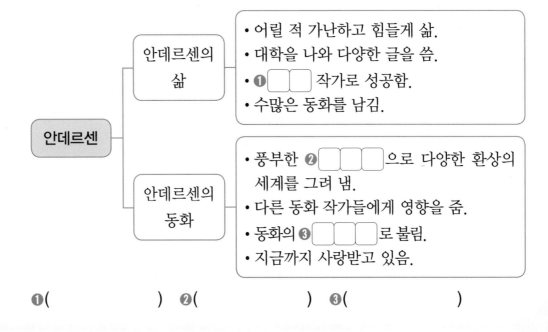

안데르센

안데르센의 삶
• 어릴 적 가난하고 힘들게 삶.
• 대학을 나와 다양한 글을 씀.
• ❶☐☐ 작가로 성공함.
• 수많은 동화를 남김.

안데르센의 동화
• 풍부한 ❷☐☐☐으로 다양한 환상의 세계를 그려 냄.
• 다른 동화 작가들에게 영향을 줌.
• 동화의 ❸☐☐☐로 불림.
• 지금까지 사랑받고 있음.

❶( ) ❷( ) ❸( )

배경지식 안데르센의 동화

「벌거벗은 임금님」

「미운 오리 새끼」

「인어 공주」

「성냥팔이 소녀」

오늘의 어휘

다음 낱말의 알맞은 뜻을 찾아 선으로 이으세요.

실패 •

환상 •

교훈 •

영향 •

감동 •

• 도움이 되거나 따를 만한 가르침.

• 일이 잘못되어 뜻한 대로 되지 않는 것.

• 강하게 느끼어 마음에 변화를 일으키는 것.

• 무엇에 원인이 되거나 힘을 미쳐 반응이나 변화가 생기게 하는 것.

• 실제로는 있을 수 없는 일을 있는 것처럼 상상하는 것. 또는 그렇게 상상한 내용이나 모양.

1 다음 문장의 빈칸에 들어갈 알맞은 말을 오늘의 어휘 에서 찾아 쓰세요.

• ☐☐ 해도 용기를 잃지 말자.

• 책에는 다양한 ☐☐ 이 담겨 있다.

• 수현이는 영화를 보고 ☐☐ 의 눈물을 흘렸다.

• 부모님의 말씀은 나의 인생에 큰 ☐☐ 을 주었다.

• ☐☐ 의 세계로 여행을 떠나는 멋진 꿈을 꾸었다.

2 다음 밑줄 친 말과 뜻이 비슷한 말을 ( )에서 찾아 ○표 하세요.

'새끼 오리는 보통 오리들과 다르게 생겼다는 이유로 주변 오리들에게 괴롭힘을 당했습니다. 추운 겨울을 스스로 이겨 낸 후 새끼 오리는 자신이 백조라는 사실을 깨닫게 됩니다.' 안데르센의 동화 「미운 오리 새끼」의 내용입니다. 겉모습보다 마음의 아름다움을 볼 줄 알아야 한다는 의미와 함께, 지금의 모습에 슬퍼하지 말고 열심히 살아가라는 <u>가르침</u>을 담고 있습니다.

(교훈, 감동)

지문분석

KEY WORD

방정환

글자 수

579

200 400 600 800

⊙ 를 위한 삶을 산 방정환

1 5월 5일은 어린이날이에요. 미래의 주인공인 어린이를 아끼는 마음으로 어린이가 씩씩하게 자라기를 바라며 만든 날이지요. '어린이'라는 말은 아이들을 존중하기 위해 만들어졌어요. 아이들을 '애놈', '자식 놈'이라고 낮춰 부르던 때에 '어린이'라는 말을 처음 쓰고, 어린이날을 만든 사람이 바로 방정환이에요.

2 방정환은 1899년 서울에서 태어났어요. 그의 집안은 넉넉한 상인 집안이었지만 방정환이 어릴 때 아버지가 사업에 실패하면서 형편이 어려워졌어요. 하지만 방정환은 어려운 상황에서도 열심히 공부하며 성장했어요. 그는 아이들을 잘 키워야 일본에게 빼앗긴 나라를 되찾을 수 있고 나라의 미래가 밝아질 것이라는 생각을 했어요. 그래서 어린이 교육에 앞장섰지요. 어린이들이 읽을 책이 없자 어린이를 위한 동화를 직접 쓰기도 하고 외국의 동화를 소개하기도 했어요. 어려운 환경 속에서도 어린이들이 밝게 자라날 수 있도록 꿈과 희망을 주기 위해서였지요. 이렇게 어린이를 위한 삶을 살던 방정환은 33세의 젊은 나이에 세상을 떠났어요. "어린이를 두고 가니 잘 부탁한다."라는 방정환의 마지막 말은 어린이에 대한 그의 큰 사랑을 보여 주지요.

5

10

15

- **미래**(未 아닐 미, 來 올 래) 앞으로 올 때.
- **주인공**(主 주인 주, 人 사람 인, 公 공변될 공) 어떤 일에서 중심이 되거나 주도적인 역할을 하는 사람.
- **존중** 아주 귀하게 여기는 것.
- **상인** 장사를 직업으로 하는 사람.
- **형편** 살림살이의 상황이나 상태.
- **성장**(成 이룰 성, 長 길 장) 자라서 점점 커지는 것.
- **환경** 사람과 생물에게 두루 영향을 끼치는 자연이나 사회의 조건이나 상태.

지문 독해

1 ⊙에 알맞은 말을 넣어 이 글의 제목을 완성하세요.

제목

• ☐☐☐를 위한 삶을 산 방정환

목적

2 글쓴이가 이 글을 쓴 까닭으로 알맞은 것을 두 가지 골라 ○표 하세요.

⑴ 방정환이 한 일을 알려 주기 위해 ( )

⑵ 어린이날의 의미를 알려 주기 위해 ( )

⑶ 어린이날에 해야 할 일을 알려 주기 위해 ( )

내용 이해

3 이 글의 내용으로 알맞지 <u>않은</u> 것은 무엇인가요? ( )

① 방정환이 어린이날을 만들었다.

② '어린이'는 아이들을 존중하는 말이다.

③ 방정환이 '어린이'라는 말을 처음 썼다.

④ 방정환은 어린이를 위한 동화를 쓰기도 했다.

⑤ '애놈', '자식 놈'은 어린이와 바꾸어 쓸 수 있는 말이다.

추론하기

4 이 글을 읽고 짐작한 내용으로 알맞지 <u>않은</u> 것은 무엇인가요? ( )

① 일본에 우리나라를 빼앗긴 상황이었군.

② 그때는 아이들이 읽을 동화가 많지 않았겠군.

③ 그때는 아이들을 존중하지 않는 사람이 많았겠군.

④ 그때는 많은 아이들이 어려운 환경 속에서 살았겠군.

⑤ 방정환은 나라를 빼앗긴 것은 어쩔 수 없는 일이라고 생각했겠군.

지문 분석

1 문단 요약

다음은 이 글에 나타난 각 문단의 중심 내용입니다. 알맞은 것에 ○표, 틀린 것에 ×표를 하세요.

| 1문단 | '어린이'라는 말과 어린이날을 만든 방정환 | ( ) |
| 2문단 | 젊은 나이에 세상을 떠난 방정환의 안타까운 삶 | ( ) |

2 글의 구조

다음 표의 빈칸을 채워 이 글의 내용을 정리해 보세요.

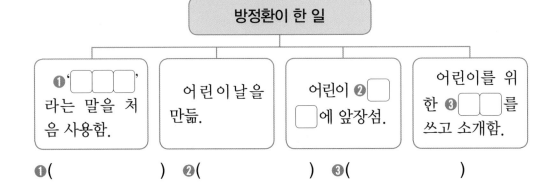

방정환이 한 일

| ❶ '☐☐☐'라는 말을 처음 사용함. | 어린이날을 만듦. | 어린이 ❷☐☐에 앞장섬. | 어린이를 위한 ❸☐☐를 쓰고 소개함. |

❶( )　❷( )　❸( )

배경지식 유엔 아동 권리 협약에 있는 어린이의 권리

생존권
기본적인 삶을 누릴 권리

보호권
위험한 것으로부터
보호받을 권리

발달권
능력을 발휘할 수 있는
권리

참여권
나라와 지역 사회 활동에
참여할 수 있는 권리

오늘의 어휘

다음 낱말의 알맞은 뜻을 찾아 선으로 이으세요.

미래 •   • 앞으로 올 때.

주인공 •   • 자라서 점점 커지는 것.

존중 •   • 아주 귀하게 여기는 것.

형편 •   • 살림살이의 상황이나 상태.

성장 •   • 어떤 일에서 중심이 되거나 주도적인 역할을 하는 사람.

1 다음 문장의 빈칸에 들어갈 알맞은 말을 오늘의 어휘 에서 찾아 쓰세요.

- 정원의 나무가 잘 ☐☐했다.

- ☐☐이 어려운 사람을 돕기로 했다.

- 다른 사람의 생각을 ☐☐해야 한다.

- 학예회 연극에서 ☐☐☐ 역할을 맡았다.

- 앞으로 펼쳐질 나의 ☐☐를 위해 열심히 공부해야 한다.

2 다음 밑줄 친 말과 뜻이 비슷한 말을 (   )에서 찾아 ○표 하세요.

제 꿈은 로봇을 만드는 과학자입니다. 훗날에는 로봇이 사람들과 한집에서 사는 세상이 올 것입니다. 저는 제가 만든 로봇과 함께 살고 싶습니다. 같이 이야기도 나누고 게임도 할 수 있는 다정한 로봇을 만들고 싶습니다.

(옛날, 미래)

노력하는 천재 모차르트

1 '반짝반짝 작은 별 아름답게 비치네.' 우리가 잘 아는 동요 「작은 별」의 가사예요. 이 곡을 **작곡**한 모차르트는 1756년 오스트리아 잘츠 부르크에서 태어났어요. 3세에 피아노를 치고 5세에 작곡을 할 만큼 음악에 **재능**이 있었지요. **궁정 음악가**였던 아버지는 어린 모차르트의 재능을 키우기 위해 유럽으로 연주 여행을 다녔어요. 사람들은 그를 **천재**라고 칭찬했지요.

2 모차르트는 1773년에 궁정 음악가가 되었어요. 그러나 자신이 하고 싶은 음악을 할 수 없어서 그만두고 1777년부터 유럽 **각지**를 떠돌아다녔어요. 모차르트는 유럽 여러 곳을 다니며 다양한 음악을 만들었는데, 특히 1791년 오페라 「마술피리」로 큰 성공을 거두었어요. 그러나 오랜 시간 가난과 병으로 힘들었던 그는 같은 해에 세상을 떠나고 말았지요.

3 모차르트는 타고난 재능에 **만족**하지 않고 끊임없이 노력하는 사람이었어요. 손가락 끝에서 피가 나도록 연습하고 자신이 원하는 음악을 만들기 위해 항상 **고민**했지요. 35년이라는 짧은 삶 동안 그가 만든 600여 편의 다양한 **작품**들은 그런 그의 노력을 보여 주고 있어요.

5

10

15

- **작곡**(作 지을 작, 曲 굽을 곡) 음악의 곡조를 짓는 것.
- **재능** 개인이 타고나는 재주와 능력.
- **궁정 음악가** 궁에 소속된 음악가.
- **천재**(天 하늘 천, 才 재주 재) 타고난 뛰어난 재능, 또는 그런 재능을 가진 사람.
- **각지** 각 지방. 여러 곳.
- **만족** 마음에 흐뭇하고 좋은 느낌.
- **고민** 걱정거리가 있어 괴로워하고 답답해하는 것.
- **작품** 그림·조각·소설·곡 등 창작 활동으로 만든 것.

지문 독해

글의 특징

1 이 글의 종류는 무엇인가요? (   )

① 일기   ② 동화   ③ 전기문

④ 설명하는 글   ⑤ 주장하는 글

내용 이해

2 이 글을 읽고 알 수 있는 내용을 두 가지 골라 ○표 하세요.

(1) 궁정 음악가가 하는 일   (   )

(2) 모차르트가 만든 곡의 개수   (   )

(3) 모차르트가 태어난 해와 죽은 해   (   )

내용 이해

3 이 글의 내용으로 알맞지 <u>않은</u> 것은 무엇인가요? (   )

① 모차르트는 어릴 때부터 남다른 재능을 보였다.

② 모차르트가 죽은 후에 「마술피리」가 유명해졌다.

③ 모차르트는 아버지와 같은 직업을 가진 적이 있다.

④ 모차르트는 자기가 원하는 음악을 하기 위해 노력했다.

⑤ 모차르트는 가난과 병으로 고생하다가 1791년에 세상을 떠났다.

추론하기

4 모차르트의 삶에 대해 알맞게 말한 친구는 누구인가요? (   )

① 승호: 재능이 있어도 노력이 중요하구나.

② 민정: 모차르트는 「작은 별」 같은 동요만 작곡했구나.

③ 성현: 600편의 곡을 썼다니, 모차르트는 오래 살았겠구나.

④ 종석: 어릴 때부터 천재라고 불렸으니 부자로 살았을 거야.

⑤ 미래: 궁정 음악가는 자유롭게 음악을 할 수 있는 직업인가 봐.

지문 분석

1 문단 요약 다음은 이 글에 나타난 각 문단의 중심 내용입니다. 알맞은 것에 ○표, 틀린 것에 ×표를 하세요.

1문단	어릴 적부터 뛰어난 재능을 보인 모차르트	( )
2문단	모차르트가 만든 다양한 작품 소개	( )
3문단	끊임없이 노력한 모차르트	( )

2 글의 구조 다음 표의 빈칸을 채워 이 글의 내용을 정리해 보세요.

모차르트

❶◻◻◻◻의 삶	모차르트에 대한 평가
• 어릴 때부터 뛰어난 재능을 보임. • 궁정 ❷◻◻◻가 되었지만 다양한 음악을 만들고 싶어서 그만둠.	• 재능에 만족하지 않고 노력하는 사람임. • 600여 편의 ❸◻◻을 남김.

❶( ) ❷( ) ❸( )

배경지식 ## 모차르트의 도시 잘츠부르크

모차르트 동상

잘츠부르크 대성당

모차르트가 살던 집

오늘의 어휘

다음 낱말의 알맞은 뜻을 찾아 선으로 이으세요.

작곡 •	• 음악의 곡조를 짓는 것.
재능 •	• 마음에 흐뭇하고 좋은 느낌.
천재 •	• 개인이 타고나는 재주와 능력.
만족 •	• 그림·조각·소설·곡 등 창작 활동으로 만든 것.
작품 •	• 타고난 뛰어난 재능, 또는 그런 재능을 가진 사람.

1 다음 문장의 빈칸에 들어갈 알맞은 말을 오늘의 어휘 에서 찾아 쓰세요.

- 내 동생은 연기에 ☐☐ 이 있다.
- 아인슈타인은 ☐☐ 과학자이다.
- 진호는 시험 점수에 ☐☐ 하지 못했다.
- 「작은 별」은 모차르트가 ☐☐ 한 곡이다.
- 오페라 「마술피리」는 모차르트의 ☐☐ 중 특히 유명하다.

2 다음 글에서 밑줄 친 말과 뜻이 반대인 말을 ( )에서 찾아 ○표 하세요.

모차르트는 귀족들만 즐기는 어려운 음악에 불만이 있었습니다. 누구나 즐길 수 있는 음악을 만들고 싶었지요. 오페라 「마술피리」는 왕자와 새 잡이 파파게노가 고생 끝에 공주를 구하는 쉬운 이야기입니다. 또한 귀족들만 아는 이탈리아어 대신 평민들이 쓰는 독일어로 노래하지요. 그 결과 모차르트의 바람대로 누구나 만족하며 즐기는 작품이 되었답니다.

(고민, 만족)

인물**05**

지문분석

KEY WORD

유관순

글자 수

559

200 400 600 800

나라를 위해 목숨을 바친 유관순

1 유관순은 1902년 충청남도에서 태어나 1916년에 서울에 있는 이화 **학당**에 들어가 공부했어요. 유관순은 어릴 때부터 일본에 빼앗긴 나라를 구하는 사람이 되고 싶어 했어요. 그러던 중 1919년 3월 1일, 서울에서 많은 사람들이 '만세 **시위**'를 벌였어요. 일본에 맞서 나라를 되찾기 위해서였지요. 유관순도 이화 학당 학생들과 시위에 참여했어 5 요. 시위가 여러 날 계속되자, 일본은 **강제로** 학교의 문을 닫아 버렸어요.

2 하지만 유관순은 포기하지 않았어요. 유관순은 고향에 돌아가서도 만세 시위를 계속했어요. 여러 학교를 다니며 소식을 알리고, 집집마다 찾아가 사람들을 모았어요. 그렇게 3천여 명의 사람들이 모여 아 10 우내 장터에서 유관순을 따라 '**독립** 만세'를 불렀지요. 이를 막기 위해 일본 경찰들이 마구 총을 쏴서 유관순의 부모님과 많은 사람들이 목숨을 잃고 말았어요. 유관순도 일본 경찰에게 잡혀서 심한 **고문**을 당했어요. 그리고 감옥에 갇혀서도 끝까지 일본에 맞서다 19세에 죽음을 맞았어요. 어린 나이에 나라의 독립을 위해 목숨을 바친 유관순의 15 **용기**는 지금도 많은 사람들의 마음속에 남아 있어요.

- **학당** 예전에, 학교를 이르던 말.
- **시위** 일정한 요구 조건을 내걸고 많은 사람이 행진이나 집회 등으로 자기들의 의사를 나타내는 것.
- **강제로** 힘으로 눌러 억지로.
- **독립** 남의 다스림을 받지 않고 자기 일을 스스로 결정하는 것.
- **고문** 죄를 지었다고 생각되는 사람의 자백을 받아 내기 위해 육체적·정신적 고통을 가하는 짓.
- **용기** 겁이 없는 씩씩하고 굳센 기운.

지문 독해

목적

1 글쓴이가 이 글을 쓴 까닭으로 알맞은 것에 ○표 하세요.

(1) 만세 시위가 일어난 날을 기억하기 위해 ( )

(2) 유관순의 나라를 사랑하는 마음을 알리기 위해 ( )

(3) 나라를 빼앗겼던 시대의 모습을 알려 주기 위해 ( )

내용 이해

2 다음 중 이 글에서 알 수 <u>없는</u> 내용은 무엇인가요? ( )

① 유관순의 고향

② 유관순이 공부한 곳

③ 서울에서 만세 시위가 일어난 때

④ 일본이 강제로 학교의 문을 닫은 날

⑤ 유관순의 고향에서 일어난 만세 시위에 모인 사람의 수

내용 이해

3 이 글을 읽고 유관순에게 본받을 점을 쓴 것입니다. 빈칸에 알맞은 말을 쓰세요.

나라의 독립을 위해 목숨을 바친 □□

추론하기

4 이 글을 읽고 짐작한 내용으로 알맞은 것은 무엇인가요? ( )

① 만세 시위는 위험하니까 어른들만 했을 거야.

② 일본에 나라를 빼앗겨 공부도 할 수 없었겠군.

③ 만세 시위로 일본을 이기고 나라를 되찾았겠군.

④ 일본에 의해 학교가 문을 닫자 유관순은 공부에만 매달렸겠군.

⑤ 유관순은 고향에서 만세 시위를 하기 위해 많은 노력을 했겠군.

지문 분석

1 중심 내용 **다음 빈칸에 알맞은 말을 넣어 이 글의 중심 내용을 요약하세요.**

> 어릴 때부터 나라를 구하고 싶었던 **❶**☐☐☐은 3·1 운동에 참여하고, 고향에 와서도 만세 시위를 이끌다가 일본 경찰에 붙잡혀 **❷**☐☐에서 목숨을 잃었습니다.

❶(　　　　　)　**❷**(　　　　　)

2 글의 구조 **다음 표의 빈칸을 채워 이 글의 내용을 정리해 보세요.**

나라를 위해 **❶**☐☐을 바친 유관순

어린 시절	3·1 운동	고향 만세 운동	죽음
어릴 때부터 나라를 구하는 사람이 되고 싶어 함.	이화 학당 친구들과 **❷**☐☐ 시위에 참여함.	3천여 명을 모아 **❸**☐☐ 장터에서 시위를 함.	일본에 끝까지 맞서는 용기를 보임.

❶(　　　　　)　**❷**(　　　　　)　**❸**(　　　　　)

배경지식 ## 유관순이 생을 마감한 곳, 서대문 형무소

일제 강점기 많은 독립운동가들이 서대문 형무소에서 목숨을 잃었습니다. 서대문 형무소 역사관에는 우리의 아픈 역사가 담겨 있습니다.

유관순을 비롯한 많은 독립운동가들이 서대문 형무소의 좁은 감방에 갇혔어요.

다음 낱말의 알맞은 뜻을 찾아 선으로 이으세요.

시위 •

강제로 •

독립 •

고문 •

용기 •

• 힘으로 눌러 억지로.

• 겁이 없는 씩씩하고 굳센 기운.

• 남의 다스림을 받지 않고 자기 일을 스스로 결정하는 것.

• 죄를 지었다고 생각되는 사람의 자백을 받아 내기 위해 육체
적·정신적 고통을 가하는 짓.

• 일정한 요구 조건을 내걸고 많은 사람이 행진이나 집회 등으
로 자기들의 의사를 나타내는 것.

1 다음 문장의 빈칸에 들어갈 알맞은 말을 오늘의 어휘 에서 찾아 쓰세요.

- 경찰이 ☐☐ 하는 사람들을 막았다.

- 나라의 ☐☐ 을 위해 많은 사람들이 노력했다.

- 하기 싫은 일을 남에게 ☐☐☐ 시키면 안 된다.

- 잘못을 솔직하게 말하는 것에도 ☐☐ 가 필요하다.

- 일제 강점기에 많은 독립운동가들이 ☐☐ 을 당했다.

2 다음 밑줄 친 말과 뜻이 비슷한 말을 ( )에서 찾아 ○표 하세요.

선형이는 놀이터에서 공을 가지고 놀고 있었습니다. 혼자 공을 차는 것은
재미가 없었어요. 그때 영석이가 지나갔어요. 선형이는 함께 놀자고 했지만
영석이는 심부름을 가는 길이라 안 된다고 했지요. 선형이는 영석이에게 화
를 내며 억지로 공을 차게 시켰습니다.

(강제로, 마음대로)

KEY WORD

손 씻기

글자 수

559

200 400 600 800

올바른 손 씻기

1 우리는 손으로 많은 일을 해요. 밥을 먹거나 물건을 집을 때, 다른 사람과 **악수**를 할 때도 손을 쓰지요. 이럴 때 손은 사람이나 물건에 직접 닿기 때문에 **질병**을 옮기기 쉬워요. 그러므로 손을 잘 씻어야 나쁜 균을 없애고 질병을 **예방**할 수 있어요. 손은 자주 씻는 것이 좋아요. 그리고 올바른 방법으로 깨끗하게 씻는 것이 중요해요.

2 올바르게 손을 씻는 방법을 알아보아요. 비누를 사용하여 흐르는 물에 30초 이상 손을 씻어야 해요. 이때 손을 마구 문지르지 말고 손을 몇 **부분**으로 나누어 순서대로 닦으면, **구석구석** 빠짐없이 닦을 수 있어요. 자세히 알아볼까요? 우선 손바닥을 마주 대고 문질러 주어요. 다음으로 손가락을 마주 잡고 문질러 손톱 부분을 닦아 주세요. 손등과 손바닥을 마주 대고 문질러 손등도 닦아 주어요. 그리고 엄지 손가락을 반대쪽 손바닥에 올려 문질러요. **깍지**를 끼고 손바닥을 서로 문질러 손가락 사이사이도 닦고요. 마지막으로 손가락 끝을 반대쪽 손바닥에 놓고 문지르며 손톱 밑까지 깨끗하게 씻어요. **복잡해** 보이지만 실제로 해 보면 어렵지 않아요. 오늘부터 30초 이상 손 씻기를 **실천**해 보는 것은 어떨까요?

5

10

15

- **악수** 인사하는 뜻으로 서로 손을 내밀어 마주 잡는 것.
- **질병** 몸과 마음이 건강하지 못하여 생기는 온갖 병.
- **예방** 병이나 사고 같은 것이 생기지 않도록 미리 막는 것.
- **부분** 전체를 이루는 여러 작은 쪽이나 요소들의 하나.
- **구석구석** 이 구석 저 구석. 구석(작은 부분)마다.
- **깍지** 열 손가락을 서로 엇갈리게 바짝 맞추어 잡은 상태.
- **복잡해** 여럿이 겹치고 뒤섞여 있어.
- **실천** 이론이나 계획을 실제로 행하는 것.

지문 독해

핵심어

1 이 글에서 가장 중심이 되는 말을 보기 에서 찾아 쓰세요.

보기

질병,   손등,   비누,   손바닥,   손 씻기

(   )

내용 이해

2 다음 중 손을 이루는 부분이 <u>아닌</u> 것은 무엇인가요? (   )

① 손톱   ② 손등   ③ 손목   ④ 손가락   ⑤ 손바닥

내용 이해

3 이 글의 내용으로 알맞지 <u>않은</u> 것은 무엇인가요? (   )

① 손으로 질병이 옮을 수 있다.
② 손은 너무 자주 씻으면 안 좋다.
③ 손을 잘 씻으면 질병을 예방할 수 있다.
④ 손은 사람이나 물건에 직접 닿는 일이 많다.
⑤ 손은 비누를 사용해 흐르는 물에 30초 이상 씻어야 한다.

추론하기

4 이 글에 나온 손 씻기의 순서대로 기호를 쓰세요.

㉠ 손바닥을 마주 대고 문지르기
㉡ 손가락을 마주 잡고 문지르기
㉢ 깍지를 끼고 손바닥을 서로 문지르기
㉣ 손등과 손바닥을 마주 대고 문지르기
㉤ 손가락 끝을 반대쪽 손바닥에 놓고 문지르기
㉥ 엄지손가락을 반대쪽 손바닥에 올려 문지르기

(   ) → (   ) → (   ) → (   ) → (   ) → (   )

지문 분석

1 문단 요약 다음 빈칸을 채워 이 글에 나타난 각 문단의 중심 내용을 정리하세요.

> **1문단** 질병 ❶ ☐☐ 을 위해 ❷ ☐ 을 잘 씻어야 합니다.

> **2문단** 올바른 ❸ ☐☐ 으로 손을 씻어야 합니다.

❶ (   )   ❷ (   )   ❸ (   )

2 글의 구조 다음 표의 빈칸을 채워 이 글의 내용을 정리해 보세요.

올바른 손 씻기

잘 씻어야 하는 까닭	올바르게 씻는 방법
• ❶ ☐ 이 질병을 옮길 수도 있음. • 손을 잘 씻으면 ❷ ☐☐ 을 예방할 수 있음. • 자주, 올바르게, 깨끗하게 씻어야 함.	• ❸ ☐☐ 를 사용하여 흐르는 물에 30초 이상 씻어야 함. • 손을 부분으로 나누어 순서대로 닦음.

❶ (   )   ❷ (   )   ❸ (   )

배경지식 그림으로 보는 올바른 손 씻기

① 손바닥을 마주 대고 문질러요.

② 손가락을 마주 잡고 문질러요.

③ 손등과 손바닥을 마주 대고 문질러요.

④ 엄지 손가락을 반대쪽 손바닥에 올려 문질러요.

⑤ 손깍지를 끼고 손바닥을 서로 문질러요.

⑥ 손가락 끝을 반대쪽 손바닥에 놓고 문질러요.

오늘의 어휘

다음 낱말의 알맞은 뜻을 찾아 선으로 이으세요.

악수 •   • 이 구석 저 구석, 구석(작은 부분)마다.

질병 •   • 몸과 마음이 건강하지 못하여 생기는 온갖 병.

예방 •   • 전체를 이루는 여러 작은 쪽이나 요소들의 하나.

부분 •   • 인사하는 뜻으로 서로 손을 내밀어 마주 잡는 것.

구석구석 •   • 병이나 사고 같은 것이 생기지 않도록 미리 막는 것.

1 다음 문장의 빈칸에 들어갈 알맞은 말을 **오늘의 어휘** 에서 찾아 쓰세요.

• 팔에 독감 ☐☐ 주사를 맞았다.

• 사과의 썩은 ☐☐ 을 잘라 냈다.

• 친구와 화해의 뜻으로 ☐☐ 를 했다.

• 청소는 ☐☐☐☐ 깨끗하게 해야 한다.

• 나는 커서 여러 가지 ☐☐ 을 치료하는 의사가 될 것이다.

2 다음 밑줄 친 말과 뜻이 반대인 말을 ( )에서 찾아 ○표 하세요.

선생님께서 책을 읽고 느낀 점을 쓰는 숙제를 내 주셨습니다. 숙제를 하기 위해 도서관에서 동화책을 빌렸습니다. 재미있게 보는데 책의 마지막 부분이 찢어져 있었습니다. 전체 이야기를 알 수 없게 되어서 아쉬웠습니다.

(부분, 전부)

KEY WORD

자전거 안전

글자 수

	573		
200	400	600	800

자전거를 안전하게 타요

1 두발자전거는 자동차, 오토바이와 같은 '차'에 **속해요**. 공원이나 운동장에서 재미를 위해 탈 수도 있지만, 차가 다니는 곳에서 타는 경우가 많지요. 교통사고가 날 위험이 있으므로 자전거를 탈 때에는 **안전**에 **주의**해야 해요.

2 자전거를 안전하게 타기 위해서는 **준비**가 필요해요. 우선 자전거가 내 몸에 맞는지 확인해야 해요. 몸에 맞지 않는 자전거는 넘어지기 쉬워서 위험하기 때문이지요. 자전거를 타고 발을 뻗었을 때 발이 땅에 닿는지 확인하세요. 손잡이를 잡았을 때 몸이 조금 앞으로 기울어야 나에게 맞는 자전거라는 것도 알아 두세요. 또한, 안전 **장비**를 **착용**해 위험에 대비해야 해요. 안전모, 팔꿈치 보호대, 무릎 보호대, 보호 장갑 등을 준비하세요.

3 준비를 마치면 안전한 장소에서 충분히 자전거 타기를 연습한 후에 길로 나가야 해요. 자전거를 탈 때는 한 손으로 운전하거나 물건을 들고 타면 안 돼요. 횡단보도를 건널 때는 자전거에서 내려서 자전거를 끌고 이동해야 하지요. 골목길에서 나갈 때는 반드시 멈춰서 **좌우**를 잘 살피고 움직여야 하고요. **내리막길**에서는 빠르게 가지 않도록 조심해야 해요.

5

10

15

- **속해요** 어떤 집단이나 범위 안에 들어요.
- **안전(安** 편안할 안, **全** 온전할 전) 아무 탈이 없고 위험이 없는 것.
- **주의** 정신을 차리고 조심하는 것.
- **준비** 앞으로 해야 할 일에 필요한 것을 미리 갖추는 것.
- **장비** 어떤 일을 하기 위해 지니거나 갖추어야 하는 물건.
- **착용** 옷이나 장신구 등을 입거나 몸에 지니는 것.
- **좌우(左** 왼쪽 좌, **右** 오른쪽 우) 왼쪽과 오른쪽.
- **내리막길** 높은 곳에서 낮은 곳으로 이어지는 비탈진 길.

지문 독해

핵심어

1 다음 빈칸에 알맞은 말을 넣어 이 글의 중심 내용을 완성하세요.

• ☐☐☐ 를 안전하게 타기 위해 지켜야 할 것들

내용 이해

2 이 글을 읽고 알 수 있는 내용을 모두 골라 ○표 하세요.

(1) 자전거를 탈 때 주의할 점 ( )

(2) 자전거를 안전하게 타야 하는 까닭 ( )

(3) 내 몸에 맞는 자전거를 확인하는 방법 ( )

(4) 골목길과 내리막길을 갈 때 알맞은 자전거의 빠르기 ( )

내용 이해

3 다음 중 자전거를 타기 전에 할 일이 <u>아닌</u> 것은 무엇인가요? ( )

① 안전모를 쓰고 보호 장갑을 낀다.

② 넓고 안전한 장소에서 충분히 연습한다.

③ 팔꿈치 보호대와 무릎 보호대를 착용한다.

④ 자전거에 앉아 발이 땅에 닿는지 확인한다.

⑤ 손잡이를 잡았을 때 몸이 조금 앞으로 기우는지 확인한다.

적용하기

4 자전거를 탈 때 주의할 점을 잘 지킨 친구는 누구인가요? ( )

① 의재는 내리막길에서 속도를 높였다.

② 동현이는 안전모가 답답해서 쓰지 않았다.

③ 찬희는 자전거를 탄 채로 횡단보도를 건넜다.

④ 지은이는 골목길을 돌기 전에 잠시 멈추고 주변을 살폈다.

⑤ 준서는 엄마가 주신 도시락 가방을 한 손에 들고 자전거를 탔다.

지문 분석

1 문단 요약

다음은 이 글에 나타난 각 문단의 중심 내용입니다. 알맞은 것에 ○표, 틀린 것에 ×표를 하세요.

1문단	안전에 주의해야 하는 자전거	( )
2문단	자전거를 타기 전에 사야 할 것	( )
3문단	자전거를 탈 때 주의할 점	( )

2 글의 구조

다음 표의 빈칸을 채워 이 글의 내용을 정리해 보세요.

안전하게 ❶☐☐☐ 타기

자전거를 타기 전에 할 일	**자전거를 탈 때 주의할 점**
• 내 몸에 맞는 자전거인지 확인해야 함. • ❷☐☐☐☐를 준비해야 함.	• 충분한 연습을 하고 타야 함. • 횡단보도, ❸☐☐ 길, 내리막길에서 주의해야 함.

❶( ) ❷( ) ❸( )

배경지식 자전거가 다닐 수 있는 길을 알아보아요

자동차와 자전거가 다니는 길이 구분된 경우

자전거와 걷는 사람이 다니는 길이 구분된 경우

자동차가 다니는 길에 자전거가 다닐 수 있는 길을 만든 경우

자전거만 다닐 수 있는 길

오늘의 어휘

다음 낱말의 알맞은 뜻을 찾아 선으로 이으세요.

안전	•	• 왼쪽과 오른쪽.
주의	•	• 정신을 차리고 조심하는 것.
장비	•	• 아무 탈이 없고 위험이 없는 것.
착용	•	• 옷이나 장신구 등을 입거나 몸에 지니는 것.
좌우	•	• 어떤 일을 하기 위해 지니거나 갖추어야 하는 물건.

1 다음 문장의 빈칸에 들어갈 알맞은 말을 오늘의 어휘 에서 찾아 쓰세요.

- 이곳은 ☐☐ 하니 걱정하지 마세요.

- 신호에 ☐☐ 하면서 길을 건너야 한다.

- 보호대를 ☐☐ 해야 다치지 않을 수 있다.

- 고기잡이배가 파도에 ☐☐ 로 크게 흔들린다.

- 부모님께 인라인스케이트 ☐☐ 를 선물받았다.

2 다음 밑줄 친 말과 뜻이 반대인 말을 ( )에서 찾아 ○표 하세요.

가족들과 공원에 소풍을 갔습니다. 초록색으로 칠해진 의자마다 '칠 주의'라는 표시가 붙어 있었습니다. 형과 나는 장난을 치다 의자에 주저앉고 말았습니다. 우리의 부주의로 바지에 온통 초록색 페인트가 묻었습니다.

(주의, 안전)

KEY WORD

화재 발생

글자 수

602

200 400 600 800

불이 나면 이렇게 해요

1 불은 생활을 편리하게 해 주지만 위험하기도 해요. 조그만 불씨라도 주위의 벽지나 커튼 등으로 **번지면** 집을 태우거나 사람을 다치게 하는 **화재**로 이어질 수 있기 때문이지요. 따라서 불을 사용할 때는 화재가 일어나지 않게 미리 조심해야 해요. 전기 제품을 사용한 후에는 **전원**을 끄고, **함부로** 초나 가스레인지를 켜지 않아야 하지요.

2 그럼에도 불구하고 불이 난다면 어떻게 해야 할까요? 불이 났을 때는 무섭다고 책상이나 침대 밑, 화장실에 숨으면 안 돼요. 혼자서 불을 끄려고 해도 안 되지요. 불이 나면 우선 "불이야!"라고 크게 소리를 쳐 주위에 알리고, 안전하게 **대피**해야 해요. 안전한 곳으로 대피한 후에 119에 **신고**해요. **무작정** 신고부터 하려다가 위험에 처할 수 있으므로 대피를 하는 것이 먼저예요.

3 대피할 때는 최대한 자세를 낮추고 수건이나 휴지 등을 물에 적셔 코와 입을 가리는 것이 좋아요. 숨을 쉬지 못하게 하는 나쁜 가스를 마시지 않기 위한 것이지요. 엘리베이터는 타면 안 돼요. 엘리베이터로 불길과 연기가 올라와 큰 **피해**를 당할 수 있고, 전기가 끊겨 갇힐 수 있기 때문이지요. 문 손잡이를 함부로 잡아서도 안 돼요. 뜨거운 손잡이에 손이 델 수 있기 때문이에요.

5

10

15

- **번지면** 차츰 넓은 범위로 옮아가면.
- **화재** 집이나 물건이 불에 타는 손해.
- **전원** 전기 도구에서 전기를 이어 주는 장치.
- **함부로** 생각 없이 마구, 되는대로.
- **대피** 위험이나 피해를 임시로 피하는 것.
- **신고** 어떤 사실을 알리는 것.
- **무작정** 앞으로 할 일에 대해서 계획한 것이 없이.
- **피해** 나쁜 영향이나 손해를 입는 것.

지문 독해

핵심어

1 다음 빈칸에 알맞은 말을 넣어 이 글의 중심 내용을 완성하세요.

• ☐☐ 가 일어났을 때 올바른 대처 방법

목적

2 글쓴이가 이 글을 쓴 까닭으로 알맞은 것에 ○표 하세요.

(1) 불이 나기 쉬운 상황을 자세히 설명하기 위해   (   )

(2) 불이 났을 때 소방관이 하는 일을 알려 주기 위해   (   )

(3) 불이 났을 때 해야 할 올바른 행동을 알려 주기 위해   (   )

내용 이해

3 이 글의 내용으로 알맞지 <u>않은</u> 것은 무엇인가요? (   )

① 불을 혼자서 끄려고 하면 안 된다.

② 불이 났을 때 숨어 있으면 안 된다.

③ 화재가 일어나기 전에 미리 조심해야 한다.

④ 불이 나면 가장 먼저 119에 신고부터 해야 한다.

⑤ 불이 나면 크게 소리를 질러 불이 났다고 알리고 대피해야 한다.

적용하기

4 학교에서 화재 경보가 울렸습니다. 바르게 행동한 친구는 누구인가요?

(   )

① 지웅: 소화기를 들고 불이 난 곳을 찾아갔어.

② 용준: 계단에 사람이 많아서 엘리베이터를 탔어.

③ 윤서: 확인하지 않고 문 손잡이를 잡아 문을 열었어.

④ 혜미: 손수건을 물에 적셔 코와 입을 가리고 움직였어.

⑤ 경재: 친구들이 대피할 때 교실에서 구조 대원을 기다렸어.

지문 분석

1 문단 요약 이 글에 나타난 각 문단의 중심 내용으로 알맞은 것을 찾아 선으로 이으세요.

1 문단 •   • 화재 예방의 필요성

2 문단 •   • 화재 대피 시 주의할 점

3 문단 •   • 화재 발생 시 대처 방법

2 글의 구조 다음 표의 빈칸을 채워 이 글의 내용을 정리해 보세요.

화재가 발생했을 때

대처 방법	주의할 점
• 숨거나 혼자 불을 끄려 하면 안 됨. • 안전하게 ❶ ☐☐ 한 후 119에 ❷ ☐☐ 함.	• 물수건으로 코와 입을 가림. • ❸ ☐☐☐☐☐ 는 타면 안 됨.

❶(   )   ❷(   )   ❸(   )

배경지식 **화재가 번지지 않게 막아 주는 기구들**

스프링클러
천장에서 물을 뿜어 불이 꺼지게 해 줍니다.

화재 감지기
연기를 감지하여 불이 난 것을 알려 줍니다.

소화기
작은 불을 쉽게 끌 수 있게 해 줍니다.

오늘의 어휘

다음 낱말의 알맞은 뜻을 찾아 선으로 이으세요.

전원 •

대피 •

신고 •

무작정 •

피해 •

• 어떤 사실을 알리는 것.

• 나쁜 영향이나 손해를 입는 것.

• 위험이나 피해를 임시로 피하는 것.

• 전기 도구에서 전기를 이어 주는 장치.

• 앞으로 할 일에 대해서 계획한 것이 없이.

1 다음 문장의 빈칸에 들어갈 알맞은 말을 오늘의 어휘 에서 찾아 쓰세요.

• 도둑이 들면 경찰에 [ ][ ]를 해야 한다.

• 비가 오지 않아서 농사에 [ ][ ]가 크다.

• 그는 계획도 없이 [ ][ ][ ] 여행을 떠났다.

• 산이 무너져서 마을 사람들이 안전한 곳으로 [ ][ ]했다.

• 게임을 하고 컴퓨터 [ ][ ]을 끄지 않아 엄마께 혼이 났다.

2 다음 밑줄 친 말과 뜻이 비슷한 말을 (   )에서 찾아 ○표 하세요.

> 학교를 마치고 집에 왔을 때 식탁 위에 빵이 있었습니다. 배가 고팠던 나는 그 빵을 무턱대고 먹었습니다. 엄마는 확인도 하지 않고 함부로 음식을 먹었다며 나를 나무라셨습니다. 사 놓은 지 오래되어 버리려던 빵이었기 때문입니다. 결국 그날 저녁 나는 배탈이 나고 말았습니다. 앞으로는 먹어도 괜찮은 음식인지 꼭 확인하고 먹어야겠다고 생각했습니다.

(무작정, 조심스럽게)

오늘의 어휘 찾아보기

동아출판 초등 무료 스마트러닝

동아출판 초등 **무료 스마트러닝**으로 쉽고 재미있게!

큐브 유형 2-1 동영상 강의

각종 경시대회에 출제되는 응용, 심화 문제를 통해 실력을 한 단계 높일 수 있습니다.

과목별·영역별 특화 강의

수학 개념 강의

국어 독해 지문 분석 강의

구구단 송

그림으로 이해하는 비주얼씽킹 강의

과학 실험 동영상 강의

과목별 문제 풀이 강의

서비스 제공 교재 큐브 | 백점 과학 | 빠작 초등 국어 | 초능력 | 초고필 | 하이탑 초등 과학

바른 독해의 **빠른**시**작**

정답과 해설

초등 국어

비문학 독해 1단계

1·2학년

동아출판

- **글의 종류** 설명하는 글
- **글의 특징** 인사말의 개념과 세계의 다양한 인사말을 설명하고 마음을 담은 인사의 필요성을 강조하는 글입니다.
- **글의 주제** 세계의 다양한 인사말

013쪽 지문 독해

1 인사말   **2** ④   **3** ⑤   **4** ③, ⑤

1 이 글은 세계의 다양한 인사말에 대해 설명하고 있습니다.

2 비주는 인사말이 아니라 인사법입니다.

3 ❶문단에서 상황에 따른 다양한 인사말의 예를 들고 있습니다.

[오답 풀이]
① ❶문단에서 우리는 매일 인사를 한다고 하였습니다.
② ❶문단에서 인사말은 상대에게 예의를 갖추어 하는 말이라고 하였습니다.
③ ❶문단에서 인사는 예의 바르게, 상황에 알맞게 해야 한다고 하였습니다.
④ ❷문단에서 세계의 다양한 인사말을 소개했습니다.

4 ❶문단에서 친구를 만나면 "안녕."이라고 인사한다고 하였고, ❷문단에서 미국 사람들은 "하이." 또는 "헬로."라고 인사한다고 하였습니다.

[오답 풀이]
① 잘 때 부모님께 하는 인사는 "안녕히 주무세요."입니다.
② ❶문단에서 축하할 일이 있을 때는 "축하해."라고 인사한다고 하였습니다.
④ 어른인 선생님께는 "안녕하세요?"라고 인사합니다.

[유형 분석/적용하기]
글에 나온 내용을 바탕으로 새로운 상황에 적용해 보는 문제입니다. 인사말을 사용하는 다양한 상황을 살펴보고, 그에 알맞은 인사말을 생각해 봅니다.

알쏭달쏭 맞춤법   잠시 쉬며 재미있게 익혀 보세요.

- 내가 더 잘할(걸, 껄).
  ➡ 가벼운 뉘우침이나 아쉬움을 나타내는 말.
- 내일 아침에 갈(게, 께).
  ➡ 어떤 행동에 대한 약속이나 의지를 나타내는 말.

[정답] 걸 / 게

014쪽 지문 분석

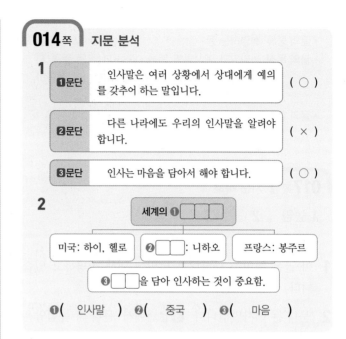

1
❶문단	인사말은 여러 상황에서 상대에게 예의를 갖추어 하는 말입니다.	(○)
❷문단	다른 나라에도 우리의 인사말을 알려야 합니다.	(×)
❸문단	인사는 마음을 담아서 해야 합니다.	(○)

2
세계의 ❶☐☐☐

미국: 하이, 헬로 | ❷☐☐: 니하오 | 프랑스: 봉주르

❸☐☐을 담아 인사하는 것이 중요함.

❶(인사말) ❷(중국) ❸(마음)

1 이 글의 ❶문단에서는 우리가 매일 다양한 인사를 하고 있음을 알리면서 인사말이 무엇인지 설명하고 있습니다. ❷문단에서는 세계의 다양한 인사말을 소개하고 있습니다. ❸문단에서는 마음을 담아 바르게 인사해야 하는 것이 중요함을 설명하고 있습니다.

2 이 글에 소개된 세계의 인사말을 정리해 봅니다. 세계의 인사말은 서로 다르지만, 마음을 담아 인사하는 것은 모두 같다고 했습니다.

015쪽 오늘의 어휘

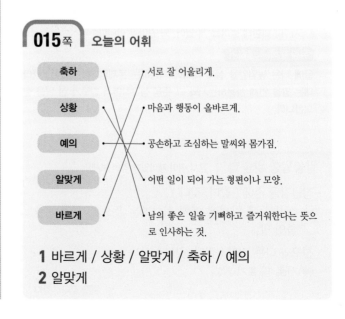

축하 • | • 서로 잘 어울리게.
상황 • | • 마음과 행동이 올바르게.
예의 • | • 공손하고 조심하는 말씨와 몸가짐.
알맞게 • | • 어떤 일이 되어 가는 형편이나 모양.
바르게 • | • 남의 좋은 일을 기뻐하고 즐거워한다는 뜻으로 인사하는 것.

1 바르게 / 상황 / 알맞게 / 축하 / 예의
2 알맞게

- **글의 종류** 설명하는 글
- **글의 특징** 높임말과 예사말의 뜻을 대조하고 같은 뜻을 지닌 예사말과 높임말 어휘들을 예를 들어 설명하는 글입니다.
- **글의 주제** 높임을 나타내는 말

017쪽 지문 독해

1 높임 **2** ③ **3** ① **4** ⑤

1 이 글은 높임을 나타내는 낱말에 대해 설명하고 있습니다.

2 '묻다'는 예사말입니다. **3**문단에서 '묻다'의 높임말은 '여쭈다'라고 하였습니다.

3 **2**문단에서 또래나 아랫사람에게는 예사말을 쓰고 웃어른께는 높임말을 써야 한다고 했습니다.

4 동생에게 하는 말이지만 선물은 할머니께 드리는 것입니다. 할머니는 웃어른이므로 '주다'의 높임말 '드리다'를 써야 합니다.

  오답 풀이
① 할머니께는 높임말을 씁니다. **2**문단에서 '밥'의 높임말은 '진지'라고 하였으므로 "할머니, 진지 드세요."가 알맞습니다.
② 선생님께는 높임말을 씁니다. **3**문단에서 '말'의 높임말은 '말씀'이라고 하였으므로 "빨리 말씀해 주세요."라고 해야 합니다.
③ 할아버지께는 높임말을 씁니다. **3**문단에서 '아프다'의 높임말은 '편찮다'라고 하였으므로, "할아버지, 많이 편찮으세요?"라고 해야 합니다.
④ 친구에게는 예사말을 씁니다. '여쭈다'는 높임말이므로 '묻다'를 써서 "나 너한테 물어볼 게 있어."와 같이 말합니다.

  유형 분석 / 적용하기
글에 나온 높임말을 실제 대화에 적용하는 문제입니다. 높임을 나타내는 말을 언제 사용하는지와 그 뜻을 생각하면서 친구가 한 말을 살펴봅니다.

알쏭달쏭 맞춤법 잠시 쉬며 재미있게 익혀 보세요.

- 장난감을 손에 (같다, **갖다**).
  ➡ 손이나 몸 따위에 있게 하다라는 뜻으로 '가지다'를 줄인 말.
- 친구와 나는 키가 (**같다**, 갖다).
  ➡ 서로 다르지 않다.

  정답 갖다 / 같다

018쪽 지문 분석

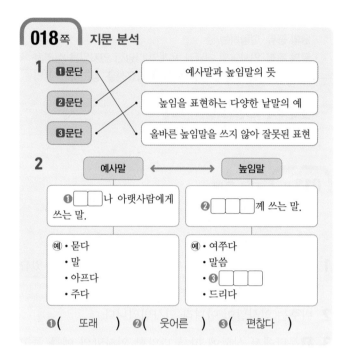

① (또래) ② (웃어른) ③ (편찮다)

1 이 글의 **1**문단에서는 웃어른께 높임말을 쓰지 않아 잘못된 문장의 예를 들고 있습니다. **2**문단에서는 높임말의 의미를 예사말과 대조해 설명하고 있습니다. 또한 **3**문단에서는 높임을 표현하는 다양한 낱말의 예를 같은 의미의 예사말들과 짝 지어 설명하고 있습니다.

2 이 글의 **2**, **3**문단의 내용을 잘 정리하여 빈칸에 들어갈 알맞은 낱말을 넣어 봅니다. 예사말은 또래나 아랫사람에게 쓰는 말이고, 높임말은 웃어른께 쓰는 말입니다. 예사말 예에 해당하는 높임을 나타내는 낱말을 글에서 찾아 써 봅니다.

019쪽 오늘의 어휘

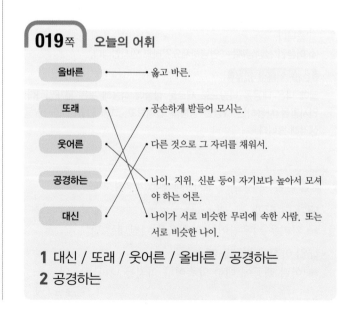

1 대신 / 또래 / 웃어른 / 올바른 / 공경하는
2 공경하는

• **글의 종류** 설명하는 글
• **글의 특징** 흉내 내는 말의 뜻과 종류, 흉내 내는 말을 쓰면 좋은 점을 설명하는 글입니다.
• **글의 주제** 흉내 내는 말의 개념과 장점

021쪽　지문 독해

1 ④　**2** ④　**3** (2) ○　**4** ⑤

1 이 글에 흉내 내는 말을 쓸 때 주의해야 할 점은 나와 있지 않습니다.

2 '폴짝폴짝'은 모양을 흉내 내는 말입니다. 나머지는 소리를 흉내 내는 말입니다.

3 ❷문단에서 흉내 내는 말을 쓰면 내용을 자세하게 표현할 수 있고, 느낌을 생생하게 표현할 수 있으며 더 재미있고 실감 난다고 하였습니다. ❶문단에서 흉내 내는 말은 사람이나 사물의 모양이나 소리를 나타내는 말이라고 하였습니다. 흉내는 따라 하는 것이므로 모르는 소리를 흉내 낼 수는 없습니다.

4 '쏙쏙'과 '쑥쑥'은 새싹이 피어나고 자라나는 모양을 흉내 내는 말, 즉 의태어입니다.

[오답 풀이]
① '살랑살랑'은 모양을 흉내 내는 말입니다.
② '둥둥'은 소리를 흉내 내는 말입니다.
③ '꽁꽁'은 모양을 흉내 내는 말입니다.
④ '방긋방긋'은 모양을 흉내 내는 말입니다.

[유형 분석 / 적용하기]
글에서 설명한 흉내 내는 말의 다른 예들을 보고 어떤 종류의 흉내 내는 말인지 알아보는 문제입니다. 문장에 쓰인 흉내 내는 말을 찾고 의성어인지 의태어인지 구분해 봅니다.

알쏭달쏭 맞춤법　잠시 쉬며 재미있게 익혀 보세요.

• 집에 갈 (거야, 꺼야).
➡ 미래에 대한 상상이나, 다짐을 나타낼 때 쓰는 '것이야'를 줄인 말.
• (구거, 국어) 공부를 해요.
➡ 우리나라 사람들이 쓰는 말.

[정답] 거야 / 국어

022쪽　지문 분석

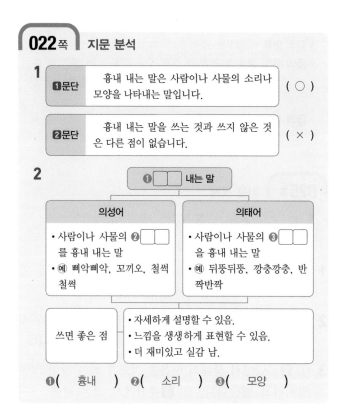

1 이 글의 ❶문단에서는 흉내 내는 말의 뜻과 종류를 알려 주고 있습니다. ❷문단에서는 흉내 내는 말을 쓰면 좋은 점에 대해 알려 주고 있습니다.

2 흉내 내는 말의 뜻과 종류, 흉내 내는 말을 쓰면 좋은 점을 생각하며 정리해 봅니다. 소리를 흉내 내는 말과 모양을 흉내 내는 말을 잘 활용하면 생생하고 재미있는 표현을 할 수 있습니다.

023쪽　오늘의 어휘

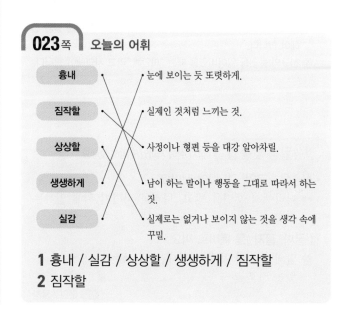

1 흉내 / 실감 / 상상할 / 생생하게 / 짐작할
2 짐작할

- **글의 종류** 주장하는 글
- **글의 특징** 고운 말의 뜻과 종류, 고운 말을 쓰면 좋은 점 등을 알려 주면서 고운 말을 쓰자고 주장하는 글입니다.
- **글의 주제** 고운 말을 쓰는 것의 중요성

025쪽 지문 독해

1 (2) ○ **2** ⑤ **3** ①, ③, ⑤ **4** ⑤

1 이 글은 고운 말의 뜻과 좋은 점을 알려 주며 고운 말을 써야 한다고 주장하는 글입니다.

2 상대에게 뛰지 말라고 말할 때는 "뛰지 말아 줄래?"처럼 상대방의 기분을 생각하며 부드럽게 말해야 합니다.

3 ① ①문단에서 상대의 마음을 기쁘게 하는 말이 고운 말이라고 했습니다. ③ ③문단에서 고운 말을 쓰면 기분 좋게 대화하고, 서로 사이가 더 좋아질 수 있다고 했습니다. ⑤ ①문단에서 복도에서 뛰는 친구에게 "다칠까 봐 걱정돼. 천천히 걸어 다녀."라는 고운 말을 쓸 수 있다고 하였습니다.

4 상대의 좋은 점을 칭찬하는 말은 고운 말입니다.

　　오답 풀이
　　① 물건을 빌릴 때는 당연하게 요구하는 것이 아니라 "색연필 좀 빌려도 될까?"와 같이 상대방의 기분을 생각하며 부탁하는 말을 해야 합니다.
　　② 친구가 간식을 나눠 줬을 때 할 수 있는 고운 말은 "고마워."입니다.
　　③ 친구가 넘어졌을 때나 잘못했을 때는 잘못을 지적하기보다는 "괜찮아? 안 다쳤어? 넘어져서 속상하겠다."처럼 위로하는 말을 먼저 해야 합니다.
　　④ 친구의 물건을 잃어버렸을 때는 "미안해."라고 사과해야 합니다.

알쏭달쏭 맞춤법 잠시 쉬며 재미있게 익혀 보세요.

- 삼촌은 (군인, 구닌)이 됐어요.
  ➡ 나라에서 훈련을 받고, 나라를 지키기 위해 일하는 사람.
- (글짜, 글자)를 똑바로 써요.
  ➡ 말의 소리나 뜻을 나타내는 데 쓰는, 눈으로 볼 수 있는 기호.

　　정답 군인 / 글자

026쪽 지문 분석

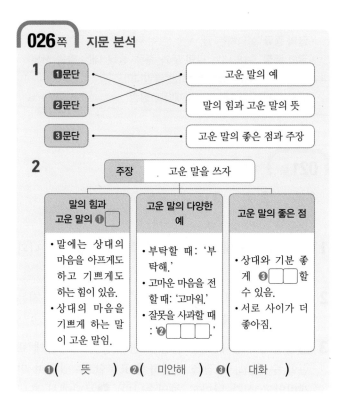

1 이 글의 ①문단에서는 말에 담긴 힘과 고운 말의 뜻에 대해 알려 주고 있습니다. ②문단에서는 고운 말의 예를 알려 주고 있습니다. ③문단에서는 고운 말의 좋은 점과 글쓴이의 주장을 제시하고 있습니다.

2 고운 말의 뜻과 예, 고운 말의 좋은 점을 정리해 봅니다. 이 글은 고운 말을 쓰자고 주장하는 글로, 말에는 힘이 있기 때문에 상대를 기분 좋게 하고 서로 사이가 좋아지게 만드는 고운 말을 쓰자는 내용을 담고 있습니다.

027쪽 오늘의 어휘

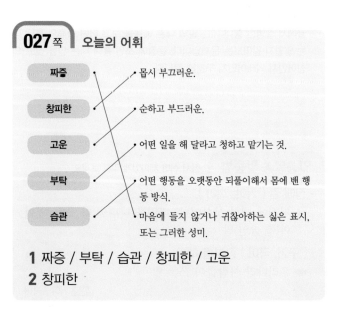

1 짜증 / 부탁 / 습관 / 창피한 / 고운
2 창피한

- **글의 종류** 설명하는 글
- **글의 특징** 띄어쓰기를 해야 하는 까닭과 중요한 띄어쓰기 규칙을 설명하고 있습니다.
- **글의 주제** 띄어쓰기를 해야 하는 까닭과 대표적인 띄어쓰기 규칙

029쪽 지문 독해

1 띄어쓰기 **2** (3) ○ (4) ○ **3** ④ **4** ⑤

1 이 글에서는 띄어쓰기를 해야 하는 까닭을 설명하고 띄어쓰기의 규칙을 소개하고 있습니다.

2 (3) ❶문단에서 전하고자 하는 뜻을 분명하게 하려면 알맞게 띄어쓰기를 해야 한다고 설명했습니다. (4) ❶문단에서 띄어쓰기를 바르게 해야 읽는 사람이 뜻을 분명하게 이해할 수 있다고 했습니다. (1), (2)는 이 글에 나오지 않은 내용입니다.

3 ❶문단에서 예문을 들어 같은 글자로 쓰인 문장이라도 띄어쓰기에 따라 뜻이 달라질 수 있다는 것을 보여 주었습니다.

4 ❷문단에서 낱말과 낱말은 띄어 쓰고, '은, 는, 이, 가, 을, 를, 의'는 앞말에 붙여 쓴다고 했습니다. 따라서 '학교'와 '운동장'은 띄어 쓰고 '운동장'과 '이'를 붙인 ⑤가 정답입니다.

오답 풀이

① ❷문단에서 수를 나타내는 말과 단위를 나타내는 말 사이는 띄어 써야 한다고 했으므로 '사탕∨한∨개'로 띄어 써야 합니다.

② ❷문단에서 마침표, 쉼표 뒤에 오는 말은 띄어 써야 한다고 했으므로 '안녕,∨반가워.'와 같이 띄어 써야 합니다.

③ ❷문단에서 낱말과 낱말 사이는 띄어 쓴다고 했으므로 '반짝반짝∨작은∨별'과 같이 띄어 써야 합니다.

④ ❷문단에서 '은, 는, 이, 가, 을, 를, 의' 같은 말은 붙여 쓴다고 했으므로 '나는∨학생입니다.'와 같이 띄어 써야 합니다.

알쏭달쏭 맞춤법 잠시 쉬며 재미있게 익혀 보세요.

- 등대는 바다의 (길잡이, 길자비)예요.
  ➡ 길을 인도해 주는 사람이나 사물.
- 손을 (깨끗히, 깨끗이) 씻어요.
  ➡ 사물이 더럽지 않게. 가지런히 잘 정돈되어 말끔하게.

정답 길잡이 / 깨끗이

030쪽 지문 분석

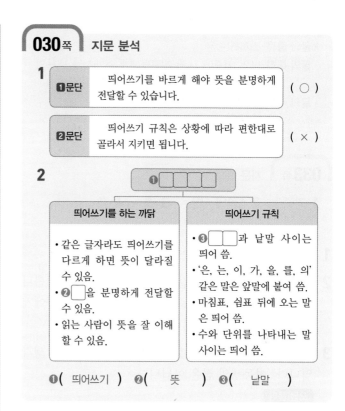

1

| ❶문단 | 띄어쓰기를 바르게 해야 뜻을 분명하게 전달할 수 있습니다. | (○) |
| ❷문단 | 띄어쓰기 규칙은 상황에 따라 편한대로 골라서 지키면 됩니다. | (×) |

2

띄어쓰기를 하는 까닭
- 같은 글자라도 띄어쓰기를 다르게 하면 뜻이 달라질 수 있음.
- ❷□을 분명하게 전달할 수 있음.
- 읽는 사람이 뜻을 잘 이해할 수 있음.

띄어쓰기 규칙
- ❸□□과 낱말 사이는 띄어 씀.
- '은, 는, 이, 가, 을, 를, 의' 같은 말은 앞말에 붙여 씀.
- 마침표, 쉼표 뒤에 오는 말은 띄어 씀.
- 수와 단위를 나타내는 말 사이는 띄어 씀.

❶(띄어쓰기) ❷(뜻) ❸(낱말)

1 이 글의 ❶문단에서는 띄어쓰기를 해야 하는 까닭에 대해 설명하고 있습니다. 띄어쓰기를 바르게 해야 뜻을 분명하게 전달할 수 있고, 읽는 사람이 이해를 잘할 수 있다고 했습니다. ❷문단에서는 꼭 지켜야 할 띄어쓰기 규칙에 관해 소개하고 있습니다. 띄어쓰기 규칙은 때에 따라 골라 지키는 것이 아니라 항상 꼭 지켜야 하는 규칙입니다.

2 이 글의 내용을 잘 정리하여 빈칸에 들어갈 알맞은 낱말을 넣어 봅니다.

031쪽 오늘의 어휘

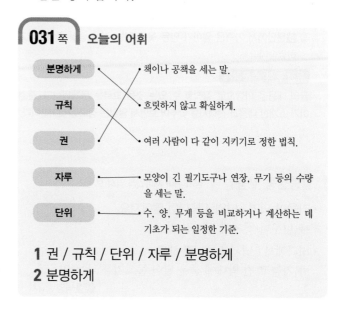

분명하게		책이나 공책을 세는 말.
규칙		흐릿하지 않고 확실하게.
권		여러 사람이 다 같이 지키기로 정한 법칙.
자루		모양이 긴 필기도구나 연장, 무기 등의 수량을 세는 말.
단위		수, 양, 무게 등을 비교하거나 계산하는 데 기초가 되는 일정한 기준.

1 권 / 규칙 / 단위 / 자루 / 분명하게
2 분명하게

- **글의 종류** 소개하는 글
- **글의 특징** 나의 가족에 대해 친구들에게 소개하는 내용의 글입니다.
- **글의 주제** 가족 구성원 소개

033쪽 ┃ 지문 독해

1 가족　**2** 1학년 1반　**3** ③　**4** ②

1 이 글은 가족을 소개하는 글입니다.

2 1문단에서 '여러분과 같은 1학년 1반이 되어 기쁩니다.'라고 하였습니다. 준겸이는 같은 반 친구들에게 가족을 소개하고 있습니다.

3 5문단에서 가수가 될 것 같다는 것은 준겸이의 생각입니다. 여동생의 꿈은 아닙니다.

　오답 풀이
① 2문단에서 아빠와 같은 경찰관이 되고 싶다고 하였습니다.
② 4문단에서 축구 선수라고 하였습니다.
④ 3문단에서 옷을 만드는 디자이너라고 하였습니다.
⑤ 2문단에서 경찰관이라고 하였습니다.

4 5문단에서 여동생은 준겸이와 달리 편식을 하지 않는다고 하였습니다. 그러므로 준겸이는 편식을 한다고 짐작할 수 있습니다.

　오답 풀이
① 1문단에서 형과 여동생이 있다고 하였으므로 둘째입니다.
③ 4문단에서 형은 준겸이보다 두 살 많다고 하였으므로 3학년입니다.
④ 5문단에서 여동생은 일곱 살이라고 하였습니다. 1학년인 준겸이가 8살이므로 한 살이 어립니다.
⑤ 3문단에서 가족은 엄마가 만든 옷을 입는 것을 정말 좋아한다고 하였습니다.

　유형 분석 / 추론하기
글의 내용을 바탕으로 짐작할 수 있는 것을 고르는 문제입니다. 준겸이가 소개한 내용과 선택지를 맞추어 보면서 알맞은 정보를 찾아봅니다.

알쏭달쏭 맞춤법　잠시 쉬며 재미있게 익혀 보세요.

- 가을이 되면 (**낙엽**, 나겹)이 떨어져요.
  ➡ 나무나 꽃에서 떨어진 잎.
- 바다에서 (낚시, **낙시**)를 해요.
  ➡ 가늘고 긴 막대에 줄을 달아 물고기를 낚는 일.

정답 낙엽 / 낚시

034쪽 ┃ 지문 분석

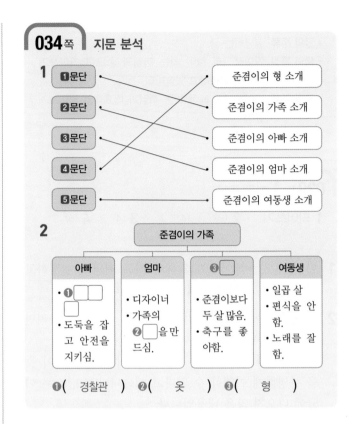

1 이 글의 1문단에서는 같은 반 친구들에게 자신을 소개한 뒤 가족을 소개하겠다고 했습니다. 2~5문단에서는 순서대로 아빠, 엄마, 형, 여동생을 한 명 한 명 소개하고 있습니다.

2 준겸이의 가족인 아빠, 엄마, 형, 여동생에 대한 내용을 정리합니다. 아빠, 엄마가 하시는 일, 형, 여동생의 나이와 좋아하는 것, 잘하는 것을 정리해 봅니다.

035쪽 ┃ 오늘의 어휘

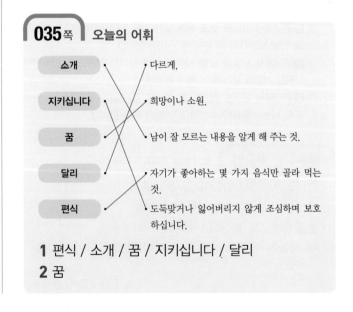

1 편식 / 소개 / 꿈 / 지키십니다 / 달리
2 꿈

- **글의 종류** 설명하는 글
- **글의 특징** 친구와 사이좋게 지내기 위해 가져야 할 태도와 다투었을 때 화해하는 방법을 설명하는 글입니다.
- **글의 주제** 친구를 배려하는 태도와 친구와 다투었을 때 화해하는 방법

037쪽 지문 독해

1 (2) ◯ (3) ◯ **2** ③ **3** ④ **4** ⑤

1 이 글은 친구와 다투었을 때 화해하는 방법과 사이좋게 지내기 위해 가져야 할 태도를 설명하는 글입니다. 친구와 다툴 때도 있다고 했지만 왜 다투게 되는지 그 까닭은 나와 있지 않습니다.

2 다툼은 친구가 서로 싸우는 것을 말합니다. 다툰 후에 화해하지 않으면 사이좋게 지낼 수 없습니다.

3 ❸문단에서 사과는 잘못한 것을 솔직하게 이야기하고 용서를 구하는 것이라고 했습니다. 사과는 자신의 잘못을 솔직하게 말하는 것이지 친구를 탓하는 것이 아닙니다.

4 ❷문단에서 친구를 배려하는 태도는 상대의 기분을 생각하고 상대의 말을 잘 들어 주는 것이라고 했습니다. 화가 난 친구에게 화난 이유를 묻고 이야기를 들어 주는 태도는 친구를 배려하는 태도입니다.

오답 풀이
① 친구가 싫어하는 별명은 부르지 말아야 합니다.
② 내 말만 하지 말고 상대의 말을 잘 들어 주는 것도 중요합니다.
③ 친구가 싫어하는 행동은 하지 않아야 합니다.
④ 친구의 기분을 생각하며 다정하게 말해야 합니다. 힘이 없어 보이는 친구에게 재미없다고 짜증을 내는 것은 배려하는 태도가 아닙니다.

알쏭달쏭 맞춤법 잠시 쉬며 재미있게 익혀 보세요.

- 벼의 (**낟알**, 낱알)
➡ 아직 껍질을 벗기지 않은 곡식의 알맹이.
- (**낮잠**, 낫잠)을 오랫동안 잤다.
➡ 낮에 자는 잠.

정답 낟알 / 낮잠

038쪽 지문 분석

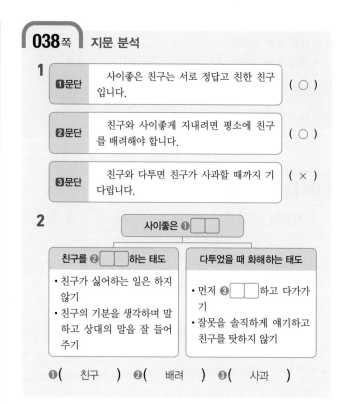

1 이 글의 ❶문단에서는 사이좋은 친구란 어떤 친구인지에 대해 이야기했습니다. ❷문단에서는 친구와 사이좋게 지내려면 평소에 친구를 배려해야 한다고 했습니다. ❸문단에서는 친구와 다투면 화해해야 한다고 했습니다.

2 이 글은 사이좋은 친구 사이에 지녀야 할 태도를 알려 주고 있습니다. 친구와 사이좋게 지내려면 배려하는 태도를 가져야 하고, 혹시 다투더라도 먼저 사과하고 화해해야 합니다.

039쪽 오늘의 어휘

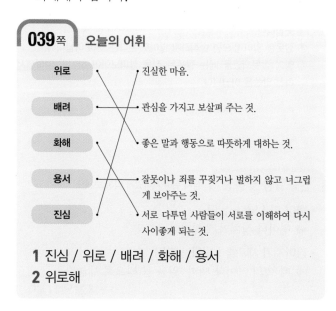

1 진심 / 위로 / 배려 / 화해 / 용서
2 위로해

- **글의 종류** 생활문
- **글의 특징** 엄마께 거짓말을 하고 혼이 난 경험을 통해, '거짓말을 하지 말자.'라는 교훈을 얻은 일을 쓴 글입니다.
- **글의 주제** 거짓말을 하지 말자.

041쪽　지문 독해

1 거짓말　**2** ②　**3** ⑩, ⓒ, ⓔ, ⑦, ⓛ　**4** ①

1 이 글은 거짓말을 하고 엄마께 혼이 난 후 거짓말을 하지 않겠다는 다짐을 쓴 글입니다.

〔유형 분석／핵심어〕
글에서 가장 중심이 되는 낱말을 찾는 문제입니다. 글에서 자주 나온 낱말을 찾아봅니다.

2 이 글은 거짓말을 하다 들켜서 혼이 났다는 내용으로, 즐거운 마음은 나타나 있지 않습니다.

3 엄마와 '나' 사이에 숙제를 마치고 게임을 하겠다는 약속이 이미 있었습니다. 그런데 그 약속을 어기고 게임만 하다가 숙제를 못 했고, '나'는 혼이 날까 두려워 엄마께 거짓말을 했습니다. 하지만 거짓말을 들켜 혼이 났고, '나'는 엄마의 말씀을 듣고 반성했습니다.

4 잘못을 솔직히 말하라는 것은 거짓말을 하지 말라는 뜻입니다.

〔오답 풀이〕
② 말을 잘한다고 해서 잘못이 없어지는 것은 아닙니다.
③ 마음속에 담긴 것을 말하라는 뜻이 아니라 사실을 숨기지 말라는 뜻입니다.
④ 잘못한 일이 없으면 솔직하지 않아도 된다는 뜻이 아닙니다.
⑤ 일이 잘못되었을 때는 잘못된 점을 살펴보아야 하지만 엄마께서 하신 말씀은 아닙니다.

〔알쏭달쏭 맞춤법〕　잠시 쉬며 재미있게 익혀 보세요.

- 병이 다 (**낫다**, 낳다).
  ➡ 병이나 상처가 고쳐지다.
- 강아지가 새끼를 (낳다, 낫다).
  ➡ 배 속의 아이나 새끼, 알을 몸 밖으로 내놓다.
  〔정답〕 낫다 / 낳다

042쪽　지문 분석

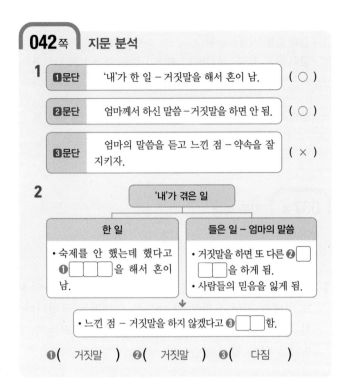

1
　1문단　'내'가 한 일 – 거짓말을 해서 혼이 남.　(○)
　2문단　엄마께서 하신 말씀 – 거짓말을 하면 안 됨.　(○)
　3문단　엄마의 말씀을 듣고 느낀 점 – 약속을 잘 지키자.　(×)

2
```
'내'가 겪은 일
├─ 한 일
│   • 숙제를 안 했는데 했다고 ❶□□□을 해서 혼이 남.
└─ 들은 일 – 엄마의 말씀
    • 거짓말을 하면 또 다른 ❷□□을 하게 됨.
    • 사람들의 믿음을 잃게 됨.
            ↓
• 느낀 점 – 거짓말을 하지 않겠다고 ❸□□함.
```
❶(거짓말)　❷(거짓말)　❸(다짐)

1 이 글은 생활문으로, 겪은 일과 그 일에 대한 생각이나 느낌이 나타납니다. **1**문단에서는 글쓴이가 거짓말을 해서 엄마께 혼이 난 일을 이야기하고 있습니다. **2**문단에는 거짓말을 해서는 안 된다는 엄마의 말씀이, **3**문단에는 엄마의 말씀을 듣고 '내'가 느낀 점이 나타나 있습니다.

2 '내'가 겪은 일인 거짓말을 해서 엄마께 혼이 난 일과 그 일을 통해 느낀 점을 정리해 봅니다.

043쪽　오늘의 어휘

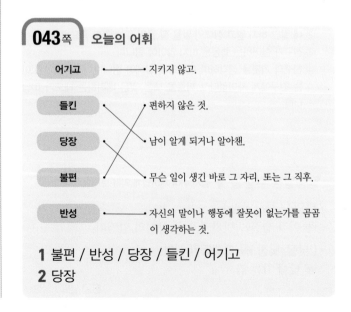

어기고	— 지키지 않고.
들킨	— 편하지 않은 것.
당장	— 남이 알게 되거나 알아챔.
불편	— 무슨 일이 생긴 바로 그 자리. 또는 그 직후.
반성	— 자신의 말이나 행동에 잘못이 없는가를 곰곰이 생각하는 것.

1 불편 / 반성 / 당장 / 들킨 / 어기고
2 당장

- **글의 종류** 생활문
- **글의 특징** 사람들이 더럽힌 자연의 모습을 보고 깨달은 점을 솔직하게 쓴 글입니다.
- **글의 주제** 자연을 소중히 하자.

045쪽 지문 독해

1 자연 **2** (1) ○ (2) ○ **3** ⑤ **4** ②

1 이 글은 가족과 저수지에 갔다가 자연을 소중히 대해야 한다고 느낀 점을 쓴 글입니다.

2 (1) ❸문단에 자연을 소중히 대해야 한다는 글쓴이의 생각이 드러나 있습니다. (2) ❷문단에서 더러워진 자연을 보고 글쓴이는 걱정되고 속이 상했습니다. (3) 저수지에서 본 물고기에 대한 감상은 드러나 있지 않습니다.

3 ❶문단에서 도시에서 멀어질수록 산과 들판이 보였다고 했습니다.

〔오답 풀이〕

① ❷문단에 저수지 물에도 음료수 병 등이 빠져 있다고 했습니다.
② ❶문단에서 저수지 근처 숲에 내려서 저수지로 걸어갔다고 했습니다.
③ ❶문단에 꽃, 나무, 새에 대한 이야기가 있습니다.
④ ❷문단에 쓰레기가 쌓인 곳에 벌레도 많이 있다고 했습니다.

4 쓰레기를 버리지 않고 집으로 가져온 것은 자연을 소중하게 대하는 바람직한 태도입니다.

〔오답 풀이〕

① 먹다 남은 음료수를 함부로 버리면 안 됩니다.
③ 나무와 같은 자연에 쓰레기를 버리면 안 됩니다.
④ 쓰레기를 아무 데나 버리면 안 됩니다.
⑤ 새를 다치게 하면 안 됩니다.

알쏭달쏭 맞춤법 잠시 쉬며 재미있게 익혀 보세요.

- 도윤이는 (넷째, 네째)로 태어났다.
  ➡ 순서가 네 번째가 되는 차례.
- 달팽이는 (늘리다, 느리다).
  ➡ 어떤 동작을 하는 데 걸리는 시간이 길다.

정답 넷째 / 느리다

046쪽 지문 분석

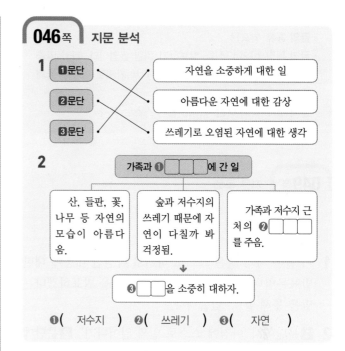

1 ❶문단 — 자연을 소중하게 대한 일
   ❷문단 — 아름다운 자연에 대한 감상
   ❸문단 — 쓰레기로 오염된 자연에 대한 생각

2 가족과 ❶□□□에 간 일

| 산, 들판, 꽃, 나무 등 자연의 모습이 아름다움. | 숲과 저수지의 쓰레기 때문에 자연이 다칠까 봐 걱정됨. | 가족과 저수지 근처의 ❷□□□를 주움. |

❸□□을 소중히 대하자.

❶(저수지) ❷(쓰레기) ❸(자연)

1 ❶문단에서는 가족과 낚시를 가면서 느낀 점과 숲에 도착해 느낀 아름다운 자연에 대한 감상이 나타납니다. ❷문단에는 저수지 근처에서 사람들이 버린 쓰레기로 더러워진 자연을 보고 속상해하는 마음이 표현되어 있습니다. ❸문단에는 저수지 근처의 쓰레기를 주우며 사람들이 자연을 소중하게 대했으면 좋겠다는 생각을 말하고 있습니다.

2 글쓴이가 가족과 저수지에 가서 한 일과 느낀 점을 순서대로 정리하고, 글쓴이의 생각이자 이 글의 주제를 정리합니다.

047쪽 오늘의 어휘

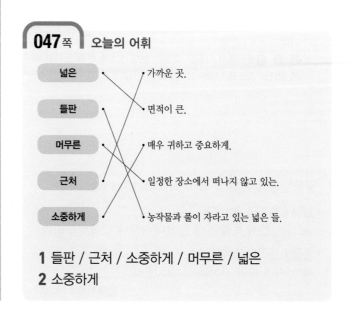

넓은 — 가까운 곳.
들판 — 면적이 큰.
머무른 — 매우 귀하고 중요하게.
근처 — 일정한 장소에서 떠나지 않고 있는.
소중하게 — 농작물과 풀이 자라고 있는 넓은 들.

1 들판 / 근처 / 소중하게 / 머무른 / 넓은
2 소중하게

- **글의 종류** 발표문
- **글의 특징** 나의 다짐을 발표하기 위한 글입니다. 자기 일을 <u>스스로 하기로 한 다짐</u>을 세 가지로 나누어 자세히 말하고 있습니다.
- **글의 주제** 나의 다짐 – 자기 일은 스스로 하자

049쪽 | 지문 독해

1 (2) ○   **2** ②, ③, ⑤   **3** ④   **4** ①

1 이 글은 자기 일은 스스로 하기로 다짐한 내용에 대한 발표문입니다. **1**문단에서 나의 다짐을 발표하겠다는 말을 통해 알 수 있습니다.

2 **1**문단에서 '아침에 스스로 일찍 일어나기', **2**문단에서 '준비물 스스로 챙기기', **3**문단에서 '스스로 정리하기'를 다짐하였습니다.

3 어지른 자리를 스스로 잘 치우는 것은 이번에 다짐한 일입니다. 평소에 글쓴이는 어지른 방을 치우지 않는 때가 많다고 하였습니다.

4 **2**문단에서 준비물을 챙기지 않으면 수업에 제대로 참여할 수 없다고 했습니다.

[오답 풀이]
② **1**문단에서 늦잠을 자는 까닭은 늦은 시간에 잠자리에 들기 때문이라고 했습니다.
③ **2**문단에서 준비물을 잘 챙기지 못하는 까닭으로 선생님 말씀을 잘 듣지 않아 준비물을 알지 못하는 때가 있다고 했습니다.
④ **3**문단에서 사용한 물건을 그대로 두고 치우지 않으면 다음에 물건이 필요할 때 찾지 못하고 물건을 잃어버리기도 한다고 했습니다.
⑤ **1**, **2**, **3**문단에서 다짐한 것들은 현재 스스로 하지 못하기 때문에 앞으로 스스로 하겠다고 다짐하는 것입니다.

알쏭달쏭 맞춤법 잠시 쉬며 재미있게 익혀 보세요.

- 양을 (**늘리다**, 늘이다).
➡ 다른 것이 더해져 더 많거나 크거나 길어지게 하다.
- 줄을 (늘리다, **늘이다**).
➡ 천이나 줄의 길이를 늘어나게 하다.

[정답] 늘리다 / 늘이다

050쪽 | 지문 분석

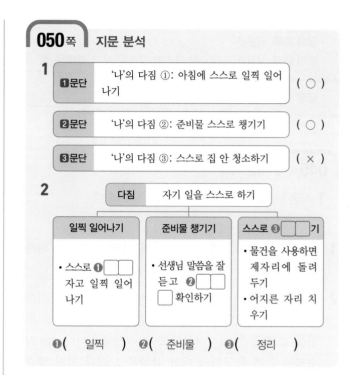

1
1문단	'나'의 다짐 ①: 아침에 스스로 일찍 일어나기	(○)
2문단	'나'의 다짐 ②: 준비물 스스로 챙기기	(○)
3문단	'나'의 다짐 ③: 스스로 집 안 청소하기	(×)

2

다짐 — 자기 일을 스스로 하기

일찍 일어나기	준비물 챙기기	스스로 **3**□□기
• 스스로 **1**□□ 자고 일찍 일어나기	• 선생님 말씀을 잘 듣고 **2**□□ □ 확인하기	• 물건을 사용하면 제자리에 돌려 두기 • 어지른 자리 치우기

1(일찍)   **2**(준비물)   **3**(정리)

1 이 글의 **1**문단에서는 스스로 일찍 일어날 것을 다짐하고 있습니다. **2**문단에서는 준비물을 스스로 챙기기로 다짐하고 있습니다. **3**문단에서는 스스로 정리하기를 다짐하고 있습니다. 그러나 자기가 사용한 물건이나 어지른 방을 정리한다는 것이지 집 안 전체의 청소에 관해서 이야기한 것은 아닙니다.

2 글쓴이가 다짐한 세 가지 내용인 '일찍 일어나기', '준비물 스스로 챙기기', '스스로 정리하기'를 중심으로 정리합니다.

051쪽 | 오늘의 어휘

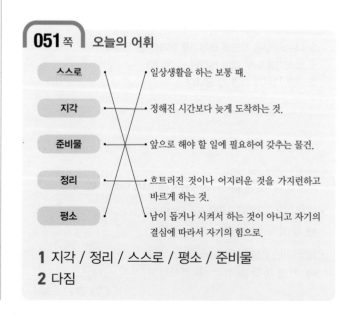

스스로	일상생활을 하는 보통 때.
지각	정해진 시간보다 늦게 도착하는 것.
준비물	앞으로 해야 할 일에 필요하여 갖추는 물건.
정리	흐트러진 것이나 어지러운 것을 가지런하고 바르게 하는 것.
평소	남이 돕거나 시켜서 하는 것이 아니고 자기의 결심에 따라서 자기의 힘으로.

1 지각 / 정리 / 스스로 / 평소 / 준비물
2 다짐

- **글의 종류** 기행문
- **글의 특징** 가족과 강화도로 여행을 가서 한 일과 느낀 점을 쓴 글입니다.
- **글의 주제** 강화도 가족 여행

053쪽 지문 독해

1 (3) ○ **2** (2) ○ (4) ○ **3** ⑤ **4** 지혜

1 이 글은 가족과 강화도로 여행을 다녀온 경험과 느낀 점을 쓴 기행문입니다. 기행문에는 여정과 견문, 감상이 나타나 있습니다.

2 (1) 여행지인 강화도에 어떤 방법으로 갔는지 교통수단은 나와 있지 않습니다.
(2) 강화도에서 간 곳이 차례로 나와 있습니다.
(3) 강화도에서 얼마나 머물렀는지 구체적인 시간은 나와 있지 않습니다.
(4) 방문한 각 장소에서 경험한 것과 느낀 점들이 나와 있습니다.

3 조개를 까 주시는 아빠께서 고생하셨다고 했지, 글쓴이가 고생스럽다고 느낀 것은 아닙니다.

[오답 풀이]
① **1**문단에서 평소 궁금했던 점을 알게 되어 기뻤다고 했습니다.
② **2**문단에서 실제로 본 고인돌이 신기했다고 했습니다.
③ **2**문단에서 노을을 보고 아름답다고 했습니다.
④ **1**문단에서 고인돌을 세우는 과정을 본뜬 모형이 흥미로웠다고 했습니다.

4 고인돌 공원은 강화 역사 박물관의 건너편에 있다고 했으므로 먼 거리가 아닙니다.

[유형 분석 / 적용하기]
글에서 얻은 정보를 바탕으로 여행 계획에 적용해 보는 문제입니다. 글에 나온 내용과 일치하는지 잘 확인하도록 합니다.

알쏭달쏭 맞춤법 잠시 쉬며 재미있게 익혀 보세요.

- 옷을 (다리다, 달이다).
  ➡ 구겨진 것을 펴다.
- 약을 (달이다, 다리다).
  ➡ 물에 넣고 끓여서 우러나오게 하다.

[정답] 다리다 / 달이다

054쪽 지문 분석

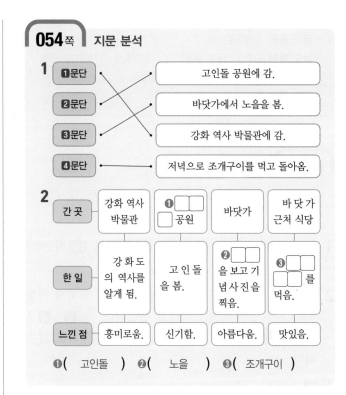

1
- **1**문단 — 고인돌 공원에 감.
- **2**문단 — 바닷가에서 노을을 봄.
- **3**문단 — 강화 역사 박물관에 감.
- **4**문단 — 저녁으로 조개구이를 먹고 돌아옴.

2

	간 곳	강화 역사 박물관	❶□□ 공원	바닷가	바닷가 근처 식당
	한 일	강화도의 역사를 알게 됨.	고인돌을 봄.	❷□□을 보고 기념사진을 찍음.	❸□□□를 먹음.
	느낀 점	흥미로움.	신기함.	아름다움.	맛있음.

❶(고인돌) ❷(노을) ❸(조개구이)

1 이 글의 **1**~**4**문단에는 각각 강화도에서 간 장소와 한 일이 드러나 있습니다. **1**문단에는 강화 역사 박물관에 간 내용이, **2**문단에는 고인돌 공원에 간 내용이, **3**문단에는 바닷가에서 노을을 본 내용이, **4**문단에는 조개구이를 먹은 내용이 나옵니다.

2 이 글은 기행문이므로 간 곳과 한 일, 느낀 점을 중심으로 빈칸에 들어갈 알맞은 낱말을 넣어 봅니다.

055쪽 오늘의 어휘

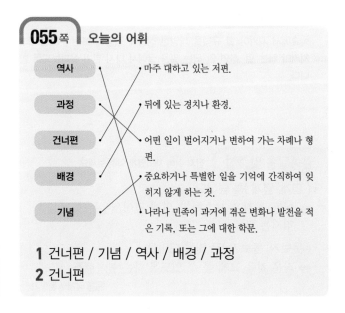

- 역사 — 마주 대하고 있는 저편.
- 과정 — 뒤에 있는 경치나 환경.
- 건너편 — 어떤 일이 벌어지거나 변하여 가는 차례나 형편.
- 배경 — 중요하거나 특별한 일을 기억에 간직하여 잊히지 않게 하는 것.
- 기념 — 나라나 민족이 과거에 겪은 변화나 발전을 적은 기록, 또는 그에 대한 학문.

1 건너편 / 기념 / 역사 / 배경 / 과정
2 건너편

- **글의 종류** 설명하는 글
- **글의 특징** 규칙의 뜻을 설명하고 학교에서 지켜야 할 규칙 세 가지를 소개하고 있습니다.
- **글의 주제** 학교에서 지켜야 할 규칙

057쪽 지문 독해

1 규칙 **2** (1) ○ (3) ○ **3** ③ **4** ④

1 이 글은 학교에서 지켜야 할 규칙에 대해 설명하는 글입니다.

2 (1) **1**문단에서 다툼을 막고 여러 사람이 편하게 생활하기 위해 규칙이 필요하다고 했습니다. (3) **2**~**4**문단에 걸쳐 학교에서 지켜야 할 규칙을 설명하고 있습니다.

3 **2**문단에서 학교에서 지켜야 할 규칙으로 수업 시간을 지켜야 한다고 했습니다. 규칙은 약속입니다.

4 **4**문단에서 학교의 물건은 소중히 아껴 써야 한다고 했으므로, 낡은 책상도 깨끗이 사용한 연미가 규칙을 잘 지켰습니다.

[오답 풀이]
① **2**문단에서 지각을 하면 안 된다고 했습니다.
② **3**문단에서 계단에서 뛰면 안 되고 한 칸씩 오르내려야 한다고 했습니다.
③ **3**문단에서 화장실은 차례를 지켜 사용해야 한다고 했습니다.
⑤ **2**문단에서 수업 시간에는 친구들과 떠들거나 딴짓을 하면 안 된다고 했습니다.

[유형 분석 / 적용하기]
학교에서 지켜야 할 규칙을 다양한 상황에 적용해 보는 문제입니다. 지켜야 하는 일, 하면 안 되는 일을 글에서 다시 한번 살펴보도록 합니다.

알쏭달쏭 맞춤법 잠시 쉬며 재미있게 익혀 보세요.

- (덥개, **덮개**)를 덮어요.
  ➡ 어떤 물건을 보호하기 위해 덮어씌우는 물건을 가리키는 말.
- (돗보기, **돋보기**)로 빛을 모아요.
  ➡ 작은 것을 크게 볼 수 있도록 하는 볼록렌즈.
  [정답] 덮개 / 돋보기

058쪽 지문 분석

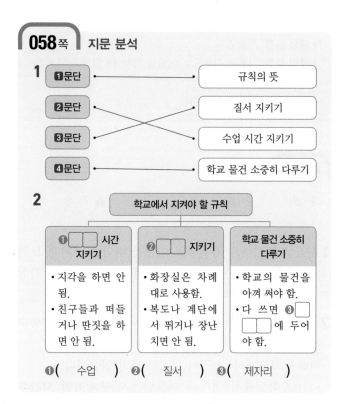

1 이 글의 **1**문단에서는 규칙의 뜻을 설명하고 있습니다. **2**문단에서는 학교에서 지켜야 할 규칙 중 수업 시간을 지켜야 한다는 규칙을 설명하고 있습니다. **3**문단에서는 질서를 지켜야 한다고 했습니다. **4**문단에서는 학교의 물건을 소중히 다루어야 한다고 했습니다. 규칙을 지키면 즐거운 학교생활을 할 수 있습니다.

2 학교에서 지켜야 할 규칙 세 가지를 정리합니다.

059쪽 오늘의 어휘

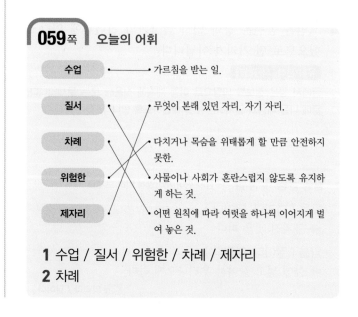

1 수업 / 질서 / 위험한 / 차례 / 제자리
2 차례

- **글의 종류** 설명하는 글
- **글의 특징** 사회가 발전하면서 직업이 다양해졌다는 것을 설명하는 글입니다.
- **글의 주제** 다양해지는 직업

061쪽 지문 독해

1 직업 **2** (1) ○ (3) ○ **3** ① **4** ⑤

1 이 글은 사회가 발전하면서 다양해지는 직업에 대해 설명하고 있습니다.

2 (1) **1**문단에서 직업을 통해 돈을 벌고 보람과 행복을 얻을 수 있다고 하였습니다. (3) **4**문단에서 여러 직업을 잘 알아보고, 하고 싶은 일과 잘하는 일을 생각해서 직업을 선택해야 한다고 했습니다.

3 **3**문단에서 기계가 등장하고 물건을 많이 만드는 공장이 세워져 공장에서 일하는 직업이 생겼다고 했습니다. 공장 자체는 직업이 아닙니다.

4 **2**~**4**문단에서 사회가 발전하면서 직업이 다양해졌다고 하였습니다. 이를 통해 미래에 과학이 발전하면 새로운 직업이 생길 수 있다고 짐작할 수 있습니다.

유형 분석 / 적용하기
글의 내용을 바탕으로 직업이 무엇인지, 직업이 어떻게 다양해졌는지 추론해 볼 수 있습니다. 글의 내용을 살펴보면서 답하도록 합니다.

오답 풀이
① **1**문단에서 직업을 통해 돈을 벌고 보람과 행복을 느낄 수 있다고 하였습니다.
② **2**문단에서 옛날에는 직업이 많지 않다고 했고 사는 곳의 환경에 따라 선택한다고 하였습니다.
③ **3**문단에 다른 사람을 도와주는 직업이 많아졌다고 하였습니다.
④ **1**문단에서 직업은 돈을 받고 일정 기간 계속하는 일이라고 하였습니다.

알쏭달쏭 맞춤법 잠시 쉬며 재미있게 익혀 보세요.

- (**돗자리**, 도짜리)를 펴고 앉아요.
  ➡ 풀의 줄기를 가늘게 쪼개서 만든 물건.
- (돗단배, **돛단배**)를 물에 띄워요.
  ➡ 바람이 부는 대로 움직일 수 있도록 넓은 천을 펼쳐서 매달아 놓은 배.

정답 돗자리 / 돛단배

062쪽 지문 분석

1

1문단	맨 처음 생긴 직업	(×)
2문단	직업이 다양하지 않았던 옛날	(○)
3문단	사회가 발전하며 다양해진 직업	(○)
4문단	미래 사회에 생길 직업	(×)

2
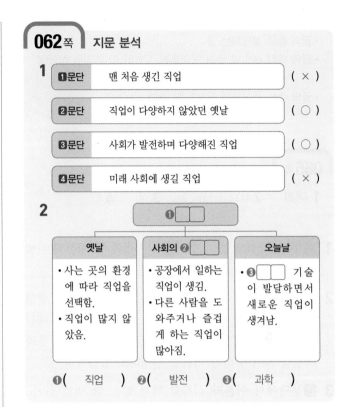

옛날	사회의 **❷**□□	오늘날
• 사는 곳의 환경에 따라 직업을 선택함. • 직업이 많지 않았음.	• 공장에서 일하는 직업이 생김. • 다른 사람을 도와주거나 즐겁게 하는 직업이 많아짐.	• **❸**□□ 기술이 발달하면서 새로운 직업이 생겨남.

❶(직업) **❷**(발전) **❸**(과학)

1 이 글의 **1**문단에서는 직업의 뜻을 설명하고 있습니다. **2**문단에서는 옛날에는 직업이 다양하지 않았음을 설명하고 있습니다. **3**문단에서는 사회가 발전하며 다양해진 직업을 설명하고 있습니다. **4**문단에서는 다양해진 직업을 잘 알아보고 직업을 선택해야 함을 알리고 있습니다.

2 사회의 발전에 따라 다양해진 직업의 변화를 정리합니다.

063쪽 오늘의 어휘

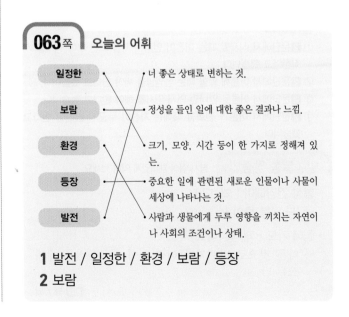

일정한	너 좋은 상태로 변하는 것.
보람	정성을 들인 일에 대한 좋은 결과나 느낌.
환경	크기, 모양, 시간 등이 한 가지로 정해져 있는.
등장	중요한 일에 관련된 새로운 인물이나 사물이 세상에 나타나는 것.
발전	사람과 생물에게 두루 영향을 끼치는 자연이나 사회의 조건이나 상태.

1 발전 / 일정한 / 환경 / 보람 / 등장
2 보람

- **글의 종류** 설명하는 글
- **글의 특징** 예절의 뜻과 웃어른께 지켜야 할 예절을 상황에 따라 설명하고 있습니다.
- **글의 주제** 웃어른께 지켜야 할 예절

065쪽 지문 독해

1 예절 **2** (1) ○ (3) ○ **3** ④ **4** ⑤

1 이 글은 예절의 뜻과 웃어른께 지켜야 할 예절에 관해 설명하고 있는 글입니다.

2 (1) **2**문단에서 웃어른께 지켜야 할 전화 예절을 설명하고 있습니다. (2) 친구 사이에 지켜야 할 식사 예절은 나와 있지 않습니다. (3) **1**문단에서 예절의 뜻과 예절을 지켜야 하는 까닭을 설명하고 있습니다.

3 **2**문단에서 어른과 식사할 때는 밥을 다 먹었더라도 어른이 일어나신 후에 자리에서 일어나는 것이 예절 바른 행동이라고 했습니다.

오답 풀이
① **2**문단에서 웃어른께는 높임말을 써야 한다고 했습니다.
② **1**문단에서 다양한 상황과 대상에 따른 예절이 있다고 했습니다.
③ **1**문단에서 예절은 사람 사이에 지켜야 하는 바르고 공손한 태도라고 했고, 서로 바르고 공손하게 대하면 다투지 않는다고 했습니다.
⑤ **2**문단에서 어른과 통화할 때는 어른이 전화를 끊으시면 그 후에 전화를 끊는 것이 좋다고 했습니다.

4 **2**문단에서 집에 오신 어른이 가실 때에는 같이 일어나서 배웅을 해 드려야 한다고 했습니다.

오답 풀이
① **2**문단에서 식사할 때는 어른이 먼저 수저를 드신 후에 식사를 시작한다고 했습니다.
② **2**문단에서 어른께 말할 때는 높임말을 써야 한다고 했습니다.
③ **2**문단에서 어른을 만나면 먼저 인사를 해야 한다고 했습니다.
④ **2**문단에서 어른과 전화할 때에는 자신이 누군지 밝혀야 한다고 했습니다.

알쏭달쏭 맞춤법 잠시 쉬며 재미있게 익혀 보세요.

- 항상 건강해야 (**돼**, 되).
  ➡ '되어'를 줄인 말.
- 집에 가도 (돼, **되**)나요?
  ➡ 다른 것으로 바뀌거나 어떤 일이 이루어졌을 때에 쓰는 말.

정답 돼 / 되

066쪽 지문 분석

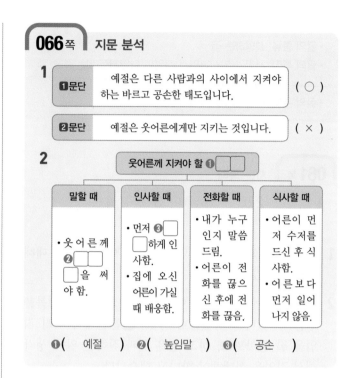

1 **2**문단에서는 예절 중에서도 웃어른께 지켜야 할 예절에 대해 설명하고 있습니다. 그러나 예절은 웃어른뿐 아니라 이웃 간, 친구 간 등 다양한 관계에서 지켜야 할 약속입니다.

2 상황별로 웃어른께 지켜야 할 예절을 정리하여 봅니다. 말할 때는 높임말을 쓰고, 웃어른께는 먼저 인사하는 것이 좋습니다. 전화할 때는 예의 바르게 말하고 어른이 전화를 먼저 끊으신 다음 전화를 끊습니다. 밥을 먹을 때도 어른이 먼저 수저를 드신 후 식사하고, 식사를 마쳤다고 해서 먼저 일어나지 않도록 주의합니다.

067쪽 오늘의 어휘

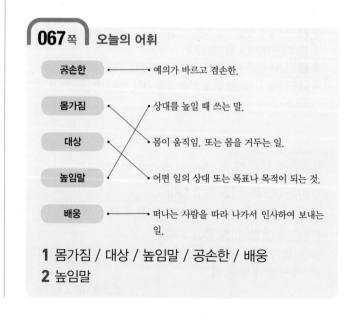

1 몸가짐 / 대상 / 높임말 / 공손한 / 배웅
2 높임말

- **글의 종류** 설명하는 글
- **글의 특징** 한복의 장점, 여자 한복과 남자 한복의 특징을 설명하는 글입니다.
- **글의 주제:** 한복의 장점과 특징

069쪽 **지문 독해**

1 한복 **2** ③ **3** ② **4** ③

1 이 글은 우리나라 고유의 옷인 한복에 대해 설명하는 글입니다.

2 **2**문단과 **3**문단에서 남자와 여자 모두 상의로 저고리를 입는다는 것을 알 수 있습니다. **4**문단에서 외출복은 공통으로 두루마기를 입는다고 했습니다.

[오답 풀이]

① **1**문단에서 한복은 옷의 품이 넉넉하여 활동하기 편하다고 하였습니다.

② **1**문단에서 한복은 다양한 색의 조화가 멋스럽다고 하였습니다.

④ **1**문단에서 곧은 선과 둥근 선이 잘 어울려져 선이 아름다운 옷이라고 하였습니다.

⑤ **3**문단에서 남자 한복은 여자 한복보다 모양과 색이 단순한 편이라고 하였습니다.

3 **3**문단에서 대님은 남자들의 바지 끝자락에 매는 끈이라고 하였습니다.

4 **3**문단에서 바지가 흘러내리지 않도록 허리에 띠를 한다고 했습니다.

[오답 풀이]

① **3**문단에서 바지 끝자락은 대님으로 맨다고 했습니다.

② **2**문단에서 여자 한복은 저고리와 치마로 구성되며 저고리는 짧고 치마는 길고 풍성하다고 했습니다.

④ **2**문단에서 속바지, 속치마, 속적삼을 속옷으로 갖춰 입는다고 했습니다.

⑤ **4**문단에서 외출할 때는 두루마기를 입는다고 했습니다.

알쏭달쏭 맞춤법 잠시 쉬며 재미있게 익혀 보세요.

- (둘째, 두째) 일요일에 만나자.
  ➡ 순서가 두 번째가 되는 차례.

- 네가 (맏아들, 마다들)이니?
  ➡ 아들 중 맨 먼저 낳은 아들.

정답 둘째 / 맏아들

070쪽 **지문 분석**

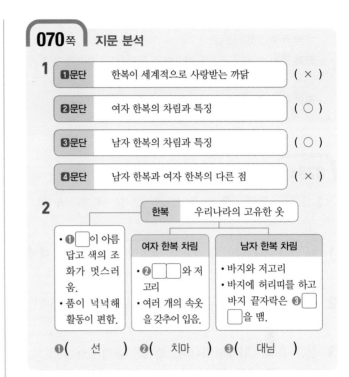

1

1문단	한복이 세계적으로 사랑받는 까닭	(×)
2문단	여자 한복의 차림과 특징	(○)
3문단	남자 한복의 차림과 특징	(○)
4문단	남자 한복과 여자 한복의 다른 점	(×)

2

한복 — 우리나라의 고유한 옷

- **❶**☐이 아름답고 색의 조화가 멋스러움.
- 품이 넉넉해 활동이 편함.

여자 한복 차림
- **❷**☐☐와 저고리
- 여러 개의 속옷을 갖추어 입음.

남자 한복 차림
- 바지와 저고리
- 바지에 허리띠를 하고 바지 끝자락은 **❸**☐☐을 맴.

❶(선) ❷(치마) ❸(대님)

1 이 글의 **1**문단에서는 한복의 장점을 설명하고 있으나 세계적으로 사랑받는다는 내용은 나오지 않았습니다. **2**문단과 **3**문단에서는 각각 여자 한복과 남자 한복의 차림과 특징을, **4**문단에서는 남자 한복과 여자 한복의 공통점을 알려 주고 있습니다.

2 한복의 장점과 여자 한복, 남자 한복의 차림을 정리합니다.

071쪽 **오늘의 어휘**

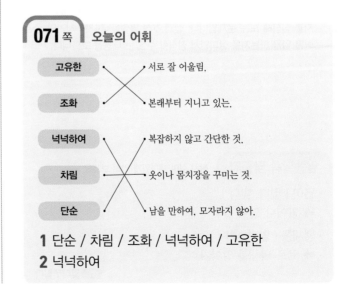

고유한 — 본래부터 지니고 있는.
조화 — 서로 잘 어울림.
넉넉하여 — 남을 만하여, 모자라지 않아.
차림 — 옷이나 몸치장을 꾸미는 것.
단순 — 복잡하지 않고 간단한 것.

1 단순 / 차림 / 조화 / 넉넉하여 / 고유한
2 넉넉하여

- **글의 종류** 설명하는 글
- **글의 특징** 명절의 의미를 설명하고 우리나라의 대표적 명절인 설과 추석을 소개하는 글입니다.
- **글의 주제** 우리나라의 대표적인 명절인 설과 추석

073쪽 지문 독해

1 (3) ○ **2** ④ **3** (1) 추 (2) 추 (3) 설 (4) 추 **4** ⑤

1 이 글은 우리나라의 대표적 명절인 설과 추석에 대해 소개하는 글입니다.

2 세배는 웃어른께 드리는 새해 첫 인사로, 설에만 세배를 합니다.

3 설은 음력 1월 1일입니다. 추석은 음력 8월 15일로, 그해 새로 거두어들인 햅쌀로 송편을 빚고, 보름달이 뜨는 날이므로 달맞이를 합니다.

4 **2**문단에서 설에는 친척들이 모여 한 해 동안 잘되기를 바라는 마음으로 서로 덕담을 나눈다고 했습니다.

오답 풀이
① **2**문단에서 설에 떡국을 먹는다고 하였습니다.
② **2**문단에서 세배는 설에 웃어른께 드리는 새해 첫 인사라고 하였습니다.
③ **3**문단에서 추석에 보름달에 소원을 비는 달맞이를 한다고 하였습니다.
④ **3**문단에서 추석에 새로 거두어들인 햅쌀로 송편을 만들어 먹는다고 하였습니다.

유형 분석 / 적용하기
글에 나오는 설과 추석에 대한 정보를 바탕으로 제시된 내용이 맞는지를 짐작해 보는 문제입니다. 설과 추석 명절을 지내는 시기와, 주로 어떤 일을 하는지를 살피면서 짐작할 수 있는 내용을 고릅니다.

알쏭달쏭 맞춤법 잠시 쉬며 재미있게 익혀 보세요.

- 답이 (맏다, **맞다**).
  ➡ 말이나 답이 틀리지 않다.
- 냄새를 (**맡다**, 맞다).
  ➡ 코로 냄새를 알아차리다.

정답 맞다 / 맡다

074쪽 지문 분석

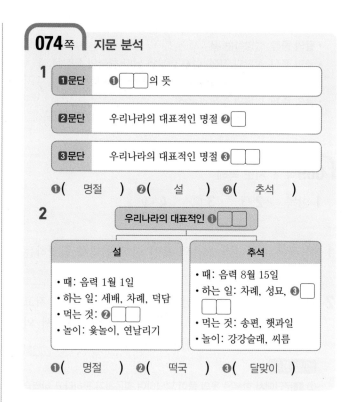

1
1문단 **❶**□□의 뜻
2문단 우리나라의 대표적인 명절 **❷**□
3문단 우리나라의 대표적인 명절 **❸**□□

❶(명절) **❷**(설) **❸**(추석)

2
우리나라의 대표적인 **❶**□□

설	추석
• 때: 음력 1월 1일	• 때: 음력 8월 15일
• 하는 일: 세배, 차례, 덕담	• 하는 일: 차례, 성묘, **❸**□□
• 먹는 것: **❷**□□	• 먹는 것: 송편, 햇과일
• 놀이: 윷놀이, 연날리기	• 놀이: 강강술래, 씨름

❶(명절) **❷**(떡국) **❸**(달맞이)

1 이 글의 **1**문단에서는 명절의 뜻을 설명하였습니다. **2**문단에서는 우리나라의 대표적인 명절 설에 대해, **3**문단에서는 우리나라의 대표적인 명절 추석에 대해 설명하고 있습니다.

2 우리나라의 대표적인 명절인 설과 추석에 하는 일들을 잘 정리하여 씁니다. 음력 1월 1일인 설에는 세배를 하고 떡국을 먹습니다. 음력 8월 15일인 추석에는 새로 거두어들인 곡식으로 송편을 만들어 먹고, 보름달을 보며 소원을 빕니다.

075쪽 오늘의 어휘

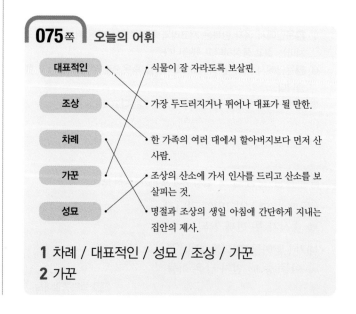

대표적인 — 식물이 잘 자라도록 보살핌.

조상 — 가장 두드러지거나 뛰어나 대표가 될 만한.

차례 — 한 가족의 여러 대에서 할아버지보다 먼저 산 사람.

가꾼 — 조상의 산소에 가서 인사를 드리고 산소를 보살피는 것.

성묘 — 명절과 조상의 생일 아침에 간단하게 지내는 집안의 제사.

1 차례 / 대표적인 / 성묘 / 조상 / 가꾼
2 가꾼

- **글의 종류** 설명하는 글
- **글의 특징** 우리나라 전통 놀이의 의미를 설명하고 대표적인 전통 놀이인 줄다리기를 소개하는 글입니다.
- **글의 주제** 전통 놀이의 의미와 대표적인 전통 놀이 줄다리기

077쪽 지문 독해

1 줄다리기, 전통 놀이 **2** (1) ○ (3) ○ **3** ①
4 ⑤

1 이 글은 전통 놀이의 뜻과 의미를 알려 주고 대표적 전통 놀이인 줄다리기를 소개하고 있습니다.

2 (1) **1**문단에서 전통 놀이의 뜻을 설명하고 있습니다. (2) 줄다리기의 규칙은 설명하지 않았습니다. (3) **1**문단에서 전통 놀이에 담긴 마음을 설명하고 있습니다. (4) 줄을 만드는 방법은 나와 있지 않습니다.

3 이 글에 서로 경쟁하는 마음은 나오지 않았습니다. 승부를 겨루기는 하지만 승부보다는 재미와 즐거움, 협동심과 마을을 사랑하는 마음, 농사가 잘되기를 바라는 마음 등이 전통 놀이에 담긴 마음입니다.

4 전통 놀이에서 조상들의 생활 모습을 엿볼 수 있다고 했습니다. 농사가 잘되길 바라는 마음을 담은 놀이를 마을 전체가 즐긴다는 것에서 조상들이 농사를 무척 중요하게 생각했음을 알 수 있습니다.

오답 풀이

① **2**문단에서 마을 사람 모두가 매달릴 줄을 만든다고 했습니다. 이를 통해 마을 사람 전체가 참여하는 놀이임을 알 수 있습니다.
② **1**문단에서 전통 놀이는 옛날부터 전해 내려오는 놀이라고 했습니다.
③ 오늘날에는 마을 전체가 줄을 만들고 함께 참여하는 줄다리기 같은 것을 보는 힘듭니다. 시대가 변하면서 놀이의 모습도 변화했습니다.
④ **2**문단에서 줄다리기는 두 편으로 나뉘어 줄을 마주 잡아당겨 승부를 겨룬다고 하였습니다.

알쏭달쏭 맞춤법   잠시 쉬며 재미있게 익혀 보세요.

- 줄을 (매다, 메다).
  ➡ 끈이나 줄을 걸어서 풀어지지 않게 잡아 묶다.
- 가방을 (매다, 메다).
  ➡ 어깨나 등에 물건을 걸치거나 올려놓다.

정답 매다 / 메다

078쪽 지문 분석

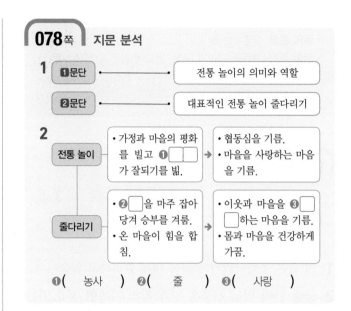

1
  1문단 ── 전통 놀이의 의미와 역할
  2문단 ── 대표적인 전통 놀이 줄다리기

2
전통 놀이
- 가정과 마을의 평화를 빌고 **1**◻◻가 잘되기를 빎.
→
- 협동심을 기름.
- 마을을 사랑하는 마음을 기름.

줄다리기
- **2**◻을 마주 잡아당겨 승부를 겨룸.
- 온 마을이 힘을 합침.
→
- 이웃과 마을을 **3**◻◻하는 마음을 기름.
- 몸과 마음을 건강하게 가꿈.

1 (농사)   **2** (줄)   **3** (사랑)

1 이 글의 **1**문단에서는 전통 놀이의 의미와 역할을 설명하고 있습니다. **2**문단에서는 조상들의 생활 모습과 지혜를 엿볼 수 있는 대표적인 전통 놀이인 줄다리기를 소개하고 있습니다.

2 이 글에 나온 전통 놀이의 의미와 줄다리기에 대한 중요한 내용을 정리합니다. 옛날에 전통 놀이는 가정과 마을의 평화를 빌고 농사가 잘되기를 바라는 마음을 담아 했습니다. 사람들은 전통 놀이를 통해 마을을 사랑하는 마음을 길렀습니다.

079쪽 오늘의 어휘

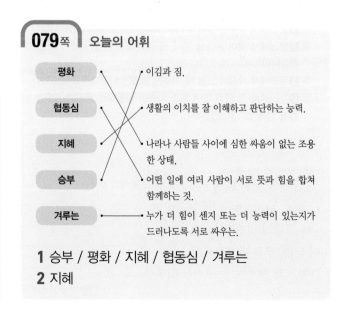

평화 ── 이김과 짐.

협동심 ── 생활의 이치를 잘 이해하고 판단하는 능력.

지혜 ── 나라나 사람들 사이에 심한 싸움이 없는 조용한 상태.

승부 ── 어떤 일에 여러 사람이 서로 뜻과 힘을 합쳐 함께하는 것.

겨루는 ── 누가 더 힘이 센지 또는 더 능력이 있는지가 드러나도록 서로 싸우는.

1 승부 / 평화 / 지혜 / 협동심 / 겨루는
2 지혜

- **글의 종류** 설명하는 글
- **글의 특징** 궁궐의 의미와 구성, 용도에 따른 종류를 설명하는 글입니다.
- **글의 주제** 우리나라의 궁궐

081쪽 　지문 독해

1 궁궐　**2** (1) ㉠, ㉡, ㉢　(2) ㉣, ㉤, ㉥　**3** ⑤
4 ④

1 이 글은 우리나라의 궁궐에 대해 설명하고 있습니다.

2 궁궐 안에 있는 건물은 왕과 왕의 가족이 잠을 자는 곳, 식사하는 곳, 휴식하는 곳과 같은 생활 공간과 중요한 일에 대해 의견을 나누는 곳, 큰 행사가 열리거나 손님을 맞이하는 곳 같은 나라를 다스리는 일을 하는 공간이 있다고 하였습니다.

3 ❸문단에서 궁궐은 용도에 따라 법궁, 이궁, 행궁으로 나뉜다고 하였습니다.

　　오답 풀이

① ❸문단에서 궁궐은 여러 개라고 했습니다.
② ❷문단에서 궁궐 안에는 많은 건물이 있다고 했습니다.
③ ❷문단에서 궁궐 안에는 신하들이 일하고 학문을 위해 모이는 곳이 있다고 했습니다.
④ ❷문단에서 다른 나라 손님을 맞이하는 곳이 있다고 했습니다.

4 ❷문단에서 법궁은 평상시에 왕이 머무는 나라의 중심 궁궐이라고 했습니다.

　　오답 풀이

① ❶문단에서 궁궐은 왕과 왕의 가족이 사는 곳이라고 했습니다.
② ❸문단에서 왕이 서울을 떠나 먼 지역에 가면 행궁에서 머문다고 했습니다.
③ ❸문단에서 사정이 있을 때 머무는 궁궐은 이궁이라고 했습니다.
⑤ ❷문단에서 한 궁궐 안에 왕과 가족이 생활하는 공간과 일하는 공간이 함께 있다고 했습니다.

알쏭달쏭 맞춤법 　잠시 쉬며 재미있게 익혀 보세요.

- (며칠, 몇일) 만에 만나는 거니?
  ➡ 그달의 몇째 되는 날. 몇 날.

- (무릅, 무릎)을 굽혀요.
  ➡ 앉을 때 다리가 접히는 앞부분.

　　정답 며칠 / 무릎

082쪽 　지문 분석

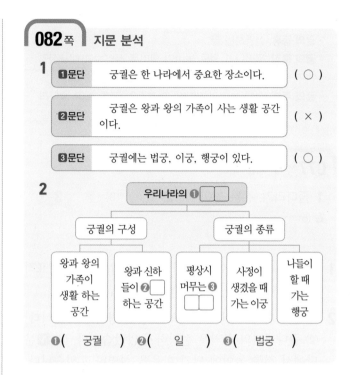

1

❶문단 │ 궁궐은 한 나라에서 중요한 장소이다. (○)

❷문단 │ 궁궐은 왕과 왕의 가족이 사는 생활 공간이다. (×)

❸문단 │ 궁궐에는 법궁, 이궁, 행궁이 있다. (○)

2

우리나라의 ❶□□

├ 궁궐의 구성
│　├ 왕과 왕의 가족이 생활하는 공간
│　└ 왕과 신하 들이 ❷□ 하는 공간
└ 궁궐의 종류
　├ 평상시 머무는 ❸□□
　├ 사정이 생겼을 때 가는 이궁
　└ 나들이 할 때 가는 행궁

❶(궁궐)　❷(일)　❸(법궁)

1 ❶문단에서는 궁궐의 의미를 설명하고 있습니다. ❷문단에서는 궁궐이 왕과 왕의 가족이 사는 생활 공간이자 왕이 나라를 돌보는 곳이라고 했습니다. 단순히 생활 공간이라고만 정리하면 안 됩니다. ❸문단에서는 궁궐을 용도에 따라 법궁, 이궁, 행궁으로 나누어 설명하고 있습니다.

2 이 글에 나온 궁궐의 구성과 종류를 정리해 봅니다. 궁궐에는 생활 공간과 일하는 공간이 나뉘어 있습니다. 궁궐은 용도에 따라 법궁, 이궁, 행궁으로 나뉩니다.

083쪽 　오늘의 어휘

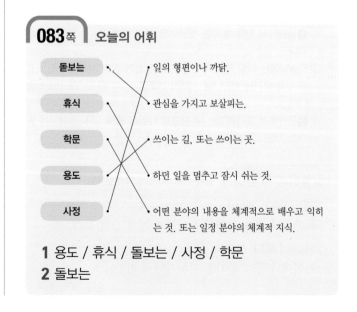

돌보는 ── 관심을 가지고 보살피는.
휴식 ── 하던 일을 멈추고 잠시 쉬는 것.
학문 ── 어떤 분야의 내용을 체계적으로 배우고 익히는 것. 또는 일정 분야의 체계적 지식.
용도 ── 쓰이는 길. 또는 쓰이는 곳.
사정 ── 일의 형편이나 까닭.

1 용도 / 휴식 / 돌보는 / 사정 / 학문
2 돌보는

- **글의 종류** 주장하는 글
- **글의 특징** 돈을 발행하는 비용을 줄이려면 돈을 깨끗하게 오래 사용해야 한다고 주장하는 글입니다.
- **글의 주제** 돈을 깨끗하게 오래 사용하자.

087쪽 지문 독해

1 (1) ○ **2** ③ **3** ② **4** ④

1 이 글은 돈을 만드는 비용의 낭비를 막기 위해 돈을 깨끗이 오래 쓰자고 주장하는 글입니다.

2 우리나라 돈의 종류가 무엇인지는 나와 있지 않습니다.

오답 풀이
① 1문단에서 돈을 쓰는 여러 상황이 나타나 있습니다.
② 1문단에서 돈은 중앙은행에서 만든다고 했습니다.
④ 3문단에서 돈을 깨끗이 쓰는 방법을 알려 주고 있습니다.
⑤ 2문단에서 돈을 만드는 비용을 절약하기 위해 돈을 오래 써야 한다고 했습니다.

3 2문단에서 돈을 만드는 데도 돈이 들고, 돈을 자주 새로 만들면 나라가 손해를 본다고 했습니다. 그러므로 돈을 많이 만든다고 해서 좋은 것은 아닙니다.

오답 풀이
① 1문단에서 물건을 살 때 돈을 쓴다고 했습니다.
③ 1문단에서 중앙은행이 돈을 만든다고 했습니다.
④ 2문단에서 돈을 자주 새로 만들면 나라에 손해가 된다고 했습니다. 따라서 돈을 깨끗하게 오래 써서 돈을 만드는 비용을 줄이면 나라에 도움이 됩니다.
⑤ 1문단에서 낡아 쓸 수 없는 돈은 중앙은행에 들어가 버려진다고 했습니다.

4 3문단에서 돈을 깨끗이 쓰기 위해 지갑에 넣어서 다니면 좋다고 했습니다.

알쏭달쏭 맞춤법 잠시 쉬며 재미있게 익혀 보세요.

- (박, 밖)으로 나가자.
  ➡ 안쪽이 아닌 장소나 방향.

- (밥솟, 밥솥)에 밥을 해요.
  ➡ 밥을 짓는 데 쓰는 솥.

정답 밖 / 밥솥

088쪽 지문 분석

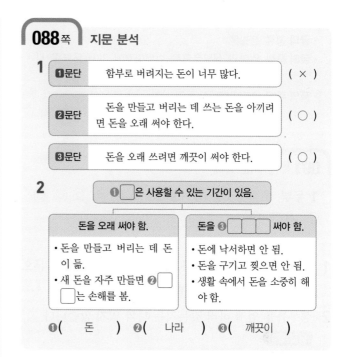

1
1문단	함부로 버려지는 돈이 너무 많다.	(×)
2문단	돈을 만들고 버리는 데 쓰는 돈을 아끼려면 돈을 오래 써야 한다.	(○)
3문단	돈을 오래 쓰려면 깨끗이 써야 한다.	(○)

2

❶□은 사용할 수 있는 기간이 있음.

돈을 오래 써야 함.	돈을 ❸□□□ 써야 함.
• 돈을 만들고 버리는 데 돈이 듦.	• 돈에 낙서하면 안 됨.
• 새 돈을 자주 만들면 ❷□□는 손해를 봄.	• 돈을 구기고 찢으면 안 됨.
	• 생활 속에서 돈을 소중히 해야 함.

❶(돈) ❷(나라) ❸(깨끗이)

1 이 글의 1문단에서는 돈의 쓰임새와 중앙은행의 역할에 대해 말하고 있습니다. 2문단에서는 돈을 만들고 버리는 데도 돈이 들기 때문에 돈을 오래 써야 한다고 했습니다. 3문단에서는 돈을 오래 쓰기 위해 깨끗이 써야 한다고 했습니다.

2 돈은 사용할 수 있는 기간이 있고, 새 돈을 만들거나 헌 돈을 버리는 데 돈이 들기 때문에 돈을 되도록 오래 쓸 수 있게 깨끗이 써야 한다는 내용을 정리합니다.

089쪽 오늘의 어휘

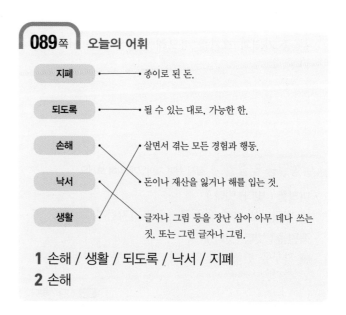

지폐	종이로 된 돈.
되도록	될 수 있는 대로, 가능한 한.
손해	살면서 겪는 모든 경험과 행동.
낙서	돈이나 재산을 잃거나 해를 입는 것.
생활	글자나 그림 등을 장난 삼아 아무 데나 쓰는 짓. 또는 그런 글자나 그림.

1 손해 / 생활 / 되도록 / 낙서 / 지폐
2 손해

- **글의 종류** 생활문
- **글의 특징** 엄마의 심부름으로 슈퍼마켓에 가서 두부를 사 오는 과정을 쓴 글입니다.
- **글의 주제** 슈퍼마켓에서 물건 사기

091쪽 　지문 독해

1 두부, 초콜릿 　**2** ① 　**3** ② 　**4** (1) ㉠ (2) ㉢ (3) ㉡ (4) ㉠

1 글쓴이는 엄마의 심부름으로 두부를 사고, 남은 돈으로 먹고 싶은 초콜릿을 골랐습니다.

2 심부름을 언제 하러 갔는지는 나와 있지 않습니다.

　오답 풀이
② **1**문단에서 먹고 싶은 것을 사라고 하셔서 신나는 마음이었다고 했습니다.
③ **1**문단에서 세 가지 두부를 비교하는 부분을 보면 알 수 있습니다.
④ **1**문단에서 무엇을 사야 할지 몰라 점원 아주머니께 여쭈어보았다고 했습니다.
⑤ **1**문단에서 엄마께서 잘했다고 칭찬해 주셔서 기분이 좋았다고 했습니다.

3 엄마가 오천 원을 주셨는데, 두부가 삼천 원, 초콜릿이 천오백 원이어서 거스름돈으로 오백 원을 받았습니다. 과자가 얼마인지는 나오지 않았습니다.

4 (1) 두부를 고를 때 점원 아주머니께 질문을 했습니다. (2) 간식을 고를 때 내가 더 좋아하는 초콜릿을 골랐습니다. (3) 간식을 고를 때 남은 돈으로 둘 다 가질 수 없어 선택을 했습니다. (4) 두부를 고를 때 세 가지 두부 중 가격과 크기를 비교해 알맞은 것을 선택했습니다.

알쏭달쏭 맞춤법 　잠시 쉬며 재미있게 익혀 보세요.

- 머리를 (빗다, 빚다).
  ➡ 머리털을 빗과 같은 물건으로 가지런히 고르다.
- 송편을 (빗다, 빚다).
  ➡ 가루를 반죽하여 떡이나 도자기 등을 다듬어서 만들다.

　정답 빗다 / 빚다

092쪽 　지문 분석

1

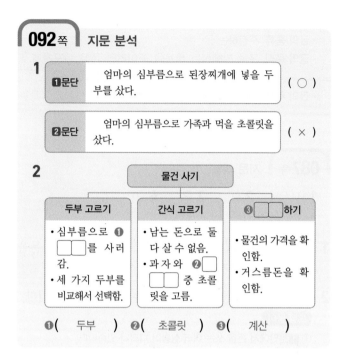

| **1**문단 | 엄마의 심부름으로 된장찌개에 넣을 두부를 샀다. | (○) |
| **2**문단 | 엄마의 심부름으로 가족과 먹을 초콜릿을 샀다. | (×) |

2

물건 사기

두부 고르기	간식 고르기	❸　　하기
• 심부름으로 ❶ □□를 사러 감. • 세 가지 두부를 비교해서 선택함.	• 남는 돈으로 둘 다 살 수 없음. • 과자와 ❷ □□ 중 초콜릿을 고름.	• 물건의 가격을 확인함. • 거스름돈을 확인함.

❶(두부) 　❷(초콜릿) 　❸(계산)

1 이 글의 **1**문단에서는 엄마의 심부름으로 두부를 사러 간 일을 쓰고 있습니다. **2**문단에는 두부를 고르고 남은 돈으로 내가 먹을 간식인 초콜릿을 산 일이 나옵니다.

2 슈퍼마켓에 가서 두부를 고르고 간식으로 초콜릿을 고른 후 가격을 확인하여 계산하고 집에 온 과정을 정리합니다.

093쪽 　오늘의 어휘

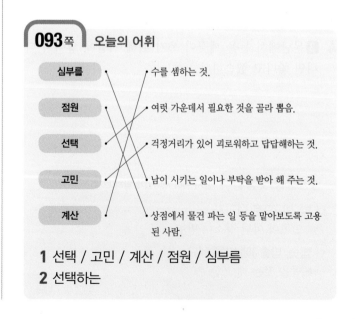

- 심부름 — 남이 시키는 일이나 부탁을 받아 해 주는 것.
- 점원 — 상점에서 물건 파는 일 등을 맡아보도록 고용된 사람.
- 선택 — 여럿 가운데서 필요한 것을 골라 뽑음.
- 고민 — 걱정거리가 있어 괴로워하고 답답해하는 것.
- 계산 — 수를 셈하는 것.

1 선택 / 고민 / 계산 / 점원 / 심부름
2 선택하는

- **글의 종류** 설명하는 글
- **글의 특징** 저금과 이자의 뜻과 저금을 하면 좋은 점(저금을 해야 하는 까닭)을 설명하는 글입니다.
- **글의 주제** 저금의 뜻과 장점

095쪽 　지문 독해

1 저금　**2** (3) ×　**3** ③　**4** 이자

1 이 글에서는 저금의 뜻과 저금을 하면 좋은 점을 설명하고 있습니다.

2 (1) **❶**문단에서 저금과 이자의 뜻을 설명하고 있습니다. (2) **❷**문단에서 저금을 하면 좋은 점을 알려 주고 있습니다. (3) 저금할 때 주의할 점은 나와 있지 않습니다.

3 우리가 은행에 저금을 하면, 은행이 그 돈을 돈이 필요한 회사에 빌려줍니다.

　[오답 풀이]

① **❷**문단에서 저금을 하면 하고 싶은 일을 할 수 있고 사고 싶은 물건을 살 수 있다고 했습니다.
② **❷**문단에서 저금을 하면 돈을 함부로 쓰지 않게 된다고 했습니다.
④ **❷**문단에서 저금을 하면 큰돈이 필요할 때를 준비할 수 있어 어려움을 겪지 않을 수 있다고 했습니다.
⑤ **❷**문단에서 사람들이 저금을 하면 은행이 돈이 필요한 회사들에 돈을 빌려주어 결국 나라 전체의 형편이 좋아질 수 있다고 했습니다.

4 우리가 은행에 돈을 저금하면, 찾을 때는 저금한 돈과 이자를 함께 받습니다.

　[유형 분석 / 적용하기]

글에 나온 내용을 실제 사례에 적용해 보는 문제입니다. 저금을 하면 저금한 돈과 이자를 같이 돌려받는다는 내용을 확인하며 답을 씁니다.

알쏭달쏭 맞춤법　잠시 쉬며 재미있게 익혀 보세요.

- 물이 (세다, 새다).
  ➡ 틈이나 구멍으로 기체나 액체가 빠져나가거나 흘러나오거나 들어오다.
- 곧은 힘이 (새다, 세다).
  ➡ 힘이 보통보다 강하다.

　[정답] 새다 / 세다

096쪽 　지문 분석

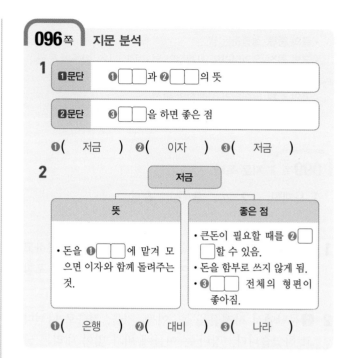

1
　❶문단　**❶**[　]과 **❷**[　]의 뜻
　❷문단　**❸**[　]을 하면 좋은 점

　❶(저금)　**❷**(이자)　**❸**(저금)

2
　저금
　| 뜻 | 좋은 점 |
　- 돈을 **❶**[　]에 맡겨 모으면 이자와 함께 돌려주는 것.
　- 큰돈이 필요할 때를 **❷**[　]할 수 있음.
　- 돈을 함부로 쓰지 않게 됨.
　- **❸**[　] 전체의 형편이 좋아짐.

　❶(은행)　**❷**(대비)　**❸**(나라)

1 이 글의 **❶**문단에서는 저금과 이자의 뜻을 알려 주고 있습니다. **❷**문단에서는 저금을 하면 좋은 점을 알려 주고 있습니다.

2 저금의 뜻과 저금을 하면 좋은 점을 정리합니다. 저금은 돈을 은행에 맡기면 나중에 이자와 함께 돌려주는 것입니다. 저금을 하면 큰돈이 필요한 때를 대비할 수 있고, 돈을 함부로 쓰지 않게 됩니다. 또한 나라 경제도 좋아져서 여러모로 좋은 점이 많습니다.

097쪽 　오늘의 어휘

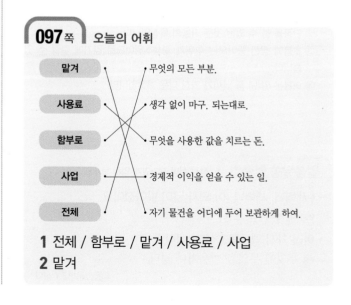

맡겨 ・　　　・ 무엇의 모든 부분.
사용료 ・　　　・ 생각 없이 마구. 되는대로.
함부로 ・　　　・ 무엇을 사용한 값을 치르는 돈.
사업 ・　　　・ 경제적 이익을 얻을 수 있는 일.
전체 ・　　　・ 자기 물건을 어디에 두어 보관하게 하여.

1 전체 / 함부로 / 맡겨 / 사용료 / 사업
2 맡겨

• 글의 종류 설명하는 글
• 글의 특징 우리나라의 사계절인 봄, 여름, 가을, 겨울의 특징
　　　　　에 대하여 설명하는 글입니다.
• 글의 주제 우리나라 사계절의 특징

099 쪽　지문 독해

1 사계절　**2** ②　**3** ③　**4** ⑤

1 이 글은 우리나라 사계절의 특징에 대하여 설명하고
있습니다. 따라서 봄, 여름, 가을, 겨울을 모두 포함
하는 '사계절'이 이 글의 핵심 낱말입니다.

2 **1**문단에서 사계절은 봄, 여름, 가을, 겨울로 나뉜다
고 하였습니다. '장마'는 여름에 비가 많이 내리는 날
씨 현상입니다.

3 **2**문단에서 봄은 겨울이 지나 날씨가 따뜻해지는 계
절이라고 설명하였습니다.

　[오답 풀이]
① **1**문단에서 계절은 일 년을 기후 변화에 따라 구분한 것이라고 하
　였습니다.
② **1**문단에서 우리나라의 사계절은 특징이 뚜렷하다고 하였습니다.
④ **2**문단에서 꽃샘추위는 봄에 오는 추위라고 하였습니다.
⑤ **4**문단에서 단풍은 가을의 특징임을 알 수 있습니다.

4 비가 많이 오는 것은 여름의 특징입니다. **5**문단에서
겨울에는 비가 적게 내린다고 하였으므로 겨울은 습
도가 낮고 건조한 날씨임을 알 수 있습니다.

　[오답 풀이]
① 겨울에는 눈이 내리므로 눈싸움을 할 수 있습니다.
② 단풍을 볼 수 있는 것은 가을의 특징입니다.
③ 초봄에 삼산 돌아오는 추위가 꽃샘추이이므로 감기에 걸릴 수 있
　습니다.
④ 여름은 일 년 중 날씨가 가장 더운 계절입니다.

알쏭달쏭 맞춤법　잠시 쉬며 재미있게 익혀 보세요.

• (새벽녘, 새벽녁)이 되자 날이 밝아졌어요.
　➡ 새벽이 될 즈음.

• 여러 가지 액체를 (섞다, 석다).
　➡ 무엇에 무엇을 끼우거나 넣다.

　　　　　　　　　　[정답] 새벽녘 / 섞다

100 쪽　지문 분석

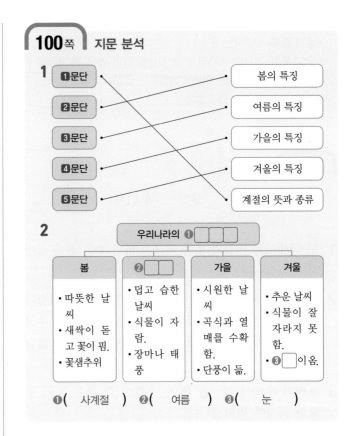

1 이 글의 **1**문단에서는 계절의 뜻과 종류를 설명하고
있습니다. 사계절의 특징은 **2**~**5**문단에 걸쳐 설명
하고 있습니다.

2 사계절의 특징을 각각 설명한 **2**~**5**문단의 내용을
잘 정리하여 빈칸에 들어갈 알맞은 낱말을 써넣어 봅
니다.

101 쪽　오늘의 어휘

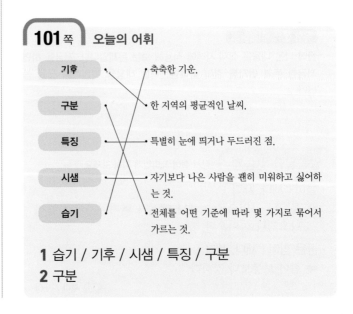

1 습기 / 기후 / 시샘 / 특징 / 구분
2 구분

- **글의 종류** 설명하는 글
- **글의 특징** 물질의 세 가지 상태인 기체, 액체, 고체에 대해 설명하는 글입니다.
- **글의 주제** 물질의 세 가지 상태

103쪽 지문 독해

1 물질 **2** ③ **3** ② **4** ⑤

1 이 글은 물질의 세 가지 상태인 기체, 액체, 고체에 대해 설명하고 있습니다.

2 ❸문단에서 액체는 만질 수 있다고 하였습니다. ❹문단에서 고체는 눈으로 볼 수 있고 손으로 잡을 수 있다고 하였습니다. 잡을 수 있다는 것은 만질 수도 있다는 뜻입니다. 그러므로 고체, 액체 모두 만질 수 있습니다.

3 공기는 기체입니다. 물, 우유, 주스, 식초는 액체입니다.

4 풍선 속의 공기는 눈에 보이지 않지만 풍선에 따라 다른 모양으로 부풀어 그 안에 담깁니다. 이는 기체의 특징입니다.

오답 풀이

① 젤리는 손에 잡히는 고체입니다.
② 초콜릿의 상태는 입에서 녹기 전 원래의 상태에서 판단해야 합니다. 손에 잡히는 초콜릿은 고체입니다.
③ 축구공은 고체입니다.
④ 사과는 고체지만 사과를 갈아 만든 주스는 액체입니다.

유형 분석 / 적용하기

글의 내용을 생활 속 물체에 적용해 보는 문제입니다. 기체, 액체, 고체의 특징을 생각하면서 문제에 나오는 물체가 무엇에 해당하는지 생각합니다.

알쏭달쏭 맞춤법 잠시 쉬며 재미있게 익혀 보세요.

- (새탁기, 세탁기)가 고장났어요.
  ➡ 빨래를 할 때 쓰는 기계.
- 아빠는 (셋째, 세째)예요.
  ➡ 순서가 세 번째가 되는 차례.

  정답 세탁기 / 셋째

104쪽 지문 분석

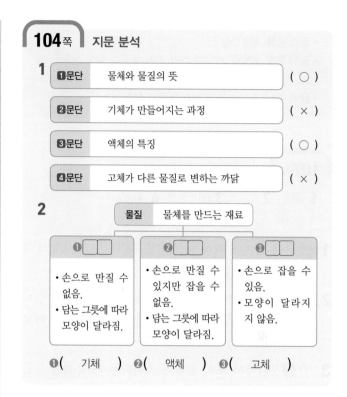

1

❶문단	물체와 물질의 뜻	(○)
❷문단	기체가 만들어지는 과정	(×)
❸문단	액체의 특징	(○)
❹문단	고체가 다른 물질로 변하는 까닭	(×)

2

물질 | 물체를 만드는 재료

❶
- 손으로 만질 수 없음.
- 담는 그릇에 따라 모양이 달라짐.

❷
- 손으로 만질 수 있지만 잡을 수 없음.
- 담는 그릇에 따라 모양이 달라짐.

❸
- 손으로 잡을 수 있음.
- 모양이 달라지지 않음.

❶(기체) ❷(액체) ❸(고체)

1 이 글의 ❷문단에서는 기체의 특징을, ❹문단에서는 고체의 특징을 설명하고 있습니다.

2 글에 나온 기체, 액체, 고체의 특징을 정리해 봅니다. 기체는 손으로 만질 수 없고, 담는 그릇에 따라 모양이 바뀝니다. 액체는 손으로 만질 수는 있으나 잡을 수는 없으며, 담는 그릇에 따라 모양이 달라집니다. 고체는 손으로 잡을 수 있고, 담는 그릇과 상관없이 모양이 바뀌지 않습니다.

105쪽 오늘의 어휘

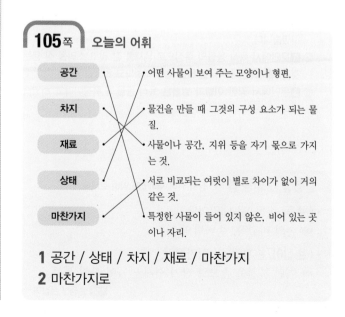

공간 —— 특정한 사물이 들어 있지 않은, 비어 있는 곳이나 자리.
차지 —— 사물이나 공간, 지위 등을 자기 몫으로 가지는 것.
재료 —— 물건을 만들 때 그것의 구성 요소가 되는 물질.
상태 —— 어떤 사물이 보여 주는 모양이나 형편.
마찬가지 —— 서로 비교되는 여럿이 별로 차이가 없이 거의 같은 것.

1 공간 / 상태 / 차지 / 재료 / 마찬가지
2 마찬가지로

- **글의 종류** 설명하는 글
- **글의 특징** 동물을 먹이에 따라 초식 동물과 육식 동물로 분류하고 각각의 특징을 설명하는 글입니다.
- **글의 주제** 초식 동물과 육식 동물의 특징

107쪽 **지문 독해**

1 ④　**2** ③　**3** (1) ○　**4** ④

1 이 글은 먹이에 따라 동물의 종류를 나누고 각각의 특징을 설명하는 글입니다.

2 사자는 **3**문단에서 대표적인 육식 동물로 나왔습니다. 나머지 동물들은 **2**문단에서 초식 동물의 예로 나왔습니다.

3 (1) **2**문단에서 초식 동물이 소화하는 데 유리한 몸을 가졌다고 하면서 그 특징을 알려 주고 있습니다. (2) 먹이를 기준으로 육식 동물과 초식 동물을 나누고 있으나 왜 육식을 하고 왜 초식을 하는지는 알려 주고 있지 않습니다. (3) **3**문단에서 육식 동물이 사냥하는 데 유리한 몸을 가졌다고 하였지만 자세한 사냥의 과정은 알 수 없습니다.

4 **2**문단에서 사슴은 초식 동물이라고 하였습니다. 사냥감을 쫓는 치타가 육식 동물이고, 사슴은 사냥감으로 쫓기는 입장입니다.

> **오답 풀이**
> ① 초식 동물은 주로 풀을 먹으므로 기린은 초식 동물입니다.
> ② **2**문단에서 넓적한 앞니를 가지는 것은 초식 동물의 특징이라고 하였습니다.
> ③ **3**문단에서 육식 동물의 특징으로 냄새를 잘 맡고 소리를 잘 듣는 것을 제시하면서 사냥을 하는 데 유리하다고 하였습니다.
> ⑤ **3**문단에서 강한 이빨과 발톱은 육식 동물의 특징이라고 하였습니다.

알쏭달쏭 맞춤법 잠시 쉬며 재미있게 익혀 보세요.

- (손뜽, **손등**)을 내밀어요.
  ➡ 손의 바깥쪽, 손바닥의 뒤.
- (**손잡이**, 손자비)가 망가졌어.
  ➡ 어떤 물건을 손으로 잡기 쉽게 만들어 붙인 부분.

　　　　　　　　　　　　정답 손등 / 손잡이

108쪽 **지문 분석**

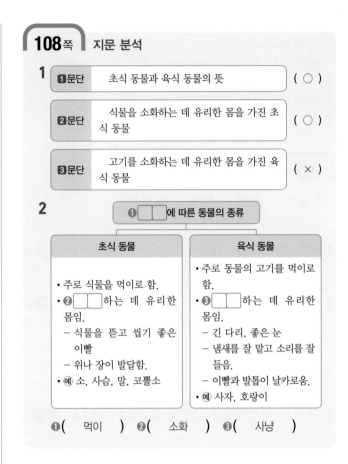

1
1문단	초식 동물과 육식 동물의 뜻	(○)
2문단	식물을 소화하는 데 유리한 몸을 가진 초식 동물	(○)
3문단	고기를 소화하는 데 유리한 몸을 가진 육식 동물	(×)

2 ❶□□에 따른 동물의 종류

초식 동물	육식 동물
• 주로 식물을 먹이로 함.	• 주로 동물의 고기를 먹이로 함.
• ❷□□하는 데 유리한 몸임.	• ❸□□하는 데 유리한 몸임.
‒ 식물을 뜯고 씹기 좋은 이빨	‒ 긴 다리, 좋은 눈
‒ 위나 장이 발달함.	‒ 냄새를 잘 맡고 소리를 잘 들음.
• 예 소, 사슴, 말, 코뿔소	‒ 이빨과 발톱이 날카로움.
	• 예 사자, 호랑이

❶(먹이)　❷(소화)　❸(사냥)

1 이 글의 **1**문단에서는 동물을 먹이에 따라 초식 동물과 육식 동물로 나눈다고 하였습니다. **2**문단에서는 초식 동물이 식물을 소화하는 데 유리한 몸을 가졌다고 하였습니다. **3**문단에서는 육식 동물이 사냥하는 데 유리한 몸을 가졌다고 하였습니다.

2 초식 동물과 육식 동물의 특징을 정리해 봅니다.

109쪽 **오늘의 어휘**

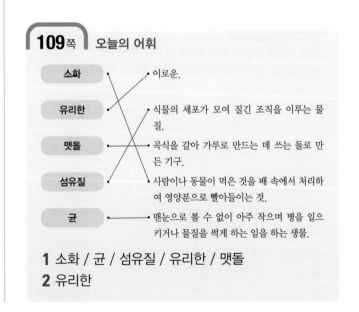

소화		이로운.
유리한		식물의 세포가 모여 질긴 조직을 이루는 물질.
맷돌		곡식을 갈아 가루로 만드는 데 쓰는 돌로 만든 기구.
섬유질		사람이나 동물이 먹은 것을 배 속에서 처리하여 영양분으로 빨아들이는 것.
균		맨눈으로 볼 수 없이 아주 작으며 병을 일으키거나 물질을 썩게 하는 일을 하는 생물.

1 소화 / 균 / 섬유질 / 유리한 / 맷돌
2 유리한

- **글의 종류** 설명하는 글
- **글의 특징** 별자리의 개념과 역할, 특징에 대해 설명하는 글입니다.
- **글의 주제** 별자리의 역할과 특징

111쪽　지문 독해

1 별자리　**2** (1) ○ (4) ○　**3** ③　**4** ⑤

1 이 글은 별자리에 대하여 설명하고 있습니다.

2 (1) **1**문단에서 여러 개의 별을 이어서 동물, 물건, 신화 속 인물 등의 이름을 붙인 것이 별자리라고 하였습니다. (2) 별자리와 관련된 신화 속 인물은 설명하지 않았습니다. (3) 각 계절에 잘 보이는 별자리가 무엇인지는 알 수 없습니다. (4) **3**문단에서 계절마다 잘 보이는 별자리가 다른 까닭은 지구가 태양 주위를 돌기 때문이라고 설명하고 있습니다.

3 **3**문단에서 지구는 태양 주위를 돌며 움직인다고 하였습니다.

4 신화 속 인물들의 이름을 붙인 별자리의 경우 관련 신화를 알면 별자리를 더 재미있게 익힐 수 있습니다.

（오답 풀이）

① **1**문단에서 별자리는 오랜 옛날부터 이름 붙여졌다고 했습니다.
② **2**문단에서 별자리를 이루는 별들은 서로 아무런 관련이 없다고 했습니다.
③ **3**문단에서 계절마다 잘 보이는 별자리가 다르다고 했습니다.
④ **2**문단에서 별자리가 있기 때문에 별의 위치를 쉽게 기억할 수 있다고 했습니다.

（유형 분석 / 추론하기）

글의 내용을 바탕으로 추가 정보를 짐작해 보는 문제입니다. 별자리의 뜻과 특징을 생각하면서 문제의 내용을 살펴봅니다.

알쏭달쏭 맞춤법　잠시 쉬며 재미있게 익혀 보세요.

- (솔직이, **솔직히**) 말해 봐.
  ➡ 거짓이나 숨김이 없이 바르고 곧게.
- (수까락, **숟가락**)으로 국을 떠 먹어요.
  ➡ 밥이나 국과 같은 음식을 먹을 때 쓰는 둥글고 오목한 부분과 긴 손잡이가 있는 도구.

　　　　　　　　　（정답） 솔직히 / 숟가락

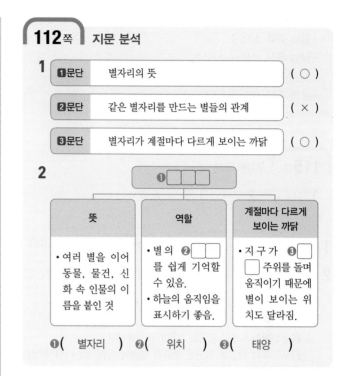

112쪽　지문 분석

1
1문단	별자리의 뜻	(○)
2문단	같은 별자리를 만드는 별들의 관계	(×)
3문단	별자리가 계절마다 다르게 보이는 까닭	(○)

2

　　　　❶□□□

뜻	역할	계절마다 다르게 보이는 까닭
• 여러 별을 이어 동물, 물건, 신화 속 인물의 이름을 붙인 것	• 별의 **❷**□□ 를 쉽게 기억할 수 있음. • 하늘의 움직임을 표시하기 좋음.	• 지 구 가 **❸**□□ □ 주위를 돌며 움직이기 때문에 별이 보이는 위치도 달라짐.

❶(별자리) **❷**(위치) **❸**(태양)

1 이 글의 **1**문단에서는 별자리가 무엇인지 설명하고 있습니다. **2**문단에서는 별자리를 만드는 별들이 아무 관련이 없다고 했습니다. 또한 별자리가 있어 좋은 점에 대해 설명하고 있습니다. **3**문단에서는 별자리가 계절마다 다르게 보이는 까닭이 지구가 태양 주위를 돌기 때문이라고 설명하고 있습니다.

2 별자리의 뜻과 역할, 계절마다 잘 보이는 별자리가 다른 까닭을 정리합니다.

113쪽　오늘의 어휘

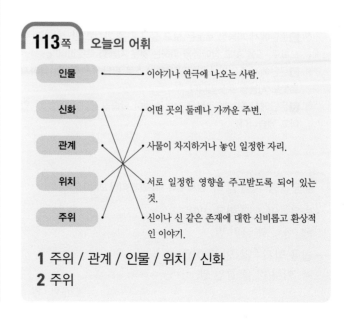

인물	•	• 이야기나 연극에 나오는 사람.
신화	•	• 어떤 곳의 둘레나 가까운 주변.
관계	•	• 사물이 차지하거나 놓인 일정한 자리.
위치	•	• 서로 일정한 영향을 주고받도록 되어 있는 것.
주위	•	• 신이나 신 같은 존재에 대한 신비롭고 환상적인 이야기.

1 주위 / 관계 / 인물 / 위치 / 신화
2 주위

• **글의 종류** 설명하는 글
• **글의 특징** 로봇을 산업용 로봇과 지능형 로봇으로 나누고
  각각의 특징과 종류를 설명하는 글입니다.
• **글의 주제** 로봇의 특징과 종류

115쪽 **지문 독해**

1 (1) ○   **2** ③   **3** ⑤   **4** ②

1 이 글은 로봇의 종류와 특징에 대해 설명하고 있습니다.

2 **3**문단에서 지능형 로봇에는 사람의 모습을 하지 않은 로봇도 있다고 했습니다.

> **오답 풀이**
> ① **2**문단에서 의료용 로봇을 설명하고 있습니다.
> ② **2**문단에서 산업용 로봇은 컴퓨터 명령에 따라 일한다고 하였습니다.
> ④ **3**문단에서 지능형 로봇은 보고 들은 것을 가지고 판단한다고 했으므로 스스로 보고 들을 수 있습니다.
> ⑤ **2**문단에서 산업용 로봇은 무거운 것을 들거나 깊은 바닷속이나 우주에 가는 등 인간이 하기 어려운 일을 대신 한다고 했습니다.

3 안드로이드 로봇은 지능형 로봇입니다. ①, ②, ③은 산업용 로봇의 종류입니다.

4 지능형 로봇이 산업형 로봇과 다른 점은 스스로 판단해서 반응하는 것입니다. 명령에 따라 일을 하는 로봇은 산업용 로봇입니다.

> **오답 풀이**
> ① **3**문단에서 지능형 로봇은 스스로 판단하고, 대화도 가능하다고 했습니다.
> ③ **3**문단에서 지능형 로봇은 보고 들은 것을 가지고 판단한다고 했으므로, 길을 찾고 장애물을 피하는 것은 지능형 로봇입니다.
> ④ **3**문단에서 주인의 소리에 반응해 스스로 판단해 움직이는 강아지 로봇도 지능형 로봇입니다.
> ⑤ **3**문단에서 지능형 로봇은 정보를 쌓아 학습을 통해 발전할 수 있다고 했습니다.

알쏭달쏭 맞춤법 잠시 쉬며 재미있게 익혀 보세요.

• 밥을 (않, 안) 먹을 거야?
  ➡ '아니'를 줄인 말.

• 밥을 먹지 (않, 안)았어요.
  ➡ '아니 하'를 줄인 말.

정답 안 / 않

116쪽 **지문 분석**

1

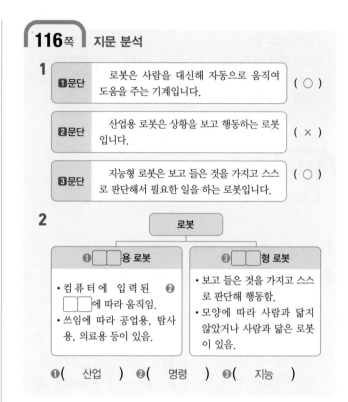

1문단 | 로봇은 사람을 대신해 자동으로 움직여 도움을 주는 기계입니다. | (○)

2문단 | 산업용 로봇은 상황을 보고 행동하는 로봇입니다. | (×)

3문단 | 지능형 로봇은 보고 들은 것을 가지고 스스로 판단해서 필요한 일을 하는 로봇입니다. | (○)

2

로봇

❶ [　　]용 로봇
• 컴퓨터에 입력된 ❷[　　]에 따라 움직임.
• 쓰임에 따라 공업용, 탐사용, 의료용 등이 있음.

❸ [　　]형 로봇
• 보고 들은 것을 가지고 스스로 판단해 행동함.
• 모양에 따라 사람과 닮지 않았거나 사람과 닮은 로봇이 있음.

❶(산업) ❷(명령) ❸(지능)

1 **1**문단에서는 로봇의 뜻을 설명하였습니다. **2**문단에서 산업용 로봇은 컴퓨터 명령에 따라 움직인다고 했습니다. 상황을 보고 행동하는 것은 지능형 로봇처럼 스스로 외부의 상황을 알아채고 판단할 수 있을 때 가능합니다. **3**문단에서는 보고 들은 것을 가지고 스스로 판단해 행동하는 지능형 로봇에 대해 설명하고 있습니다.

2 이 글에 나온 산업용 로봇과 지능형 로봇의 특징을 정리합니다.

117쪽 **오늘의 어휘**

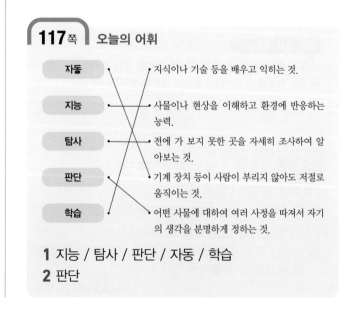

자동
지능
탐사
판단
학습

• 지식이나 기술 등을 배우고 익히는 것.
• 사물이나 현상을 이해하고 환경에 반응하는 능력.
• 전에 가 보지 못한 곳을 자세히 조사하여 알아보는 것.
• 기계 장치 등이 사람이 부리지 않아도 저절로 움직이는 것.
• 어떤 사물에 대하여 여러 사정을 따져서 자기의 생각을 분명하게 정하는 것.

1 지능 / 탐사 / 판단 / 자동 / 학습
2 판단

119쪽 **지문 독해**

1 전화기 **2** (2) ○ (3) ○ **3** ⑤ **4** ㉢, ㉡, ㉠, ㉣

1 이 글은 전화기가 만들어져서 현재에 이르기까지 어떻게 발전해 왔는지 설명하고 있습니다.

2 (2) **1**문단에서 전화기는 1876년 미국에서 만들어졌다고 했습니다. (3) **2**문단에서 처음 만들어진 전화기는 중간에 연결해 주는 사람이 있어 원하는 사람에게 전화를 걸어 준다고 했습니다.

3 **2**문단에서 휴대 전화가 나오고 휴대 전화가 발전하면서 문자 메시지로도 연락할 수 있게 되었다고 설명했습니다.

오답 풀이
① **3**문단에서 여러 가지 기능이 추가되어 현재의 스마트폰이 되었다고 하였습니다.
② **2**문단에서 다이얼식에서 더 편한 버튼식으로 바뀌었다고 하였습니다.
③ **1**문단에서 전화기는 소리를 전기 신호로 바꾸어 멀리 있는 곳에 보내는 장치라고 하였습니다.
④ **2**문단에서 처음 만들어진 전화기는 교환원을 통해 상대에게 전화를 걸 수 있었다고 하였습니다.

4 전화기는 '교환원이 연결해 주는 전화기 → 다이얼 전화기 → 버튼식 전화기 → 휴대 전화 → 스마트폰' 순서로 발전했습니다.

유형 분석 / 추론하기
이 글에서는 전화기의 발전을 시간 순서대로 설명하고 있습니다. 글에 나온 전화기들의 특징을 생각하면서 발전 순서대로 정리합니다.

알쏭달쏭 맞춤법 잠시 쉬며 재미있게 익혀 보세요.

• (알맞은, 알맞는) 답을 고르세요.
➡ 정해진 기준이나 조건, 정도에 모자라지 않는.
• (약국, 약꾹)에서 약을 샀어요.
➡ 약사가 약품을 만들어 팔거나 상품으로 된 약을 파는 가게.

정답 알맞은 / 약국

120쪽 **지문 분석**

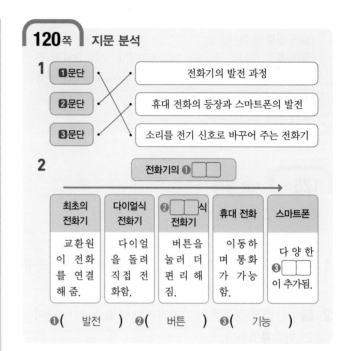

1 이 글의 **1**문단에서는 전화기의 개념과 발명된 때를 설명하고 있습니다. **2**문단에서는 더 편리하게 발전한 전화기에 대해 설명하고 있습니다. **3**문단에서는 다양한 기능이 추가된 전화기에 대해 설명하고 있습니다.

2 전화기가 발전해 온 과정과 각 전화기의 특징을 정리합니다. 최초의 전화기는 교환원을 통해서만 통화할 수 있었지만 기술이 점점 발전하면서 오늘날 다양한 기능을 사용할 수 있는 스마트폰까지 발전이 이루어졌습니다.

121쪽 **오늘의 어휘**

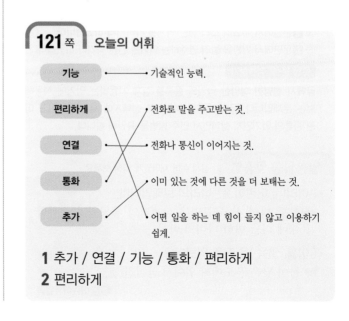

1 추가 / 연결 / 기능 / 통화 / 편리하게
2 편리하게

• **글의 종류** 설명하는 글
• **글의 특징** 악기를 연주하는 방법에 따라 타악기, 현악기, 관악기, 건반 악기로 분류하고 각각의 특징과 예를 설명하는 글입니다.
• **글의 주제** 악기의 종류

125쪽 　지문 독해

1 ⑤　　**2** ④　　**3** (1) ○ (2) ○　　**4** ④

1 이 글에서는 악기를 연주하는 방법에 따라 나누고 종류별로 설명하고 있습니다.

2 **2**문단에서 실로폰은 타악기라고 하였습니다. 나머지는 현악기입니다.

3 (1) **4**문단에서 관악기는 악기의 재료에 따라 금관 악기와 목관 악기로 나뉜다고 하였습니다. (2) **2**문단에서 타악기가 가장 오래된 형태의 악기라고 하였습니다. (3) 같이 연주하면 잘 어울리는 악기는 설명하지 않았습니다.

4 **2**문단에서 현을 활로 문질러 소리 내는 것을 '켠다'고 하였습니다. 바이올린은 현을 '켜서' 소리 내는 악기이지, '타서' 연주하는, 즉 퉁겨서 연주하는 악기가 아닙니다.

　오답 풀이
① **3**문단에서 기타는 현악기에 속한다고 하였습니다.
② **4**문단에서 관을 입으로 불어 관 속의 공기를 진동시켜 소리를 내는 악기를 관악기라 하였습니다.
③ **2**문단에서 두드려 소리 내는 악기를 타악기라 하였습니다.
⑤ **5**문단에서 건반을 눌러 연주하는 악기는 건반 악기라 하였습니다.

　유형 분석 / 적용하기
글에서 설명한 다양한 악기의 종류를 실제 사용하는 악기에 적용해 보는 문제입니다. 글의 내용을 바탕으로 선택지에 제시된 악기가 어떤 종류의 악기인지 살피면서 연주 방법을 확인해 봅니다.

　알쏭달쏭 맞춤법　잠시 쉬며 재미있게 익혀 보세요.

• (어리니, **어린이**)는 나라의 보배입니다.
　➡ 보통 다섯 살부터 열두 살까지의 유치원과 초등학교에 다닐 만한 나이의 아이.
• (어름, **얼음**)을 잔뜩 얼렸어요.
　➡ 물이 낮은 온도에서 얼어서 굳어진 것.
　　　　　　　　　　　　　정답 어린이 / 얼음

126쪽 　지문 분석

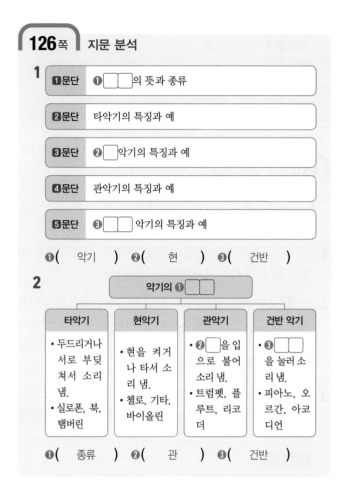

1 이 글의 **1**문단에서는 악기의 뜻과 종류를 소개하고 있습니다. **2**, **3**문단에서는 악기의 종류 중 타악기와 현악기, **4**, **5**문단에서는 관악기와 건반 악기에 관해 설명하고 있습니다.

2 이 글에 나온 악기의 종류별 특징을 정리합니다.

127쪽 　오늘의 어휘

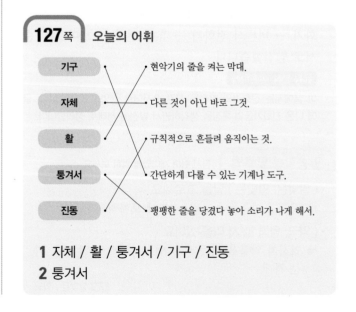

1 자체 / 활 / 퉁겨서 / 기구 / 진동
2 퉁겨서

- **글의 종류** 설명하는 글
- **글의 특징** 표현 대상에 따라 그림의 종류를 분류하고 각각의 특징을 설명하고 있습니다.
- **글의 주제** 표현 대상에 따른 그림의 종류

129쪽 지문 독해

1 ⑶ ○ **2** ① **3** ③ **4** ③, ⑤

1 이 글은 표현 대상에 따른 그림의 종류를 설명하는 글입니다.

2 ❶문단에서 정물화는 생활 주변의 물건을 그린 그림으로, 여러 개의 물건을 그릴 때도 있다고 했습니다.

> 오답 풀이
> ② ❶문단에서 표현 대상에 따라 정물화, 풍경화, 인물화로 나눌 수 있다고 했습니다.
> ③ ❹문단에서 누구를 그리느냐에 따라 자화상, 초상화, 군상화로 나눌 수 있다고 했습니다.
> ④ ❸문단에서 같은 곳이라도 날씨에 따라 다르게 표현될 수 있다고 했습니다.
> ⑤ ❸문단에서 같은 곳이라도 보는 사람이 어디서 보느냐에 따라 다르게 표현될 수 있다고 했습니다.

3 할머니를 그린 그림은 인물화입니다. ❶문단에서 정물은 움직이지 않는 생활 주변의 물건을 그린 그림이며 주로 과일, 꽃, 악기, 책, 그릇 등을 그린다고 했습니다.

4 거울을 보고 자기 모습을 그린 것은 '자화상'을 그린 것이고, 칠판 앞에 서 계신 선생님을 그린 것은 '초상화'를 그린 것입니다. 자화상과 초상화는 모두 인물화입니다.

알쏭달쏭 맞춤법 잠시 쉬며 재미있게 익혀 보세요.

- 그것은 실수(였다, 었다).
  ➡ '이었다'를 줄인 말로, 받침이 있는 말 뒤에는 '이었다'로 쓰고, 받침이 없는 말 뒤에는 '였다'로 씀.
- 동생은 장난꾸러기(예요, 에요).
  ➡ '이에요'를 줄인 말로, 받침이 있는 말 뒤에는 '이에요', 받침이 없는 말 뒤에는 '예요'로 씀.

> 정답 였다 / 예요

129쪽 지문 분석

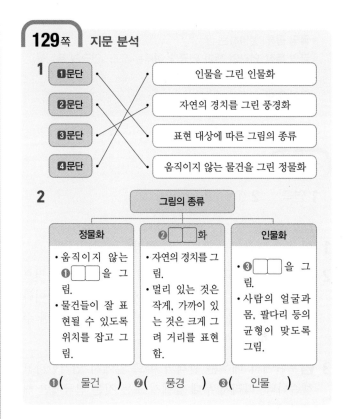

1 ❶문단에서는 그림의 개념과 종류를 설명하고 있습니다. ❷문단에서는 정물화의 개념을 설명하고 있습니다. ❸문단에서는 풍경화의 개념을 설명하고 있습니다. ❹문단에서는 인물화의 개념을 설명하고 있습니다.

2 정물화, 풍경화, 인물화의 개념과 특징을 각각 정리해 봅니다.

130쪽 오늘의 어휘

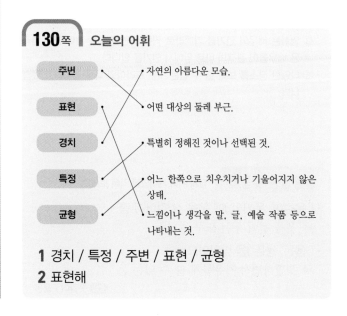

1 경치 / 특정 / 주변 / 표현 / 균형
2 표현해

• **글의 종류** 설명하는 글
• **글의 특징** 연극의 뜻과 연극을 이루는 요소, 연극의 특징을 설명하는 글입니다.
• **글의 주제** 연극의 개념과 특징

133쪽 지문 독해

1 연극 **2** ① **3** ④ **4** ④

1 이 글은 연극의 뜻과 특징을 설명하는 글입니다.

2 ❶문단에서 연극은 무대 위에서 배우가 말과 몸짓으로 대본에 있는 이야기를 관객에게 전하는 예술이라고 했습니다. 몸짓은 배우들이 연기를 잘하기 위한 수단이지 연극을 이루는 기본 요소는 아닙니다.

3 ❷문단에서 배우는 관객의 바로 앞에서 연기한다고 했습니다. 따라서 무대 앞에서 보는 것은 연극에만 해당합니다.

[오답 풀이]

① ❶문단에서 무대는 배우가 연기를 하는 곳이라고 했습니다.
②, ③ ❶문단에서 대본은 배우들이 해야 할 말이나 몸짓, 무대를 어떻게 꾸며야 하는지 알려 준다고 했습니다.
⑤ ❷문단에서 연극은 직접 관객 앞에서 이야기를 보여 주기 때문에 생생하고 실감 난다고 했습니다.

4 ❷문단에서 연극은 책과 달리 이야기를 직접 보여 준다고 하였습니다. 책은 상상하며 읽어야 합니다.

[오답 풀이]

① 중간에 멈출 수 없는 것은 영화와 다른 점이라고 하였습니다.
② 연극은 틀려도 다시 할 수 없다고 하였습니다.
③ 영화는 배우의 연기를 카메라로 찍은 화면을 보는 것이지만, 연극은 배우들이 관객의 바로 앞에서 연기를 합니다.
⑤ 다양한 장소를 보여 줄 수 없는 것은 드라마와 다른 점이라고 했습니다.

알쏭달쏭 맞춤법 잠시 쉬며 재미있게 익혀 보세요.

• (옷걸이, 옷거리)에 옷을 잘 걸어 두렴.
  ➡ 옷을 걸어 두는 도구.

• (용돈, 용똔)을 받았어요.
  ➡ 생활하면서 자유롭게 쓸 수 있는 돈.

정답 옷걸이 / 용돈

134쪽 지문 분석

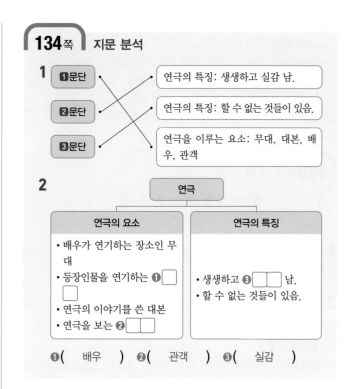

1 ❶문단에서 연극은 무대, 배우, 대본, 관객이 모여 이루어지는 예술이라고 했습니다. ❷문단에서 연극은 책, 영화, 드라마보다 생생하고 실감 난다고 했습니다. ❸문단에서 연극은 영화나 드라마에 비해 제약이 있다고 했습니다.

2 연극의 요소(무대·배우·대본·관객)와 연극의 특징을 정리해 봅니다.

135쪽 오늘의 어휘

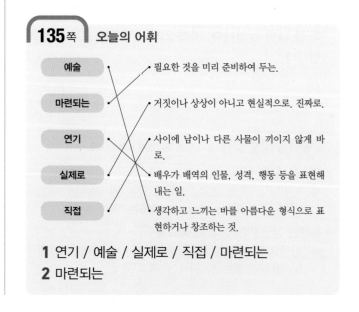

1 연기 / 예술 / 실제로 / 직접 / 마련되는
2 마련되는

- **글의 종류** 설명하는 글
- **글의 특징** 세계적으로 인기 있는 운동인 축구를 소개하고 축구의 규칙과 축구 선수들에게 필요한 능력을 설명하는 글입니다.
- **글의 주제** 축구의 규칙과 축구 선수들에게 필요한 능력

137쪽 **지문 독해**

1 (1) ○ (3) ○ **2** ② **3** ① **4** ③

1 이 글은 축구의 규칙과 축구 선수에게 필요한 능력에 대해 설명하고 있습니다.

2 세계 축구 단체에 가입한 나라들이 축구를 만든 것이 아니라 축구의 규칙을 통일했습니다. 축구와 비슷한 운동은 아주 먼 옛날부터 많은 나라에서 있어 왔습니다.

3 축구 선수들은 주로 발로 차서 공을 움직이고 손과 팔을 뺀 나머지 부분으로 공을 다루지만, 골을 막는 골키퍼는 손을 사용할 수 있습니다.

4 **2**문단에서 심판은 경기 중에 선수들이 규칙을 어기면 지적하고 의견이 나뉘면 결정해 준다고 하였으므로 선수들 옆에서 뛰면서 경기를 자세히 봐야 할 것입니다.

오답 풀이
① **2**문단에서 22명의 선수와 심판이 함께 경기에 참여한다고 했으므로 운동장에는 22명보다 많은 사람이 있을 것입니다.
② **1**문단에서 세계 축구 단체에 가입한 나라들이 같은 규칙의 축구를 한다고 했습니다. 그러므로 다른 나라와 경기가 가능합니다.
④ **3**문단에서 11명이 한 팀으로 움직이므로 협력이 필요하다고 했습니다. 한 선수의 기술만으로 이긴다는 보장은 없습니다.
⑤ **3**문단에서 골키퍼만 손을 쓸 수 있다고 했으므로 온몸으로 공을 다루는 것은 아닙니다.

알쏭달쏭 맞춤법 잠시 쉬며 재미있게 익혀 보세요.

- (왠지, 웬지) 좋은 일이 있을 것 같아요.
  ➡ '왜인지'를 줄인 말로 '왜 그런지 모르게, 뚜렷한 이유도 없이'라는 뜻으로 쓰임.
- (왠, 웬)일로 왔어?
  ➡ '어찌 된, 어떠한'을 뜻하는 말.

정답 왠지 / 웬

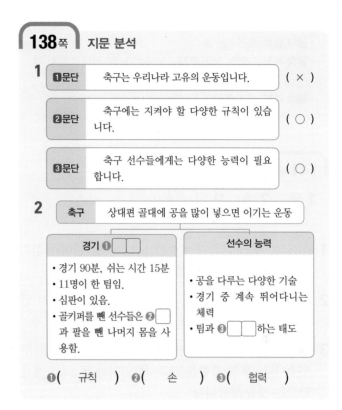

138쪽 **지문 분석**

1
1문단	축구는 우리나라 고유의 운동입니다.	(×)
2문단	축구에는 지켜야 할 다양한 규칙이 있습니다.	(○)
3문단	축구 선수들에게는 다양한 능력이 필요합니다.	(○)

2
축구 — 상대편 골대에 공을 많이 넣으면 이기는 운동

경기 ❶☐☐	**선수의 능력**
• 경기 90분, 쉬는 시간 15분 • 11명이 한 팀임. • 심판이 있음. • 골키퍼를 뺀 선수들은 ❷☐과 팔을 뺀 나머지 몸을 사용함.	• 공을 다루는 다양한 기술 • 경기 중 계속 뛰어다니는 체력 • 팀과 ❸☐☐하는 태도

❶(규칙) ❷(손) ❸(협력)

1 이 글의 **1**문단에서 축구가 세계적인 운동임을 설명하고 있습니다. **2**문단에서는 축구의 규칙에 대해, **3**문단에서는 축구 선수들에게 필요한 능력을 설명하고 있습니다.

2 이 글에 나온 축구의 규칙과 축구 선수에게 필요한 능력을 정리해 봅니다.

139쪽 **오늘의 어휘**

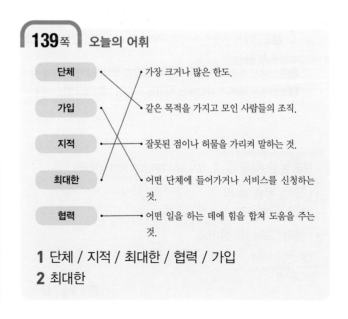

단체	가장 크거나 많은 한도.
가입	같은 목적을 가지고 모인 사람들의 조직.
지적	잘못된 점이나 허물을 가리켜 말하는 것.
최대한	어떤 단체에 들어가거나 서비스를 신청하는 것.
협력	어떤 일을 하는 데에 힘을 합쳐 도움을 주는 것.

1 단체 / 지적 / 최대한 / 협력 / 가입
2 최대한

• **글의 종류** 설명하는 글
• **글의 특징** 다양한 색의 혼합과 비슷한 느낌, 반대 느낌의 색에 대해 설명하고 있습니다.
• **글의 주제** 색의 혼합과 느낌에 따른 색 분류

141쪽 **지문 독해**

1 색 **2** ④ **3** ⑤ **4** ①

1 이 글은 색의 혼합과 비슷한 느낌의 색, 반대 느낌의 색에 대해 설명하는 글입니다.

2 ❶문단에서 빨강, 파랑, 노랑은 다른 색을 섞어서 만들 수 없는 기본색이라고 했습니다.

3 ❶문단에서 검은색은 세 가지 색을 혼합해 만들 수 있습니다. 색의 혼합은 색과 색을 섞어 또 다른 색을 만드는 것을 말합니다.

〔오답 풀이〕
① ❶문단에서 빨강, 파랑은 다른 색을 섞어 만들 수 없다고 했습니다.
② ❶문단에서 보라색에는 빨강과 파랑이, 초록색에는 파랑과 노랑이 필요하다고 했습니다.
③ ❶문단에서 초록색에는 파랑과 노랑이, 주황색에는 빨강과 노랑이 필요하다고 했습니다.
④ ❶문단에서 주황색에는 빨강과 노랑이, 보라색에는 빨강과 파랑이 필요하다고 했습니다.

4 ❷문단에서 반대 느낌의 색을 나란히 쓰면 두드러지고 눈에 띈다고 하였습니다.

〔오답 풀이〕
②, ③ ❷문단에서 비슷한 느낌의 색이 나란히 있으면 안정된 느낌을 준다고 하였습니다.
④ ❷문단에서 주황과 빨강은 따뜻한 느낌의 색이라고 했습니다.
⑤ ❷문단에서 남색과 파란색은 차가운 느낌의 색이라고 했습니다.

알쏭달쏭 맞춤법 잠시 쉬며 재미있게 익혀 보세요.

• (**웃음**, 우슴)소리
➡ 웃는 행동이나 모양, 소리.

• (**음악**, 으막)을 들어요.
➡ 목소리나 악기의 소리로 듣기 좋은 소리를 만드는 예술.

〔정답〕 웃음 / 음악

142쪽 **지문 분석**

1

❶문단	모든 색은 색과 색을 섞어서 만든다.	(×)
❷문단	색이 주는 느낌에 따라 색을 나눌 수 있다.	(○)

2

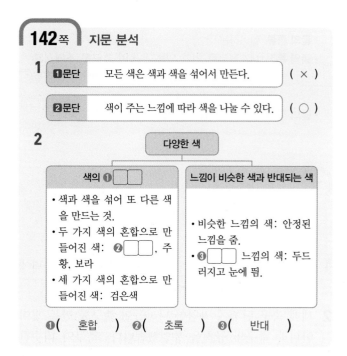

다양한 색

색의 ❶ ☐☐
• 색과 색을 섞어 또 다른 색을 만드는 것.
• 두 가지 색의 혼합으로 만들어진 색: ❷ ☐☐, 주황, 보라
• 세 가지 색의 혼합으로 만들어진 색: 검은색

느낌이 비슷한 색과 반대되는 색
• 비슷한 느낌의 색: 안정된 느낌을 줌.
• ❸ ☐☐ 느낌의 색: 두드러지고 눈에 띔.

❶(혼합) ❷(초록) ❸(반대)

1 이 글의 ❶문단에서는 색의 혼합에 대해 설명합니다. 색과 색을 섞어 또 다른 색을 만들 수 있다고 알려 주지만 모든 색이 서로 다른 색을 섞어서 만드는 것은 아닙니다. ❷문단에서는 비슷한 느낌끼리 색을 나누고 그 사용 효과를 알려 주고 있습니다.

2 다양한 색의 혼합과 색을 느낌에 따라 나누었을 때 비슷한 느낌의 색, 반대되는 느낌의 색을 활용하는 효과를 정리합니다.

143쪽 **오늘의 어휘**

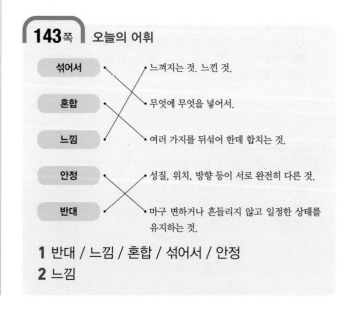

섞어서	느껴지는 것. 느낀 것.
혼합	무엇에 무엇을 넣어서.
느낌	여러 가지를 뒤섞어 한데 합치는 것.
안정	성질, 위치, 방향 등이 서로 완전히 다른 것.
반대	마구 변하거나 흔들리지 않고 일정한 상태를 유지하는 것.

1 반대 / 느낌 / 혼합 / 섞어서 / 안정
2 느낌

- **글의 종류** 전기문
- **글의 특징** 백성을 위해 노력한 세종 대왕의 훌륭한 업적을 알려 주고 있습니다.
- **글의 주제** 백성을 위해 애쓴 세종 대왕

145쪽 지문 독해

1 (3) ○ **2** ③ **3** ② **4** ①

1 (1) 세종 대왕이 한글을 만든 까닭과 훈민정음의 뜻은 나와 있으나 한글이 만들어진 과정은 나와 있지 않습니다. (2) 세종 대왕이 왕이 된 까닭은 나와 있지 않습니다. (3) 세종 대왕이 백성을 위해 어떤 일을 했는지 글 전체에서 설명하고 있습니다.

2 세종 대왕이 한 일 중 한복에 관련한 이야기는 나오지 않습니다.

3 ❶문단에서 세종 대왕은 글을 몰라 억울한 일을 당하는 백성을 안타깝게 여겨 훈민정음을 만들었다고 했습니다.

4 ❸문단에서 세종 대왕이 많은 책을 펴냈다고 했지만 그 전에 책이 없었다고 할 수는 없습니다. 책 자체를 처음 만든 것이 아니라 다양한 내용의 책을 펴낸 것입니다.

(오답 풀이)

② ❶문단에서 백성들이 글을 몰라 억울한 일을 당하는 것을 안타까워했다고 한 것을 통해 짐작할 수 있습니다.

③ ❷문단에서 농사가 잘되어야 백성들이 편안하게 살 수 있다고 생각한 것을 통해 알 수 있습니다.

④ ❸문단에서 무기를 만들고 나라를 안전하게 하려 했다는 것에서 짐작할 수 있습니다.

⑤ ❶문단에서 백성들이 쉽게 배우고 쓸 수 있는 글자를 만들었다는 것을 통해 짐작할 수 있습니다.

알쏭달쏭 맞춤법 잠시 쉬며 재미있게 익혀 보세요.

- (입, 잎)으로 소리를 내요.
  ➡ 먹거나 소리를 내는 몸의 기관으로, 입술과 목구멍 사이의 부분.
- 배추의 (잎사귀, 입사귀)가 싱싱해요.
  ➡ 가지에 달린 하나하나의 잎.

정답 입 / 잎사귀

146쪽 지문 분석

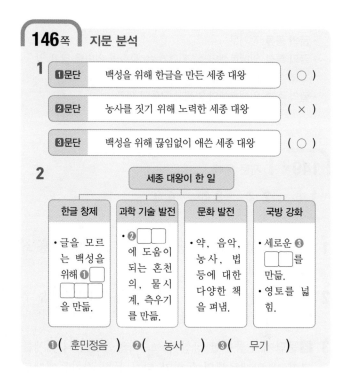

1

❶문단	백성을 위해 한글을 만든 세종 대왕	(○)
❷문단	농사를 짓기 위해 노력한 세종 대왕	(×)
❸문단	백성을 위해 끊임없이 애쓴 세종 대왕	(○)

2

세종 대왕이 한 일

| 한글 창제 | 과학 기술 발전 | 문화 발전 | 국방 강화 |
| 글을 모르는 백성을 위해 ❶□□□을 만듦. | ❷□□에 도움이 되는 혼천의, 물시계, 측우기를 만듦. | 약, 음악, 농사, 법 등에 대한 다양한 책을 펴냄. | 새로운 ❸□□를 만듦.·영토를 넓힘. |

❶(훈민정음) ❷(농사) ❸(무기)

1 이 글의 ❶문단에서 세종 대왕이 한글을 만든 이유가 백성을 위해서라고 하였습니다. ❷문단에서 세종 대왕은 백성들이 농사를 짓는 데 도움을 주기 위해 여러 기구를 만들었다고 하였습니다. 스스로 농사를 지으려 노력한 것이 아닙니다. ❸문단에서는 백성을 위해 다양한 일을 한 세종 대왕에 대해 백성을 위해 애쓴 왕이라고 평가하고 있습니다.

2 한글 창제, 농사와 관련된 다양한 기구 발명, 책을 펴낸 것, 새로운 무기를 만들고 영토를 넓힌 일 등 세종 대왕이 한 훌륭한 일들을 글에서 찾아 정리합니다.

147쪽 오늘의 어휘

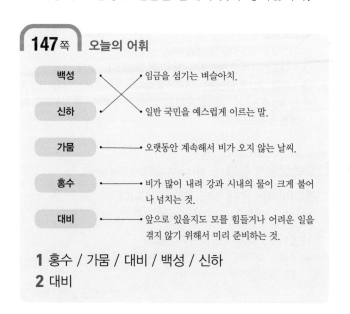

백성	임금을 섬기는 벼슬아치.
신하	일반 국민을 예스럽게 이르는 말.
가뭄	오랫동안 계속해서 비가 오지 않는 날씨.
홍수	비가 많이 내려 강과 시내의 물이 크게 불어나 넘치는 것.
대비	앞으로 있을지도 모를 힘들거나 어려운 일을 겪지 않기 위해서 미리 준비하는 것.

1 홍수 / 가뭄 / 대비 / 백성 / 신하
2 대비

- **글의 종류** 전기문
- **글의 특징** 안데르센의 삶과 그가 쓴 동화의 의의를 담고 있는 글입니다.
- **글의 주제** 안데르센의 일생과 작품의 의의

149쪽 지문 독해

1 ⑤   2 ②   3 ⑤   4 ④

1 이 글은 안데르센의 일생과 그가 쓴 동화의 의의를 소개하는 글입니다.

2 **1**문단에서 대표작들을 소개하고 있습니다. 「이솝 우화」는 '이솝'이 지은 이야기입니다.

3 **2**문단에서 풍부한 상상력으로 다양한 환상의 세계를 그려 낸 안데르센의 동화가 다른 동화 작가들에게도 영향을 주었다고 하였습니다.

　[오답 풀이]
① **1**문단에서 안데르센은 다양한 글을 썼다고 했습니다.
② **1**문단에서 안데르센은 가난한 집에서 태어났다고 했습니다.
③ **1**문단에서 안데르센은 15세에 연극배우가 되려고 집을 떠났으나 배우 생활에 실패했다고 했습니다.
④ **2**문단에서 안데르센은 다양한 환상의 세계를 그려냈다고 했습니다.

4 안데르센은 어릴 적 가난하고 힘들게 살았습니다. 연극배우가 되려다 실패하기도 했지요. 그러나 대학에 들어가 공부하며 꾸준히 글을 써 결국은 동화 작가로 성공하게 되었습니다.

　[오답 풀이]
① 거짓말을 한 이야기는 없습니다.
② 안데르센이 누군가를 돕는 이야기는 없습니다.
③ 사람을 겉으로 판단하는 내용은 없습니다.
⑤ 안데르센은 다른 사람들과 다르게 풍부한 상상력으로 자신만의 작품을 창작했습니다.

알쏭달쏭 맞춤법 잠시 쉬며 재미있게 익혀 보세요.

- 할아버지는 옹기(장이, 쟁이)이십니다.
➡ 어떤 기술을 가진 사람에게 붙는 말.
- 내 친구는 욕심(쟁이, 장이)예요.
➡ 어떤 사람의 독특한 습관, 행동, 성질 등을 나타낼 때 붙이는 말.

　[정답] 장이 / 쟁이

149쪽 지문 분석

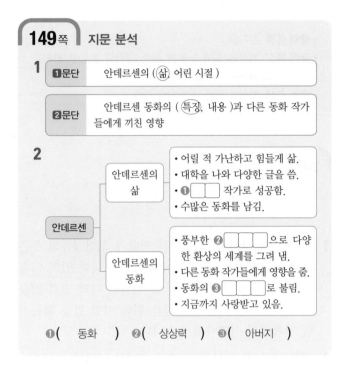

1 **1**문단 　안데르센의 ((**삶**), 어린 시절)

2 **2**문단 　안데르센 동화의 ((**특징**), 내용)과 다른 동화 작가들에게 끼친 영향

　❶(동화)　❷(상상력)　❸(아버지)

1 이 글의 **1**문단에서 안데르센의 삶을 소개하고 있습니다. **2**문단에서는 안데르센 동화의 특징과 의의, 그가 다른 동화 작가들에게 끼친 영향을 설명하고 있습니다.

2 안데르센의 삶과 그가 쓴 동화의 특징들을 정리합니다. 안데르센은 어릴 적 가난하고 힘들게 살았고 커서도 연극배우가 되려다 실패했지만 풍부한 상상력으로 다양한 동화를 써서 동화의 아버지로 불리며 지금까지 사랑받고 있습니다.

151쪽 오늘의 어휘

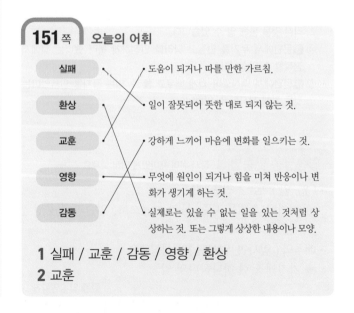

1 실패 / 교훈 / 감동 / 영향 / 환상
2 교훈

- **글의 종류** 전기문
- **글의 특징** '어린이'라는 말을 처음 쓰고 어린이날을 만든 방정환의 삶에 대해 알려 주는 글입니다.
- **글의 주제** 어린이를 위한 삶을 산 방정환

153쪽 │ 지문 독해

1 어린이   **2** (1) ○ (2) ○   **3** ⑤   **4** ⑤

1 이 글은 어린이를 위한 삶을 산 방정환의 이야기를 담고 있습니다.

[유형 분석 / 제목]
제목에는 글의 핵심 내용이 담겨 있습니다. 이 글에서 소개하는 인물이 가장 중요하게 생각한 것이 무엇인지 생각하여 씁니다.

2 (1) 글 전체에서 방정환의 업적을 알려 주고 있습니다.
(2) ❶문단에서 어린이날의 의미를 알려 주고 있습니다. (3) 어린이날에 해야 할 일은 나와 있지 않습니다.

3 ❶문단에서 '애놈', '자식 놈'은 아이들을 낮춰 부르는 말이라고 하였습니다. '어린이'는 아이들을 존중하는 말이므로 바꿔 쓸 수 없습니다.

4 ❷문단에서 방정환은 아이를 잘 키워야 일본에 빼앗긴 나라를 되찾을 수 있고 우리나라의 미래가 밝다는 생각에서 어린이 교육에 앞장섰다고 했습니다. 일본에 빼앗긴 나라를 되찾고자 노력한 것입니다.

[오답 풀이]
① ❷문단에서 '일본에게 빼앗긴 나라'라는 표현에서 알 수 있습니다.
② ❷문단에서 어린이들이 읽을 책이 없어 직접 동화를 쓰기도 하고 외국의 동화를 소개하기도 했다고 했습니다.
③ ❶문단에서 아이들을 존중하지 않고 '애놈', '자식 놈'이라고 부른다고 하였습니다.
④ ❷문단에서 방정환은 이려운 환경 속에서도 어린이들이 밝게 자라날 수 있도록 꿈과 희망을 주기 위해 동화를 썼다고 했습니다. 빼앗긴 나라에서 존중받지 못하는 아이들의 삶이 어려웠을 것을 짐작할 수 있습니다.

알쏭달쏭 맞춤법 │ 잠시 쉬며 재미있게 익혀 보세요.

- 감자를 간장에 (졸이다, 조리다).
  ➡ 양념을 한 뒤에 국물이 졸아들어 간이 배도록 바짝 끓이다.
- 가슴을 (졸이다, 조리다).
  ➡ 안타깝고 불안해하다.

[정답] 조리다 / 졸이다

154쪽 │ 지문 분석

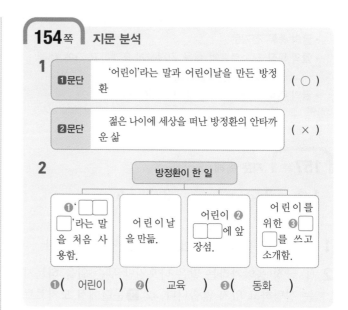

1 이 글의 ❶문단에서는 '어린이'라는 말을 처음 쓰고 어린이날을 만든 방정환을 소개하고 있습니다. ❷문단에서는 어린이 교육에 앞장서고 어린이를 위한 삶을 산 방정환의 삶을 이야기하고 있습니다. 안타까운 삶의 모습이 중심 내용은 아닙니다.

2 방정환이 어린이를 위해 한 일을 정리해 봅니다. 방정환은 '어린이'라는 말을 처음 사용하고 어린이날을 만들었으며 어린이를 위한 동화를 쓰고 소개하는 등 어린이 교육에 힘썼습니다.

155쪽 │ 오늘의 어휘

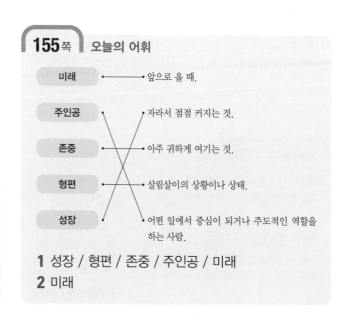

1 성장 / 형편 / 존중 / 주인공 / 미래
2 미래

- **글의 종류** 전기문
- **글의 특징** 모차르트의 삶을 간단하게 소개하고 그에 대해 평가하는 글입니다.
- **글의 주제** 모차르트의 삶과 그에 대한 평가

157쪽 지문 독해

1 ③　**2** (2) ○ (3) ○　**3** ②　**4** ①

1 이 글은 모차르트의 삶에 대하여 쓴 전기문입니다.

2 (1) 궁정 음악가라는 말은 나오지만 무슨 일을 하는지는 설명하고 있지 않습니다. (2) **3**문단에서 모차르트가 남긴 곡이 600여 편이라고 설명하고 있습니다. (3) **1**문단에서 태어난 해를, **2**문단에서 세상을 떠난 해를 알 수 있습니다.

3 **2**문단에서 모차르트는 1791년 「마술피리」로 성공을 거두었지만, 같은 해에 세상을 떠났다고 했으므로, 「미술피리」는 모차르트가 죽기 전에 유명해진 것입니다.

> 오답 풀이
>
> ① **1**문단에서 모차르트가 3세에 피아노를 치고 5세에 작곡을 했다고 했습니다.
> ③ **2**문단에서 모차르트는 1773년 아버지와 같은 궁정 음악가가 되었다고 했습니다.
> ④ **2**문단에서 모차르트는 원하는 음악을 할 수 없어 궁정 음악가를 그만두고 유럽 여러 곳을 다니면서 다양한 음악을 만들었다고 했습니다.
> ⑤ **2**문단에서 1791년 「마술피리」로 성공을 거두고 같은 해에 세상을 떠났다고 했습니다.

4 **3**문단에서 모차르트는 뛰어난 재능을 가지고 있었음에도 끊임없이 노력하는 사람이라고 했습니다.

알쏭달쏭 맞춤법 잠시 쉬며 재미있게 익혀 보세요.

- 다리가 (절이다, 저리다).
  ➡ 오래 눌리거나 추위로 인해 피가 잘 통하지 못하여 아프다.
- 배추를 (절이다, 저리다).
  ➡ 채소에 소금을 뿌려 짭짤한 맛이 들거나 싱싱한 기운이 줄어들게 하다.

정답 저리다 / 절이다

158쪽 지문 분석

1

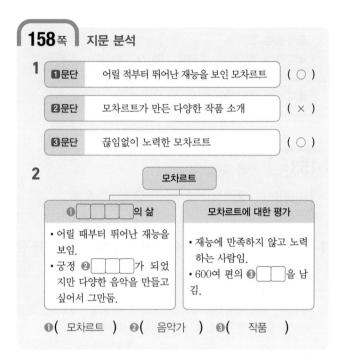

1문단	어릴 적부터 뛰어난 재능을 보인 모차르트	(○)
2문단	모차르트가 만든 다양한 작품 소개	(×)
3문단	끊임없이 노력한 모차르트	(○)

2

모차르트

❶□□□□의 삶	**모차르트에 대한 평가**
• 어릴 때부터 뛰어난 재능을 보임. • 궁정 **❷□□□**가 되었지만 다양한 음악을 만들고 싶어서 그만둠.	• 재능에 만족하지 않고 노력하는 사람임. • 600여 편의 **❸□□**을 남김.

❶(모차르트)　❷(음악가)　❸(작품)

1 이 글의 **1**문단에서는 어릴 적부터 뛰어난 재능을 보인 모차르트에 대해 설명하고 있습니다. **2**문단에서 모차르트의 음악 인생을 설명하고 있습니다. 모차르트가 만든 작품의 종류에 어떤 것들이 있는지 구체적으로 알려 주지는 않았습니다. **3**문단에서는 모차르트가 천재임에도 노력하는 사람이었다고 평가하고 있습니다.

2 모차르트의 삶과 그에 대한 평가를 정리하여 봅니다. 모차르트는 뛰어난 재능을 가졌지만 만족하지 않고 끊임없이 노력한 작곡가입니다.

159쪽 오늘의 어휘

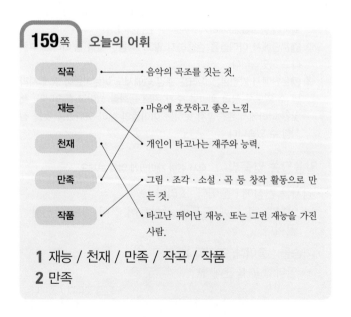

작곡	음악의 곡조를 짓는 것.
재능	마음에 흐뭇하고 좋은 느낌.
천재	개인이 타고나는 재주와 능력.
만족	그림 · 조각 · 소설 · 곡 등 창작 활동으로 만든 것.
작품	타고난 뛰어난 재능, 또는 그런 재능을 가진 사람.

1 재능 / 천재 / 만족 / 작곡 / 작품
2 만족

- **글의 종류** 전기문
- **글의 특징** 일본에 맞서 독립 만세 운동을 하다 목숨을 잃은 유관순의 삶에 대해 설명하고 있습니다.
- **글의 주제** 나라를 위해 목숨을 바친 유관순

161쪽 지문 독해

1 (2) ○ **2** ④ **3** 용기 **4** ⑤

1 (1) 만세 시위가 일어난 사실이 나왔지만 그날을 기억하자는 것이 이 글을 쓴 까닭은 아닙니다. (2) 이 글은 나라를 사랑한 유관순을 알리기 위한 글입니다. (3) 나라를 빼앗긴 시대를 이야기하지만 그때 사람들의 모습을 알려 주는 것이 이 글을 쓴 까닭은 아닙니다.

2 **1**문단에서 시위가 여러 날 계속되자 일본이 강제로 학교의 문을 닫았다고 했지만 언제 닫았는지는 정확히 알 수 없습니다.

  오답 풀이

  ① **1**문단에서 유관순은 충청남도에서 태어났다고 했습니다.

  ② **1**문단에서 유관순은 1916년에 이화 학당에 들어가 공부했다고 했습니다.

  ③ **1**문단에서 1919년 3월 1일이라고 했습니다.

  ⑤ **2**문단에서 3천여 명의 사람들이 모였다고 했습니다.

3 이 글은 나라를 위해 목숨을 바친 유관순에 대한 전기문으로, 유관순의 용기 있는 모습이 드러납니다.

4 **2**문단에서 유관순은 고향에 돌아가서도 집집마다 찾아다니며 사람들을 모았다고 했습니다.

  오답 풀이

  ① 이화 학당 친구들과 유관순도 시위에 참여했습니다.

  ② 유관순은 이화 학당에 들어가 공부했습니다.

  ③ 만세 시위로 많은 사람들이 죽고 유관순도 모진 고문 끝에 죽었습니다. 나라를 되찾았다는 사실은 나오지 않았습니다.

  ④ 학교가 문을 닫은 이후 유관순은 고향에 내려가 만세 시위를 계속했다고 했습니다.

알쏭달쏭 맞춤법 잠시 쉬며 재미있게 익혀 보세요.

- 집을 (**짖다**, **짓다**).
  ➡ 재료를 들여 밥, 옷, 집 등을 만들다.

- 개가 (**짖다**, **짓다**).
  ➡ 개가 목청으로 소리를 내다.

  정답 짓다 / 짖다

162쪽 지문 분석

1 어릴 때부터 나라를 구하고 싶었던 **①**◯◯◯은 3·1 운동에 참여하고, 고향에 와서도 만세 시위를 이끌다가 일본 경찰에 붙잡혀 **②**◯◯에서 목숨을 잃었습니다.

  ①(유관순) **②**(감옥)

2

| 나라를 위해 **①**◯◯을 바친 유관순 |

어린 시절	3·1 운동	고향 만세 운동	죽음
어릴 때부터 나라를 구하는 사람이 되고 싶어 함.	이화 학당 친구들과 **②**◯◯ 시위에 참여함.	3천여 명을 모아 **③**◯◯◯ 장터에서 시위를 함.	일본에 끝까지 맞서는 용기를 보임.

  ①(목숨) **②**(만세) **③**(아우내)

1 이 글에서 알 수 있는 유관순의 삶을 정리합니다. 유관순은 일제에 빼앗긴 나라를 되찾기 위해 3·1 만세 운동에 참여하고 고향에서도 만세 운동을 이끌었습니다.

2 유관순의 어린 시절과 만세 운동에 참여한 일, 고향에 와서 사람들을 모아 아우내 장터에서 만세 시위를 이끈 일, 감옥에 갇혀서도 일본에 맞서다가 어린 나이에 죽음을 맞은 일을 정리합니다.

163쪽 오늘의 어휘

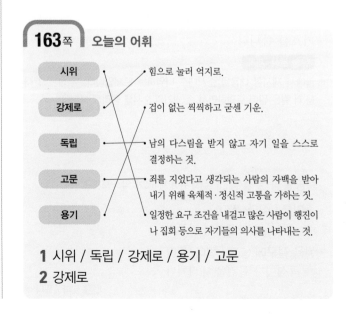

시위 ———— 힘으로 눌러 억지로.

강제로 ———— 겁이 없는 씩씩하고 군센 기운.

독립 ———— 남의 다스림을 받지 않고 자기 일을 스스로 결정하는 것.

고문 ———— 죄를 지었다고 생각되는 사람의 자백을 받아 내기 위해 육체적·정신적 고통을 가하는 것.

용기 ———— 일정한 요구 조건을 내걸고 많은 사람이 행진이나 집회 등으로 자기들의 의사를 나타내는 것.

1 시위 / 독립 / 강제로 / 용기 / 고문

2 강제로

- **글의 종류** 제안하는 글
- **글의 특징** 손을 잘 씻어야 하는 까닭과 올바르게 손을 씻는
  방법을 설명하고, 앞으로 30초 이상 손 씻기를 하
  자고 제안하는 글입니다.
- **글의 주제** 올바른 손 씻기

165쪽 　지문 독해

1 손 씻기　**2** ③　**3** ②　**4** ㉠, ㉡, ㉣, ㉮, ㉢, ㉭

1 이 글은 손을 잘 씻어야 하는 까닭과 올바른 손 씻기
의 방법을 알려 주고 있습니다.

2 **2**문단에서 손을 부분으로 나누어 구석구석 씻는 손
씻기 6단계를 설명하고 있습니다. 손바닥, 손톱, 손
등, 손가락은 손 씻기를 하면서 씻어야 할 부분에 해
당합니다. 손목은 '손과 팔이 잇닿은 부분.'으로, 손을
이루는 부분이 아닙니다.

3 **1**문단에서 손은 질병을 옮기기 쉬우므로 자주 씻어
야 한다고 했습니다.

　오답 풀이

① **1**문단에서 손을 통해 질병을 옮기기 쉽다고 했습니다.

③ **1**문단에서 손을 잘 씻으면 나쁜 균을 없애고 질병을 예방할 수 있
다고 했습니다.

④ **1**문단에서 손을 쓸 때 손이 사람이나 물건에 직접 닿는다고 했습
니다.

⑤ **2**문단에서 손을 씻을 때는 비누를 사용해 흐르는 물에 30초 이상
씻어야 한다고 했습니다.

4 올바른 손씻기 6단계의 내용을 살펴보면서 순서대로
기호를 씁니다.

　유형 분석 / 세목

글에서 제시한 내용을 순서대로 나열하는 문제입니다. '우선', '그 다
음'과 같은 말에 주의하면서 손 씻기의 순서를 정리해 봅니다.

알쏭달쏭 맞춤법　잠시 쉬며 재미있게 익혀 보세요.

- 종이를 (짓다, **찢다**).
  ➡ 물체를 잡아당기어 가르다.
- 쌀을 절구에 넣고 (**찧다**, 찢다).
  ➡ 곡식이나 물건을 내리치다.

　정답 찢다 / 찧다

166쪽 　지문 분석

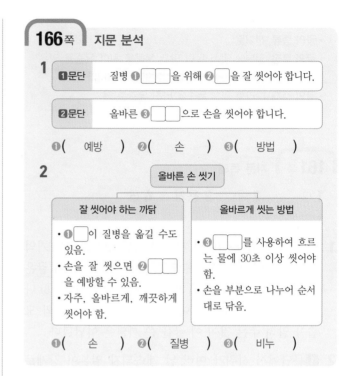

1

| **1**문단 | 질병 **①**□□을 위해 **②**□을 잘 씻어야 합니다. |
| **2**문단 | 올바른 **③**□□으로 손을 씻어야 합니다. |

①(예방)　**②**(손)　**③**(방법)

2

올바른 손 씻기

잘 씻어야 하는 까닭	올바르게 씻는 방법
• **①**□이 질병을 옮길 수도 있음. • 손을 잘 씻으면 **②**□□을 예방할 수 있음. • 자주, 올바르게, 깨끗하게 씻어야 함.	• **③**□□를 사용하여 흐르는 물에 30초 이상 씻어야 함. • 손을 부분으로 나누어 순서대로 닦음.

①(손)　**②**(질병)　**③**(비누)

1 이 글의 **1**문단에서는 질병 예방을 위해 손을 잘 씻
어야 한다고 설명하고 있습니다. **2**문단에서는 올바
르게 손을 씻는 방법에 대해 설명하고 있습니다.

2 손을 잘 씻어야 하는 까닭과 올바른 손 씻기 방법을
정리해 봅니다. 손을 잘 씻으면 질병을 예방할 수 있
으므로 올바른 방법으로 자주, 깨끗하게 씻는 것이 중
요합니다.

167쪽 　오늘의 어휘

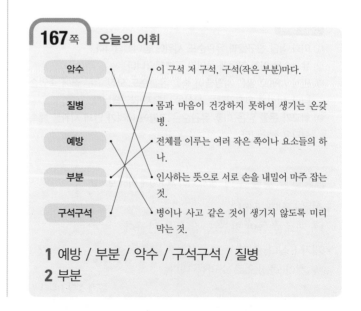

악수		이 구석 저 구석, 구석(작은 부분)마다.
질병		몸과 마음이 건강하지 못하여 생기는 온갖 병.
예방		전체를 이루는 여러 작은 쪽이나 요소들의 하나.
부분		인사하는 뜻으로 서로 손을 내밀어 마주 잡는 것.
구석구석		병이나 사고 같은 것이 생기지 않도록 미리 막는 것.

1 예방 / 부분 / 악수 / 구석구석 / 질병
2 부분

- **글의 종류** 설명하는 글
- **글의 특징** 자전거를 안전하게 타기 위해 자전거를 타기 전에 할 일과 자전거를 탈 때 주의해야 할 점을 설명하는 글입니다.
- **글의 주제** 자전거를 안전하게 타기 위해 지켜야 할 것들

169쪽 **지문 독해**

1 자전거 **2** (1) ○ (2) ○ (3) ○ **3** ② **4** ④

1 이 글은 자전거를 안전하게 타기 위해 지켜야 할 것들에 대하여 설명하고 있습니다.

2 (1) **1**문단에서 설명하고 있습니다. (2) **1**문단에 '교통사고가 날 위험이 있으므로'라는 부분에서 알 수 있습니다. (3) **2**문단에서 설명하고 있습니다. (4) 골목길과 내리막길에서 주의할 점에 대한 설명은 있지만, 알맞은 속도가 어느 정도인지는 나오지 않았습니다.

3 넓고 안전한 장소에서 연습하는 것은 자전거를 타는 일입니다.

4 **3**문단에서 골목길을 나갈 때는 반드시 멈춰서 좌우를 잘 살피고 움직여야 한다고 하였습니다.

유형 분석 / 적용하기
글의 내용을 일상생활에 적용하는 문제입니다. 글에 나온 자전거를 탈 때 주의할 점을 다시 한번 자세히 살피면서 선택지를 확인합니다.

오답 풀이
① **3**문단에서 내리막길에서는 빠르게 가지 않도록 조심해야 한다고 했습니다.
② **2**문단에서 안전모를 써야 한다고 했습니다.
③ **3**문단에서 횡단보도를 건널 때는 자전거에서 내려서 자전거를 끌고 가야 한다고 했습니다.
⑤ **3**문단에서 한 손으로 자전거를 운전하면 안 된다고 했습니다.

알쏭달쏭 맞춤법 잠시 쉬며 재미있게 익혀 보세요.

- (창가, 창까)에 새가 앉았어요.
  ➡ 창문 가까이나 옆.
- (책꽂이, 책꼬지)에 책을 정리해요.
  ➡ 여러 가지 책을 세워서 꽂아 둘 수 있게 만든 물건.
  정답 창가 / 책꽂이

170쪽 **지문 분석**

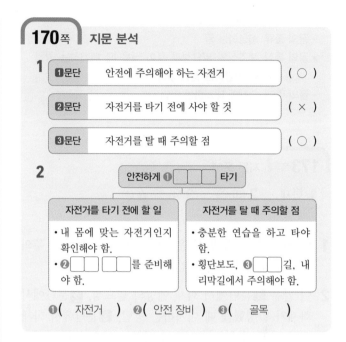

1
1문단	안전에 주의해야 하는 자전거	(○)
2문단	자전거를 타기 전에 사야 할 것	(×)
3문단	자전거를 탈 때 주의할 점	(○)

2 안전하게 **①**□□ 타기

자전거를 타기 전에 할 일	자전거를 탈 때 주의할 점
• 내 몸에 맞는 자전거인지 확인해야 함.	• 충분한 연습을 하고 타야 함.
• **②**□□□□를 준비해야 함.	• 횡단보도, **③**□□길, 내리막길에서 주의해야 함.

①(자전거) **②**(안전 장비) **③**(골목)

1 이 글의 **2**문단에서는 자전거를 타기 전에 할 일에 대해 설명하고 있습니다.

2 자전거를 안전하게 타기 위해 주의해야 할 점들을 정리해 봅니다. 자전거를 타기 전에는 자전거가 몸에 잘 맞는지 확인하고, 안전 장비를 갖추어야 합니다. 자전거를 탈 때는 안전한 장소에서 충분히 연습을 한 후, 속도를 너무 내지 않고 좌우를 살피며 타야 합니다.

171쪽 **오늘의 어휘**

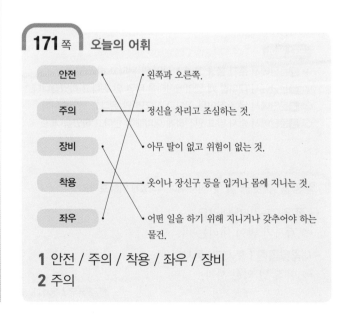

안전	왼쪽과 오른쪽.
주의	정신을 차리고 조심하는 것.
장비	아무 탈이 없고 위험이 없는 것.
착용	옷이나 장신구 등을 입거나 몸에 지니는 것.
좌우	어떤 일을 하기 위해 지니거나 갖추어야 하는 물건.

1 안전 / 주의 / 착용 / 좌우 / 장비
2 주의

- **글의 종류** 설명하는 글
- **글의 특징** 불조심의 필요성과 불이 났을 때 대처하는 방법을 설명하는 글입니다.
- **글의 주제** 화재에 대처하는 방법

173쪽　지문 독해

1 화재　**2** (3) ○　**3** ④　**4** ④

1 이 글은 화재 발생 시 올바른 대처법과 대피 시 주의 사항에 대해 설명하고 있습니다.

2 이 글은 **1**문단에서 화재 예방의 필요성, **2**문단에서 화재가 발생했을 때 대처하는 방법, **3**문단에서 화재 대피 시 주의해야 할 점을 설명하고 있습니다. 화재가 발생하기 쉬운 상황이나 소방관이 하는 일은 설명하고 있지 않습니다.

3 **2**문단에서 119 신고는 안전한 곳에 대피한 후에 해야 한다고 하였습니다.

　오답 풀이
① **2**문단에서 혼자 불을 끄려고 하면 안 된다고 하였습니다.
② **2**문단에서 불이 났을 때 무섭다고 숨으면 안 된다고 하였습니다.
③ **1**문단에서 화재가 일어나지 않게 미리 조심해야 한다고 하였습니다.
⑤ **2**문단에서 불이 났다고 크게 소리를 친 뒤 안전하게 대피해야 한다고 하였습니다.

4 **3**문단에서 대피할 때 손수건이나 휴지를 적셔 코와 입을 가리면 나쁜 가스를 마시지 않을 수 있다고 했습니다.

　오답 풀이
① **2**문단에서 혼자 불을 끄려고 하면 안 된다고 하였습니다.
② **3**문단에서 대피할 때 엘리베이터를 타면 안 된다고 하였습니다.
③ **4**문단에서 문 손잡이를 함부로 잡으면 안 된다고 하였습니다.
⑤ **5**문단에서 숨지 말고 안전하게 대피해야 한다고 하였습니다.

알쏭달쏭 맞춤법　잠시 쉬며 재미있게 익혀 보세요.

- (폭우, 포구)가 내려요.
  ➡ 갑자기 많이 내리는 비.
- 새콤달콤한 (풋사과, 풑사과)
  ➡ 아직 덜 익은 사과.

　　　　　　　　　정답 폭우 / 풋사과

174쪽　지문 분석

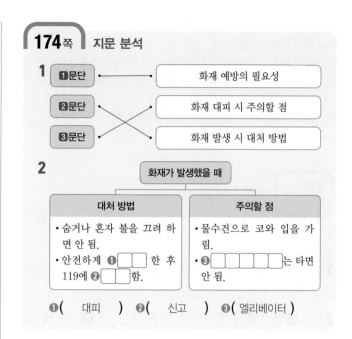

1 이 글의 **1**문단에서는 화재의 위험성과 예방의 필요성을 설명하고 있습니다. **2**문단에서는 화재 발생 시 대처 방법을 설명하고 있습니다. 또한 **3**문단에서는 대피할 때 주의할 점을 설명하고 있습니다.

2 화재가 발생했을 때 대처하는 방법과 주의할 점을 정리합니다. 화재가 발생하지 않도록 예방하는 것이 중요하지만 화재가 발생했을 때는 숨거나 혼자서 불을 끄려고 하지 말고 안전한 곳으로 대피한 후에 119에 신고해야 합니다. 대피할 때는 물에 적신 수건으로 코와 입을 가리고, 엘리베이터를 타지 않도록 해야 합니다.

175쪽　오늘의 어휘

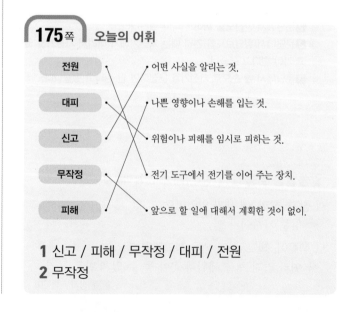

1 신고 / 피해 / 무작정 / 대피 / 전원
2 무작정

실수를 줄이는 한 끗 차이!
빈틈없는 연산서

- 교과서 전단원 연산 구성   · 하루 4쪽, 4단계 학습   · 실수 방지 팁 제공

수학의 기본 큐브

실력이 완성되는 강력한 차이!
새로워진
유형서

- 기본부터 응용까지 모든 유형 구성
- 대표 예제로 유형 해결 방법 학습
- 서술형 강화책 제공

개념 이해가 실력의 차이!
대체불가
개념서

- 교과서 개념 시각화 구성
- 수학익힘 교과서 완벽 학습
- 기본 강화책 제공

정답과 해설

초등 국어 **비문학 독해**

믿고 보는 동아출판
초등 교재

기초학습서부터 교과서 개념 다지기, 과목별 전문서까지!
초등학교 입학 전부터, 예비 중등까지!
초등학생에게 꼭 필요한 영역을 빠짐없이! **동아출판 초등 교재 라인업**

BEST

2022 개정
교육과정

초등 1~2학년
공부 단력
초능력

맞춤법 +
받아쓰기

쉽고 빠른
맞춤법 학습

받아쓰기
단계별 연습

국어 교과서
어휘 학습

초등 국어
1·2

초능력
비주얼씽킹 과학

초능력
비주얼씽킹
초등 한국사

초능력
수학 연산

초능력
국어 독해

초능력
급수 한자

초등 영역별 기초학습서
초능력 국어 / 수학 / 과학 / 한국사 / 한자

초고필
유리수의
사칙연산
을 해야 할 때

5-6

초고필
지금 국어 문법을
해야 할 때

초고필
지금 국어 어휘
를 해야 할 때

초고필
반편성
배지고사
+진단평가

6

초고필
지금 한국사
를 해야 할 때

초고필
비문학 독해1

5-6
예비 중등

예비 중등
초고필 국어 / 수학 / 한국사
적중 반편성 배치고사 + 진단평가